2. 누구나 알고 있는 약한 우울증 레시피

3. 중간정도의 우울 레시피

4. 깊은 우울증에 필요한 레시피

5. 이상하지만 효과 있는 레시피

6. 정신건강 유지하기

우울할 때
꺼내먹어요.

프롤로그

<당신만의 우울증 레시피가 있나요?>

누군가 저에게 "20대로 돌아가고 싶나요?" 라고 물으신다면 저의 대답은 "NO" 입니다. 이제 겨우 서른을 넘어 우울증을 극복했는데, 다시 20대로 돌아가 방황하며 이리 부딪히고 저리 부딪히며 또 방황을 해야 한다는 상상은 저에게 너무나도 끔찍하기 때문이죠. 그래서 저는 과거로 절대 돌아가고 싶지 않습니다. 돌아갈 기회가 있더라도 갈대처럼 흔들렸던 그때로 돌아가는 선택은 하지 않을 거에요.

저의 20대는 긴 터널의 연속이었습니다. 가끔 터널의 끝에서 세어 나오는 빛에 의해 터널에서 벗어나나 했지만 또 다른 터널이 저를 맞이했고 터널의 연속으로 하루하루가 저에겐 어둠이었고 늘 상처와 아픔만 남았었습니다. 불완전한 자아와 불편한 당시의 상황은 제 자신을 괴롭히기만 했어요. 별거 아닐 수 있는 우울 증상이었겠지만 제대로 극복하는 방법이나 치유법을 몰라서 우울증은 깊어지기만 했죠. 예를 들자면 찢어진 상처부위가 간지러워 계속 긁어내다가 결국 흉이 져버린 것이라고 할까요?

다행인 것은 그 덕분에 저는 더욱 단단해졌고 나름대로의 우울증 극복방법을 알게 되어 이제 웬만한 우울감에는 흔들리지 않게 되었습니다. 이 방법을 왜 이제야 알았나 싶기도 하고 지금보다 더 어렸을 때 이런 방법들에 대한 조언이나 책을 읽었다면 그 길었던 터널이 그나마 짧아졌지 않았을까 생각이 들었어요.

그래서 누군가는 저처럼 우울증 때문에 힘들어 할테고 처음 겪는, 혹은 잦은 우울증세에 어떻게 해야 할지 모르는 사람이 있을 것이라 생각했습니다. 그런 분들을 위해 제 경험과 나름대로의 방법을 나누고 싶어졌어요. 우리나라에서 우울증을 갖고 산다는 것은 참 힘든 일이기 때문이에요. 내가 우울증이라는 것을 밝히면 주변에서 다 그 정도는 갖고 있는 것이라며 별거 아닌 것에 문제를 만드는 사람 취급하고, 답답함에 어쩔 줄 몰라 하면 저를 피하거나 정신병 환자로 여깁니다. 그런 손가락질로 인해 우리가 우울하다는 것을 숨길 수밖에 없으며, 결국 숨긴 우울증 때문에 극단적인 선택을 하게 됩니다.

터널에서 한창 방황할 때 저는 이 방황의 끝이 어디인지를 생각하기보다 이 어둠속에서 끝났으면 하는 못 된 생각도 한 적이 있었습니다. 그 생각의 끝에는 부모님이 계셨고 가족이 있었어요. 제가 사라진다면.. 이라는 가정을 했더니 너무나도 끔찍했죠. 그 후에 남은 사람들이 저에 대한 미안함과 죄책감 그리고 허탈함을 느낄 것을 상상하니 힘들지만 극복해나가야겠다는 생각이 들었습니다.

이 책은 저같은 분들을 위한 책입니다. 우울한 것은 알겠지만 지금 우울증을 어떻게 해야 벗어날 수 있는지, 혹은 나같은 사람이 있는지, 이 느낌이 마냥 오래되 나를 괴롭히는 것인지에 대해 생각하는 분들을 위해서요.

책이 몇 권으로 인쇄되어 그중 몇 권이 몇 분에게 도움이 될지는 모르겠습니다만, 단 한분이라도 제 책으로 인해 영감을 얻고 새로 일어설 수 있는 힘을 얻는다면 저는 그것을로 만족할 것 같습니다. 20대의 긴 시간동안 늘 우울을 달고 살던 제 이야기를 통해 독자들과 공감하고 싶었고 '우울증이란 누구에게나 생길 수 있으며, 또 누구나 극복할 수 있다.' 라는 메시지를 담았어요.

주로 원인보다는 해결방법에 초점을 뒀습니다. 현재 우울을 겪고 있는 여러분의 각자의 방법도 있을 꺼에요. 그중에 제가 권하는 방법과 겹치는 내용도 있을 테고 새로운 시도로 보일 수 도 있을 것입니다. 그중 하나라도 여러분께 도움이 되어 기나긴 터널의 끝에서 빛이 세어 나옴을 느꼈으면 좋겠어요.

옛 말에 기쁨은 나누면 두 배가 되고 슬픔은 반이 된다고 했습니다. 이 책으로 누군가와 우울과 슬픔을 나누어 반의반으로 잘게 쪼개 더 쪼갤 수 없을만큼 만들어 함께 이 역경을 극복해 보아요!!!

1. 우울함을 바라보자.

• 패턴화된 일상 만들기

매일 아침 일어나서 무슨 생각을 하시나요? 혹은 무슨 행동을 하시나요? 저는 아침에 일어나면 화장실을 가서 소변을 보고 방에 있는 커다란 의자에 앉아 10분간 아침 명상을 합니다. 이게 바로 제가 아침을 환영하는 방법중 하나죠. 아직 완전한 습관이 되지 않아서 아침마다 의식적으로 하고 있습니다.

이렇게 아침을 맞이할 때와 제가 그렇지 않았을 때의 감정의 차이는 너무나도 큽니다. 우울증이 있었을 때에는 감히 생각하지도 못 했던 느낌이죠. 사실 올해부터 시작한 아침습관이다 보니 어색하기만 합니다. 습관이 되기까지 또 얼마나 걸릴지는 모릅니다.

습관에 따른 연구결과나 인터넷 떠도는 정보 중 66일간 똑같은 일을 반복하면 습관이 된다고 했는데 저에게는 해당되지 않는 듯 합니다. 명상을 시작한지 5개월이 지났는데도 아침에는 의식하지 않으면 제대로 명상하기조차 힘드니까요. 또 집이 아닌 부모님댁에서 외박을 하게 되는 날에는 아침에 일어나 명상하기가 더욱 힘들어집니다.

습관이라는 것이 행동적으로 꾸며지는 일이기도 하지만 환경적인 요소들도 많이 영향을 끼치는 것 같습니다. 매일 아침 화장실을 다녀와 방에 있는 늘 앉던 의자가 아니면 명상을 하기가 힘드니까요. 언제 어디서든 할 수 있는게 명상의 장점이지만 습관으로 만들기는 힘들더군요.

그래서 집에 있는 동안, 집에서 아침을 맞이하는 동안만큼은 아침을 맞이하는 이 습관에 집중하고 있습니다. 밖을 나가서도 자연스럽게 명상을 할 수 있을 만큼요. 또, 저의 하루는 다른 사람들(일반적인 회사원)과 조금 다릅니다. 저의 하루는 보통 아침 10시에 시작 됩니다. 보통 10시정도라 말씀드린 이유는 10시에 일어날 때도 있고 9시대에 일어날때도 있고 11시가 거의 다 되어서 일어나기도 하기 때문입니다.

약 1년전부터 아침에 울리는 알람시계로부터 해방되고자 아침 알람을 꺼버렸고 그 이후에는 꾸준히 이시간대에 일어나곤 합니다. 사람마다 수면 패턴이 있고 일어나는 시간과 활동하는 시간이 다 다르다는 것을 깨닫고 난 후에는 제 행동 시간대가 이때인 것을 몸으로 터득했습니다.

물론 이렇게 되기까지 많은 시행착오가 있었습니다. 아침형 인간이 유행한다길래 매일 아침 5시에 일어나 러닝을 해보기도 하고, 4시에 일어나 영어공부나 운동을 해보았습니다. 하지만 저에게는 맞지 않았어요. 인생에 몇 번 있을 법한 이벤트성 활동이었던 것이었죠.

그리고 게임을 좋아하던 저는 게임을 하다가 밤을 샜던 적도 많습니다. 그렇게 밤에 적응하기 쉽고 밤이 되면 말똥말똥해지는 정신에 역시 난 아침형 인간 보다는 올빼미형 인간이 맞구나 싶어 거꾸로 밤에 활동하고 아침 해가 뜨면 잠을 잤습니다.

이 생활방식은 아침형 인간보다는 훨씬 쉬웠습니다. 야간에 하는 일이 은근히 많고 밤과 새벽은 낮에 느낄수 없는 고요함과 사색의 시간을 가질 수 있어서 더 좋았습니다. 하지만 이또한 오래가지 못했습니다. 매번 아침에 잠을 자서 그런지 햇빛을 볼 시간이 없었고 햇빛을 보지 못함으로써 우울감은 수시로 찾아왔습니다. 그것뿐만이 아니었습니다. 아침 8시쯤 잠들고 오후 6시쯤 일어났는데, 수면의 질이 떨어져서 일어날 때마다 심한 두통으로 아침(올빼미족에겐 저녁인 시간대)을 맞이하게 되더군요. 그렇게 올빼미형 인간도 체험해보니 저랑 맞지 않다는 것을 알게 되었습니다.

그 후엔 그냥 제 몸에 맡겨보았습니다. 몇시쯤 졸리고 몇시에 자연스럽게 일어나게 되는지 또 실험을 하게 된 것이죠. 그렇게 찾은 시간이 새벽 2시반쯤 자고 아침 10시쯤 일어나는 패턴이 제게 자연스러운 수면패턴이라는 것을 알게 되었습니다. 이렇게 몸에 맡겼더니 몸이 알아서 행동하는 신기한 경험을 하게 되었어요.

이 패턴을 찾기 위한 실험 역시 처음에는 엉망진창이었습니다. 몸에 맡겨버리니 졸리다고 몇 분 더 잤고 몇 분이 몇 시간이 되어 초반에는 12시간이 넘게 잠을 자는 날도 있었습니다. 왜 그런지 모르겠지만 12시간을 자면 특별히 뭔가 할 것은 없지만 뭔가 하지못했다는 죄책감이 들었습니다. 일반적으로 잠을 많이 자는 사람이나 잠 때문에 활동을 잘 못하는 사람들은 좀 게으르다고 생각했기 때문인 것 같았습니다. (물론 일반적이기라기보다 제가 그런 생각을 했습니다.)

12시간을 잔 것에 대해 죄책감을 느끼긴 했지만 제 몸은 힘이 넘쳤습니다. 잠을 잘 잤기에 피부도 좋아 보였고 표정도 다양해져서 거울을 보면 기분이 좋아졌습니다. 잠이라는 것이 그런 신기한 힘이 있구나 했죠. 억지로 잠을 줄이고 제대로 못자면 힘이 빠지고 수척해지는데 잠을 많이 자면 피부도 탄력이 넘치고 왠지모를 슈퍼파워(?), 기운이 넘치는 경험을 했으니까요.

12시간씩 자다가 제 몸은 너무 많이 자는 것을 알아차렸는지 12시간에서 11시간, 11시간에서 1시간씩 점점 줄더니 알아서 7~8시간대 수면으로 자리를 잡더군요. 그렇게 자리 잡은 수면 시간이 지금의 시간이 된 것입니다.

이런 자연스러운 수면의 장점은 매일 같은 시간에 잠이 들고 매일 같은시간에 일어나기에 수면의 질과 다음날 컨디션이 좋아집니다. 하지만, 가끔 내려가는 부모님 댁에서나 혹은 친구네에서 잠을 자게 되면 왠지 잠다운 잠을 못잔 기분에 컨디션이 엉망이곤 합니다. 그런날은 뭐 한달에 한번 혹은 두어달에 한번 있으니 크게 의미를 두지는 않았어요.

다시 아침을 맞이한 후의 제 일상을 얘기해 드리겠습니다. 아침을 맞이하고 나서 2시간정도는 아무거나 합니다. TV를 보고 싶으면 TV를 보고, 산책을 하고 싶으면 산책을 하고, 보통은 책을 읽거나 영화를 봅니다. 그리고 12시가 되면 식사준비를 하는데, 식사에 대해서도 할 말이 너무 많으니 일단 식사를 한다 정도까지만 말씀을 드리겠습니다. 식사를 하고 설거지를 하는 시간까지 대략 1시간이 걸리니 오후 1시가 됩니다.

오후 1시가 되면 슬슬 운동복으로 갈아입고 2시에 수업이 있는 요가원으로 가 요가를 합니다. 생각이 많고 평소 산만한 저에게는 요가만한 운동이 없더군요. 그렇게 3시 반에 요가를 마치고 집으로 돌아옵니다. 집에서 간단하게 샤워를 하고 나서 노트와 펜을 들고 제가 좋아하는 카페로 가서 아메리카노 혹은 카페라떼 한잔을 마시며 글을 씁니다. 원고를 마감하기 위해 하루 A4용지로 두 장 정도는 꼭 쓰고 남는 시간에는 블로그에 글을 올리거나 인터넷 검색하며 궁금한 점을 찾아봅니다.

그렇게 오후 6시쯤 되면 집으로 다시 돌아와 저녁 명상을 합니다. 명상은 늘 식전에 하기로 마음잡은 터라 웬만하면 식사하기 전에 간단하게 명상을 한후 식사를 준비합니다. 저녁식사를 하고 오후 7시~8시 사이부터 대리운전을 시작합니다. 하루를 알차게 사는 것도 중요하지만 무엇보다도 그런 삶을 영위하기 위한 돈이 있어야 하기에 생계를 위해 대리운전으로 새벽 1시 반까지 일을 합니다. 새벽 1시 반쯤 일을 마무리하고 집에 들어와서 샤워를 한 후 아침에 읽던 책을 조금 읽다가 잠이 듭니다. 그 시간이 대략 2시 반쯤 됩니다. 이 시간도 두시 반으로 맞춰 놓은 것이 아니라 자연스럽게 책 좀 읽다보면 그 시간대가 되었습니다.

31살이라는 나이가 돼서야 제 하루의 패턴이 완성이 되었고, 그 정돈된 하루는 제 몸과 마음을 건강하게 만들어 주었습니다. 이런 패턴을 만들고자 의식적으로 다가간 부분도 있고 자연스럽게 만들어진 부분도 있습니다만 결과적으로 봤을 때 이 패턴이 저에게 큰 도움이 되고 있다는 것을 느낍니다. 패턴화 됐다고 해서 매일 똑같은 삶이라 생각하시겠지만 하루 라는 시간 그리고 어제, 오늘, 내일은 매일 매일 다른 하루로 다가왔습니다.

매일 다른 하루를 내 나름대로의 패턴으로 생활하고 있으며, 이 일상화된 패턴은 매일 다른 하루로 겪을 수 있는 힘이 되었습니다. 매일 다르게 느끼는 이유는 매일 다른 날씨 덕분입니다. 사실 20대의 날씨는 기억조차 나지 않습니다. 일하느라 바빴고, 하루가 어떻게 흘러가는지도 몰랐기에 그때의 날씨는 어땠는지 잘 모릅니다. 하지만 요즘의 날씨는 하루하루가 뚜렷합니다. 그저 덥다 춥다 로만 표현했던 제 입에서는 가을 날씨가 청명하고 예쁘구나, 예쁜 하늘을 보기위해서 무더위를 견뎌냈구나, 조금 오글거릴지 모르겠지만 그때의 하늘과 지금 제가 보는 하늘은 같은 하늘이지만 다르다는 것을 크게 느낍니다. 일상이 정리됐듯 제 마음도 정리 정돈되어 매일을 스쳐가는 것이 아닌 매일 겪어 나가고 있음을 알게 되었습니다.

모든 사람은 각자 다른 개성을 갖고 있고 성향 역시 다르기에 누구의 방법이 다 옳다 라고 해서 옳은 것이 아닙니다. 현재 자신이 우울하다면, 자신만의 일상의 패턴을 찾아서 감정을 조절 해 보시기 바랍니다. 꼭 저처럼 실험을 해도 좋고 해보지 않으셔도 좋습니다. 자신이 원하는 시간대 원하는 행동을 하면 그게 바로 본인만의 패턴화된 일상이 될 것입니다. 일상을 재정비하여 제일 편하게 움직일 수 있는 여러분만의 시간을 만들어 감정을 잘 다스리시길 바랍니다.

• 하고 싶은 일 때문에 우울한 당신에게

무언가 '하고 싶다' 라고 강하게 생각했던 적이 언제였는지 생각해보면 아마 초등학교 3학년 무렵인 것 같습니다. 정확하게 기억나지는 않습니다만 그때 당시 저는 친구들과 축구하는 것을 좋아하여 막연하게 축구선수가 되고 싶었습니다.

물론 그때보다 더 어린 나이에 장래 희망 칸에 과학자라고 쓰긴 했지만 그땐 과학이 뭔지도 모르고 과학상자라는 것을 만지며 조립을 잘 하다 보니 부모님께서 과학자라고 쓰라고 하셨습니다. 과학자가 무슨 일을 하는지 몰랐고, 3년을 장래 희망 칸에 과학자로 쓰다가 다시 3학년부터는 축구선수로 장래 희망 칸에 고정이 되었습니다. 그렇다고 축구선수에 대해 잘 아는 것은 아니었습니다. 다만, 축구를 하면 기분이 좋았었습니다.

단순한 이유였지만 저에게 뭔가 '하고 싶다' 는 생각으로 무언가를 사달라고 졸랐던 때가 그때였습니다. 장래희망이 축구 선수로 쓴 만큼 축구공을 사달라고 부모님께 말씀드렸죠. 학교에선 제대로된 축구공이 없던 터라 제 축구공으로 우리 반 친구들 모두가 축구를 할 수 있었어요. 그런데 새 축구공이다 보니 얼마 안돼서 잃어버리고 말았습니다. 제가 뭔가 잃어버리고 없어진건 기억을 잘하거든요. 그 축구공을 잃어버리고 나서 대충 의심되는 친구들을 추궁했지만 결국 찾지 못했습니다. (결과적으론 잃어버린 기억 덕분에 이렇게 기억하게 되었으니 감사하다고 할수 있겠군요.)

아무튼 뭔가 하고 싶다는 일이 생긴 것은 그때 즈음이었고,

그 이후로 하고 싶은 일이 참 많이 바뀌었습니다. 음악을 하고 싶어서 디지털싱글 앨범을 제작하기도 했고, 강사가 되고 싶어서 사람들 앞에서 강연도 해보고, 돈을 많이 벌고 싶어서 무턱대고 영업직에 지원해 영업일을 해보기도 했습니다. 그런데, 그때마다 괴로움이 동반되었습니다. 왜였을까요?

분명 하고 싶은 일을 하겠다하고 좋아하는 일인 것 같아 선택했는데, 저는 '좋다' 라는 기분보다 괴로움만 가득했습니다. 그 이유는 의욕만큼 되지 않았던 성적 때문인 듯합니다. 음악을 시작할 때도 저는 분명 실력이 있고 앨범을 발표하면 제 음악이 이슈가 될 것만 같았고, 강연을 하면 말을 잘하기에 바로 스타강사의 길로 갈 것 같았습니다. 영업사원 역시 얼마 안되어 억대연봉이 될 실력이 있다고 생각했죠.

하지만 제가 생각한 이 실력이라는 것은 하나의 망상일 뿐이었습니다. 제 실력이라는 것을 사회에 가지고 나갔더니 아무 쓸모없는 실력이었습니다. 아니, '쓸모없다' 라기보다 남들은 알아주지 않는 실력이었던 것이죠. 그 실력을 키워나가는 과정과 매 순간순간 벽에 부딪혔을 때 이겨내는 강한 마음이 필요했지만 저는 그 벽을 만날 때마다 부수거나 넘어가기는커녕 그저 운이 안 좋다고 치부하며 제 자신을 원망하기만 했어요.

그때 느꼈습니다. 자신이 가진 것이 많고 노력한 것이 많다고 생각할수록 좌절에 빠지기 쉬운 것 같다는 것을요. 그 노력이라는 것이 정말 누구나 할 수 없는 힘든 노력일지 모르겠지만 막상 시장에 나갔을 때엔 필요하지 않는 실력일 수가 있거든요. 시장경제는 참 단순합니다. 필요로 하는 사람이 있어야 하고 필요로 하는 사람에게 필요한 것을 팔면 거래가 성립이 됩니다. 이런 단순한 시장경제의 흐름대로라면 저는 제 자신의 기준을 둔 노력이 아니라, 세상이 혹은 다른 사람이 필요로 하는 제품을 내놓아야만 거래가 성립이 되는 것이죠.

그런데 저는 자만심으로 똘똘 뭉친 터라 그게 잘 안됐습니다. 필요하지 않아도 내 물건은 '팔릴 것이다' 라고 자만 해왔던 것이죠. 20대에는 그렇게 많이 방황했습니다. 참 무지했던 때였죠. 하고 싶은 일이 너무 많아서 문제였던 저는 그렇게 하나 둘 하고 싶은 일이 줄어들었습니다. 하고 싶은 일이라는 것은 알지만 그 과정에 있어서 무너진 경험이 많았기 때문이죠. 좌절이 많아지면 자연스럽게 도전하는 횟수가 줄어듭니다. 새롭고 낯선 것을 좋아하기보다 안정적이고 눈에 익은 것만 하게 되죠. 경험에 의한 안정성을 추구하게만 됩니다.

20대 시절 자리 잡지 못한 30대를 바라보며 '나는 저러면 안 되겠다' 생각했지만, 지금 저도 불안정하며 안정적이지 않으면 글쓰기가 참 힘이 듭니다. 매일 매일이 도전이고 매일 매일이 새로운 경험일수도 있지만 그래도 저는 제 나름대로 제가 만든 규칙과 룰 안에서 행동해야했고 무슨 일이 생길 것 같으면 미리 계획을 세워야만 마음이 편합니다. 나름대로 제 생존 법칙이 생긴 것이라 할 수 있겠죠.

지금의 결론은 하고 싶은 일이라는 것은 어떠한 결과를 쫓는다기보다 그 자체를 즐길 수 있는 일이 하고 싶은 일이 아닐까 생각이 듭니다. 결과론적으로 봤을 때엔 잘 안될 수도 있습니다. 처음에 생각했던 그 모습이 되지 않을 수도 있습니다. 예를 들자면 유명한 가수가 되고 싶어서 음악을 시작했다가 유명한사람이 되지 않더라도 그저 음악을 업으로 살아가더라도 만족할 수 있어야 한다는 거죠. 그렇게 꾸준히 만족해하면서 음악을 즐기다보면 유명해지고 유명해지면 돈도 자연스럽게 따라오는 것이라 생각하게 되었습니다. 그래서 목적이 돈이나 명예를 위해 무언가를 한다는 것은 참 위험 한 일입니다. 운이 좋아 얼떨결에 한 두 번 안에 돈과 명예를 다 얻게 된다면야 너무나도 감사하고 좋은 일이지만 그런 경우의 수는 참 드문 일입니다.

상상하고 바라는 대로 이뤄지는 세상이지만 상상하고 바라는 곳까지 가는 길은 험하고 무섭기만 합니다. 마음이 이끄는 대로 갈 수 있지만 마음이라는 것은 유리와 같아서 쉽게 깨지곤 합니다. 그 과정을 알아야만 합니다. 이 포인트를 알려주는 사람은 없습니다. 이건 직접 경험해봐야만 깨닫는 인생의 교훈이라고 생각이 듭니다. 제가 이렇게 얘기를 해드릴 수도 있지만 실제로 본인에게 와 닿지 않을 수도 있어요. 그래도 무언가를 한다는 것은 참 좋은 일이기에 겁을 먹기보다 약간의 자신감을 갖고 첫 시작의 발걸음을 때보시길 권장합니다.

'그래서 당신은 뭘할 때 기분이 좋나요? 과정을 즐기게 됐나요?' 라고 묻는 다면 이렇게 글쓰는 행위라고 말씀드리고 싶습니다. 앞에서 애기했듯이 크게 음악과 강연, 영업사원을 하면서도 책을 많이 읽었고 책을 읽으면서도 계속 되는 영감과 글을 쓰는 일을 멈추지 않았습니다. 음악도 작곡 보다는 작사에 재미를 붙였고 강연은 말하기보다 말하는 대본을 쓰는 것에 재미를, 영업 사원을 할 때도 말이 되게끔 하는 대본 만드는 것을 좋아 한다는 것을 알게 되었습니다. 그 덕에 이렇게 매일 글을 쓰게 되었죠. 글을 쓰면서 머리를 굴리는 이 시간만큼은 뭔지 모르겠지만 기분이 좋습니다.

이 글 쓰는 과정은 위의 공식을 저에게 대입해보며 실험하는 시간이기도 합니다. 그저 글 쓰는 것이 좋아서 글을 쓰는 것이고 글이 완성되어 원고를 출판사로 보내고 출판사에서 마음에 든다 하면 책으로 나오겠죠. 이런 일련의 과정이 시장에서 과연 통할지 않을지는 모르겠지만 일단 이 실험이 어떻게 될지가 궁금합니다.

누군가가 하고 싶은 일이 있는데 뭘 어떻게 해야죠? 라고 묻는다면 일단 저는 하라고 권하고 싶습니다. 그게 무슨 일이건 간에 하고 싶은 일이라면 그 시장에 들어 가 보라고.. 그러면 그것이 진짜 하고 싶었던 일이었는지 아니면 다른 목적에 의해서 하고 싶은 일이라고 착각이 들었던 것이었는지 알 수 있게 되죠. 그것을 빨리 깨닫는 것이 중요합니다.

그게 아니라 착각 속에 빠져서 저처럼 음악에 재능이 있다고 믿기만 하고 운에 맡겨버리면 절망감이 축적되어 나중에 마음이 크게 다치게 됩니다. 하고 싶은 일이 많고 바뀌는 것은 문제가 되지 않습니다. 하지만 내적인 동기가 아니라 외부적인 이유에 의해서 하고 싶은 일을 한다는 것은 과정에 있어서 굉장한 고통을 수반 한다는 것을 알고 시작해야합니다. 그것을 견뎌낸다면 원하는 것을 쟁취할 수 있게 되고 강한 멘탈을 얻게 됩니다. (저는 그런 강한 마음이 없었습니다. 쉽게 말해 유리 멘탈이라고 하죠.)

그게 아니라면, 본인이 즐길 수 있는 일을 하시기 바랍니다. 이유가 '돈을 많이 벌려고', '유명 해 질려고' 가 아니라 '그저 내가 좋아서 좋으니까 하는 것이다' 라는 일을 하게 되면 그 일의 결과가 어떻든 간에 절망하지 않고 자신의 길을 걷게 됩니다.

한 번 더 하고 싶은 일에 대해 강조하자면, 하고 싶은 일이라고 무조건 다 되는 것도 아니고 안되는 것도 아니지만, '하고 싶은 일을 하겠다' 라고 결심하셨다면 수많은 시행착오와 함께 하고 싶은 일이 나에게 주는 교훈을 배워나가시길 바랍니다.

하고 싶은 일을 하는데도 우울하고 좌절감이 든다는건 지금 뭔가 잘못되어 가고 있다는 것이니 그런 마음의 작용을 잘 이해하고 하고싶은 일을 한다면 잠깐의 우울감과 좌절은 극복 해 나갈 수 있을 것입니다. 자신을 괴롭히면서까지 하고 싶은 일은 진짜 하고 싶은 일이 아닐 수 있으니 부디 자기 자신을 그만 괴롭히고 과정을 즐기고 행복할 수 있는 진짜 하고 싶은 일을 하시기 바랍니다. 이렇게 한다면 겪고 있는 우울한 마음을 치료하는데 큰 도움이 될 것이라 생각합니다.

• 인생을 연습 하듯 살아가기

저는 '하면 된다' 식의 막가파 스타일을 좋아하지 않습니다. 이 말은 '할까?' '말까?' 고민하는 분들을 위해 '해버리면 된다' 라는 의미이지만, 정확히는 '하면 된다' 라기보다 '하면 될 수도 있고, 안될 수도 있다' 가 맞는 말입니다.

이제 와서 느끼는 바이지만 저는 원래 '하면 된다' 식의 막가파 스타일이었습니다. 뭘 할지 몰라 쭈볏 쭈볏 거리는 사람들을 한심하게 생각했었고 고민이 많은 것 역시 좋아하지 않았습니다. 그저 직접 움직이고 빨리 부딪히는 것이 좋았습니다. 하지만 그런 자세로 몇 번을 부딪히고 막히다보니 점점 제 용기는 두려움으로 변했고 두려움은 저를 움직이지도 못하게 만들었죠.

그런 깊은 무기력증을 겪고 난 후에 저는 생각을 조금 바꾸었습니다. '하면 된다' 식의 무식한 행동파가 아닌 '하면 될 수도 있고, 안 될 수도 있다' 식으로요. 최선을 다해야하는 것은 어떤 일이건 당연한 일입니다. 하지만 최선을 다 한다고 해서 무조건 다 되지 않는 것이 현실입니다. 이게 바로 생각한 대로 다 이뤄지지 않는다는 증거입니다.

저라고 유명해지고 싶지 않았으며 저라고 대리운전을 하고 싶어서 하지는 않았겠죠. 어릴 적 대리운전기사가 꿈인 사람은 없을 테니까요. 이런 세상의 이치(?)를 알고 나니 인생이라는 것을 살면서 짊어졌던 부담감을 내려놓을 수 있었습니다.

인생이라는 것은 수많은 시행착오와 행운, 타이밍이 겹쳐야만 비로소 본인이 바라는 방향으로 걸어 나갈 수 있습니다. 이후 저는 원하는 방향으로 걷기 위해 자발적인 실수를 하기로 마음먹었습니다. 아니, 자발적인 실수라기보다 실패를 다루는 방법을 배우기로 마음 먹었죠.

이게 바로 하면 될 수도 있고 안 될 수도 있다 사고방식입니다. 인생을 실험적으로 살아보는 것이죠. 실험이라는 것은 어떠한 이론을 대입했을 때 그 결과 값이 나올 수도 있고 아닐 수도 있는 하나의 과정입니다. 그렇기에 어떤 일이 일어나거나 원하는 것을 바랬을 때 이뤄지지 않더라도 실수하더라도 하나의 과정이라 믿고 다음단계로 또 나갈 힘이 생깁니다. 실패를 받아들일 수가 있는 것이죠.

지금 제가 이 원고를 쓰는 현재시간은 대리운전을 마치고 온 새벽 1시입니다. 패턴화 된 일상을 좋아하는 제가 이 시간에 글을 쓰는 것 역시 실험을 해보는 것입니다. 이 시간대에 쓴다고 해서 무조건 원고가 잘 나올지, 글이 막힘없이 꾸준히 나올지는 모르는 일입니다. 일을 마치고 와서 이 시간대에 글을 쓰면 어떨지 궁금했고, '이 시간대에는 어떤 감성으로 쓰여질까?' 내 몸은 어떻게 반응 할까 실험 중인 것이죠.

글 쓰는 것으로 먹고사는 작가라는 직업을 가진 분들의 인터뷰를 보면 보통 하루가 일정합니다. 글 쓰는 시간도 일정하고 본인이 정한시간에 정확히 집중하여 쓰는 분들이 많더군요. 그래서 저도 실험해보는 것입니다. 나도 글이 잘 쓰여지는 시간대가 있는지, 글을 나눠 쓰면 어떤 기분인지에 대해서요.

몇 번의 글 쓰는 실험에 대해서 말씀드리자면, 저는 하나의 소주제에 대해서 마무리를 하지 않으면 그 이후 글이 잘 안 쓰여진다는 결과를 얻었습니다. 솟아나는 영감에 대해서 소주제로 남기고 그에 대해 끄적끄적 메모 식으로 두 세줄 써봤지만

한 번에 마무리를 짓지 않으면 연속적으로 쓰여지지 않더군요. 어떻게든 짜 맞춘다면야 쓸 수 있겠지만 처음 얻은 영감에서 쓸 내용에서 많이 멀어질 것입니다.

이번 원고 역시 실험적인 것이 사실입니다. 완성되는 시간까지 얼마나 걸리는지에 대한 실험과 다 썼을 때 어떻게 고쳐 나가야 할지 방향성과 출간 의뢰까지 전부 실험이라고 생각하고 글을 쓰고 있습니다. 이 원고가 무조건 책이 되고 세상에 발간이 된다면야 정말 좋겠지만 글을 쓰고 원고를 마무리하는 것은 제선에서 최선을 다 하는 행위이고 출간이 될지 말지는 출판사의 판단에 맡겨야만 합니다. 출판사에서 제 원고가 좋다고 하면 책이라는 것으로 세상의 빛을 보겠죠. 안되는 것에 대해서도 생각은 합니다. 만약 책으로 출간되지 않는다면 '전자책으로 발간을 할 것인가', '매 주제를 인터넷 블로그에 올릴 것인가', '또 다듬고 다듬어 출판사에 재 투고를 할 것인가' 에 대해서요.

이게 바로 '하면 될 수도 있고 안될 수도 있다' 라는 사고방식에서 생각해내는 플랜B가 되는 거죠. 실험적으로 생각한다면 마음이 다치는 것을 최소화하고 최대한 이성적으로 생각 할 수가 있습니다. '하면 된다' 라고만 생각했다가 만약 이일이 안 된다면 마음은 크게 다칩니다. 마음이라는 녀석은 속이기도 쉬운 만큼 상처도 쉽게 받기 때문에 원하는 대로 되지 않는다면 좌절을 맛보게 되죠. 그래서 이 실험적으로 행하는 방법은 어떻게 보면 다치기 쉬운 마음을 위한 에어백이라고 하는 것이 적당한 표현인 듯합니다.

아니면 방어막이라고 해도 괜찮겠군요. 방어막을 미리 쳐둠으로써 부딪히는 문제에서 오는 아픔을 1차적으로 튕겨낼 수 있으니까요.

저는 큰 아픔(깊은 우울증과 무기력증)을 겪고 난후에 매일을 실험적으로 살고 있습니다. 대리운전을 할 때에도 잘 모르는 지역에 대해서는 두려움을 갖는데, 그럴 땐 마음에게 괜찮다 속이며 모르는 지역에서 알게 될 것들을 생각합니다. 지금은 모르는 지역이겠지만 다음에 올 때는 번화가로 가는 방법이라던지 연속적으로 콜을 수행하거나 버스타는 곳을 알게 되는 거죠. 이 실험에서 배운 것들을 다음에 왔을 때 하나의 경험으로 사용할 수가 있는 겁니다.

제가 아직 이런 사고방식에 대해서 초보라 마음이라는 녀석을 완전히 속이지 못하고 들쑥날쑥 감정기복이 있기도 합니다만 웬만하면 마음을 안정시키고 이건 기나긴 인생의 실험중 하루라고 생각합니다. 그러면 마음이 편해짐을 느낍니다.

대부분의 사람들은 부정적인 것을 멀리하고 긍정적인 것을 보라고 하지만, 세상은 부정적인 일로 인해 긍정적인 결과가 나타날 수도 있고, 긍정적인 일인 줄 알았지만 부정적인 결과가 나타나기도 합니다. 그렇기에 무조건적인 부정이나 무조건적인 긍정은 굳이 큰 도움이 되지 않습니다. 긍정과 부정은 그 상황에 맞게 적절히 조절하는 것이 더 정확한 사용방법이 아닐까요? 그 역시 실험하듯이 사는 삶에서 사용해 볼 수 있습니다.

제가 하는 대리운전으로 예를 들어볼게요. 인천에서 서울까지 가는 손님이 있는데, 짠돌이 손님이었고 싼 가격에 가는 분이 있다고 칩시다. 이 손님은 과속도 하지 못하게 하고 정속주행을 해달라고 요구합니다. 저는 손님의 요구에 맞춰주긴 하지만 괜히 기분이 나쁩니다. 대리운전이라는 것이 시간싸움인데, 천천히 가라하고 요금마저 원래 가격보다 싸게 가는 것이니 계속 표정이 일그러집니다. 이 일은 저에게 있어서 부정적인 일이죠. 도저히 긍정적으로 생각할 수가 없는 일입니다. 하지만, 이 손님이 도착지에 도착해서 주차를 마친 후, 휴대폰에서 바로 또 인천으로 돌아가는 콜이 울려서 다시 집근처로 돌아가게 되면 이것은 부정적인 일인 줄 알았지만 결국 긍정적인 결과가 나타난 것입니다. 그 손님이 천천히 가달라고 요구했기에 그 시간만큼 다음 손님을 만나기 위한 시간을 벌게 된 것이고 이 시간을 맞춤으로써 타이밍이 절묘하게 떨어져 다음 콜을 수행할 수 있게 되는 것이죠. 실제로 이런 경험은 매일매일 일어납니다.

거꾸로 좋은 가격에 짧은 거리를 가기도 하지만 괜히 기분 좋았다가 막상 가면 번화가도 없는 아파트단지에 가기도 합니다. 그러면 번화가까지 가는 대기시간을 거쳐야하기 때문에 대리운전기사에게는 그다지 좋지 않습니다. 이것은 긍정적으로 봤지만 부정적인 효과가 나타나는 일이죠.

그렇기에 무조건적인 긍정도, 무조건적인 부정도 없습니다. 때에 따라서 긍정적일 수도 부정적일 수도 있으니까요. 이것에 대처하는 자세가 바로 실험하듯이 사는 것입니다. 그 결과 값이 어떻든 간에 실험을 해보는 것이고, 이 실험이 잘 안되어도 다음번 실험에 또 최선을 다하면 된다. 라고 생각을 하는 겁니다.

이런 사고방식은 세상 어디에나 적용 할 수 있으니, 자신이 지금 마음이 아파서 무기력하다면, 혹은 새로운 일을 하고 싶지만 두려움에 휩싸였다면 다시 돌아와도 좋다는 생각으로 실험한번 해보시는 것은 어떨까요? 이 실험의 결과는 좋을 수도 나쁠 수도 있습니다. 하지만 실험한다는 것 자체에 의미를 두면 한 걸음 나아가기 더 수월하게 됩니다. 인생은 실험의 연속입니다. 부디 실험하는 것에 겁을 먹지마세요. 파이팅입니다.

• 힘이 들 때에는 하늘을 봐요

올해 여름(이 원고를 쓰는 기준해인 2018년)은 정말 더웠습니다. 추위보다 그나마 더위를 좋아하는 저이지만 도저히 버틸 수 없더군요. 누진세다 뭐다 전기세에 대한 걱정들이 많은 해였지만 에어컨 없이는 살 수 없는 날씨였습니다. 비록 한 달 정도 반짝 더웠지만 그 한 달은 삶의 질 자체가 현저히 떨어졌으니까요. 특히나 제일 꼭대기 층에 살고 있는 저희 집은 하늘에서 열이 내려오면 그대로 흡수하기 때문에 더운 날엔 덥고 추운 날엔 유독 춥습니다. 안그래도 역대급 더위에 구조적인 문제까지 더해져 저에게는 굉장히 괴로운 여름이었습니다. (여름이 시작된 7월 중순부터 1달간 에어컨을 끈 적이 없지만요.)

40도의 여름을 지내고 나서 그런가 30도는 별로 덥다고 생각되지도 않았습니다. 인간이란 참 간사하죠. 예전에는 30도만 되어도 덥다덥다 난리였는데 그보다 더 더운 날을 지내고 나니 '고작 30도야?' 라는 말이 나왔으니까요.

그렇게 힘겨운 여름을 지내고 2018년 9월 부모님댁인 서산에 내려갔다가 올라오는 버스에서 감탄하며 하늘을 바라봤습니다. 일부러 봤다기보다 하늘을 볼 수밖에 없는 청명하고 깨끗한 하늘이었습니다. 뭉게구름은 둥실둥실 떠있고 사진으로는 차마 담을 수 없는 광경이었어요. 고속도로를 달리는 길 위라 하마터면 아름답다고 느끼지 못했겠지만 그날의 하늘은 제 머릿속에 확실하게 각인 되었습니다. 모든 것이 완벽했습니다. 조명 역할을 한 태양 하늘색 배경 진한 녹색의 산, 지평선, 혹시나면 훗날 가을 하늘이 없어진다면 저는 마치 이날의 가을 하늘을 연상 시킬 만큼 저에게는 굉장한 아름다움으로 남았습니다.

원래 이렇게 감성적인 사람은 아닙니다만(나이가 들어서 그런가...), 자연의 아름다움에 매번 감탄하곤 합니다. 날씨의 변화는 이렇게 사람의 마음도 변하게 만들어 주었습니다. 이 하늘을 보기 위해 그토록 힘든 여름을 지나지 않았나 생각이 들더군요. 마치 신이 있다면 무더위를 성공적으로(?) 지낸 사람들을 위한 선물처럼요.

온전히 눈에만 담았습니다. 휴대폰 카메라를 들기는 했습니다만, 굳이 의미가 있나 싶었습니다. 실제로 앵글을 맞춰 봐도 제가 보고 있는 만큼의 느낌이 나지 않았기 때문입니다. 그렇게 버스에서 본 하늘을 기억한 뒤로 집에 돌아와 유독 하늘을 자주 보게 되었습니다. 원래 사람이라는 존재가 좋은 경험을 하면 더 좋은 경험이 있을까 반복하는 행위를 하기 때문이죠.

이런 날씨에는 정말 나무그늘 밑 푸르른 잔디밭위에 앉아 시원한 바람을 느끼며 책을 읽고 싶다는 생각이 들게 되죠. 요가를 하러 가는 날에도 하늘을 보고 걷다보면 저도 모르게 마음이 치유되는 기분이 들었습니다. 근심걱정이 싹 다 사라지는 경험을 했다. 라고 하면 거짓말이고, 그 순간만큼은 기분이 좋아졌습니다. 하늘을 보는 것만으로, 너무 좋았습니다. 전에 한 다큐멘터리에서 우울증을 앓고 극복했던 분의 인터뷰가 생각났습니다.

"해외 생활을 하다가 모든 것을 실패하고 우울증을 앓고 있을 때, 우연히 밖을 나가 산책을 했는데 하늘과 땅 모든 자연이 자신의 자리에서 제 역할을 하고 있음을 느꼈을 때 비로소 자연스럽게 행복해짐을 느꼈어요."

이 분의 기분이 지금 내가 하늘을 바라보며 든 기분이 아닌가 생각이 들었습니다. 해마다 미세먼지가 심해져 제대로 된 하늘을 보기가 몇 개월 되지 않는 우리나라에서 이런 하늘을 볼 수 있는 가을이라는 계절은 마음이 아픈, 무거운, 혼란스러운 사람들에게는 자연이 주는 약이 되어주는 듯합니다.

하늘을 볼 때 고개를 들고 들숨과 날숨을 크게 반복하면 또 한 번 정화가 되는 기분이 듭니다. 시각적으로는 푸르른 하늘과 구름을 보고 코끝과 가슴을 이용해 맑은 공기를 마시는 것, 어쩌면 미래에는 돈 주고 사야할지도 모르는 것이 될지도 모르기에 아름다움이 있는 지금 이 시간에 마음껏 즐겨보도록 합니다.

• 대중교통에 마음을 맡겨보아요

제주도에 살다가 서울로 올라 온지도 10여년이 흘렀습니다. 지방에서 서울로 온다는 것은 다 비슷한 이유겠죠. 서울이라기보다 서울 언저리에 살았다는 것이 정확한 표현일 듯합니다. 그때부터 지금까지 줄곧 대중교통을 이용했는데, 그때랑 지금 조금 다르다는 것은 버스의 이용 빈도가 더 크다는 것이지요.

처음 올라왔을 때에는 전철이 신기하기만 했습니다. 제주도에는 기차도 없고 전철이 교과서나 인터넷에서나 볼 수 있는 것이었기에 그저 탄다는 기분만으로도 묘하면서 새로운 세상이 펼쳐 질 듯 한기분이 들었습니다. 그 기분이 좋기도 했고, 지금은 많이 사라졌지만 지하철 풍경들을 구경하는 것이 재밌었습니다.

주로 5호선과 1호선을 많이 탔는데, 탈 때마다 폐업정리를 하는 보따리장수들이 판매할 상품을 캐리어 한가득 싣고 지하철 한칸 한칸 이동하며 상품을 판매하기 위해 프리젠테이션을 했습니다. 그 현란한 말솜씨와 파는 물건을 사면 인생이 바뀔 것 같은 느낌의 영업방식은 제주도에서 올라온 저에게는 굉장히 큰 구경거리였습니다. 그 판매수법에 넘어가 지갑을 열었던 것이 한 두 번이 아니었으니 아마 그 판매원의 아저씨들에게 현혹 되었던 것이겠죠.

그렇게 몇 번 구입을 한 상품들이 고장이 나서 그 이후로는 귀에 이어폰을 꽂은 채 무시해버렸지만 그래도 전철 이용은 계속 되었습니다. 지금처럼 스마트폰이 보급화 되지 않았을 때엔

지하철 노선도만 봐도 웬만한 곳을 다 갈수 있었으니까요. 버스 노선도 있지만 지명이나 동네 이름을 잘 알지 못하면 제가 가고자 하는 방향인지 역방향인지도 알 수 없으니 전철을 타고 서울 곳곳을 다녔습니다.

약속장소로 잡을 때도 무슨 역 몇 번 출구라고 하면 웬만큼 다 찾아갈 수 있으니 지도가 따로 필요가 없는 것이죠. 그리고 스마트폰이 보급화 되고 휴대폰 속에 다들 지도 하나씩은 갖고 다니면서 그 안에 버스노선표와 상세 시간까지 나온 후에는 웬만하면 지하철보다 버스를 이용하게 됐습니다. 최근 들어든 생각인데 지하철은 조금 비효율적이다 생각이 들었습니다. 개인적인 견해입니다만, 지하철은 짧게는 지하2층 길게는 지하 4~5층까지 내려가야 이용할 수 있어요. 그저 1호선을 타기위해 벽에 쓰여진 안내를 따라가다 보면 여기가 지하3층인지 지하2층인지 알 수도 없지만 전철을 타기위해서는 꽤 멀리까지 걸어가야 한다는 것이죠. 그것을 최근 들어서야 느낀 것이에요. 에스컬레이터가 설치된 곳도 있지만 아닌 곳에서는 오르락 내리락 어찌나 힘이 들던지요. 역마다 다르긴 하지만 전철플랫폼까지 걸어가는 데는 버스보다 훨씬 오랜 시간이 걸립니다. 그래서 비효율적이라 판단하게 되었죠.

그리고 나서 버스를 찬양하게 됐습니다. 서울은 버스차선도 잘 돼있어서 시간도 잘 맞춰 도착하고 가는 시간도 얼추 맞아떨어집니다. 물론 지하철에 비할 바는 아니지만요. 저도 급할 때나 시간을 맞춰서 가야할 때는 지하철을 이용합니다. 수도권 안에서는 교통이 워낙 좋다보니 시간약속을 잡았을 때엔 전철을 이용해 약속장소로 향합니다. 그 외에 대리운전을 할 때나 시간적 여유가 있을 때 혹은 멀리이동 할 때는 버스를 이용합니다.

전철이 최고 좋다고 생각했던 제주도 촌놈이 10년도 안되어 전철에 대한 사랑이 식어 버린 것이죠. 버스를 이용하면서 또 좋은 것은 다양한 풍경을 맞이할 수 있다는 것입니다. 날씨의 변화나 계절의 흐름, 혹은 낮과 밤의 경계 그즈음 창밖으로 보이는 세상은 늘 다르고 늘 '경의롭다' 라는 생각까지 듭니다. 그렇게 멍하니 창밖을 보고 있노라면 잦은 사색에 빠지곤 합니다. 철학적인 고민이라기보다 일상적인 생각이 일어나죠. 집에 가서 무슨 요리를 해먹어야할지 내일은 어떤 일로 하루를 시작할지 지금 하는 일은 어떻게 처리해야할지 등등요. 그렇게 넋 빠진 채 밖을 보다보면 왠지 모르게 기분이 좋아집니다. 가끔 난폭한 기사님을 만나 불편한 좌석에 기분이 나빠지기도 하지만요.

그런 버스에 대한 애착은 하나의 실험으로 이어졌습니다. 그때도 마음이 온전치 않았을 때인데요. 시내버스만 타고 부산에 갈 수 있을까? 하는 호기심이 생기더군요. 그래서 그때 당시 놀고 있던 대규 형과 시내버스만 타고 과감히 부산으로 향했습니다. 방식은 간단했습니다. 끝에서 끝으로 가는 것이죠. 당시 저는 충남 아산에 살고 있었기에 아산을 시작으로 공주 부여 대전 등등 끝에서 끝으로 가는 버스를 타고 조금씩 내려갔습니다.

부산까지 가는 방법은 참 많지요? 시내버스를 타고 갈수도 있고 시외,고속버스를 탈 수도 있고, 비행기, 기차, 자가용 많은 수단들이 있습니다. 이것들이 모두 부산을 향하고 있지만 차이점은 속도와 편리성이 아닐까요? 아무튼 저는 시내버스만 타고 부산 해운대까지 갔습니다. 좀 늦게 출발하기도 해서 대구에서 1박을 하고 다음날 오후쯤이 돼서야 해운대에 도착했고 부산 구경을 했습니다. 그때 그런 실험을 하면서 느낀 것은 결과만큼이나 과정에서 많은 것을 보고 느낄 수 있다는 것이었습니다. 가는 과정에 너무 지루하고 힘들어서 대규 형과 좀 다투기도 하고 각각 동네에 맛 집에 들려 끼니를 채우기도 하고, 친절한 버스기사님을 만나 재미있는 이야기를 하기도 했습니다.

그 이후 그 맛(?)에 취해 재홍이와 함께 시내버스만 이용해 전주를 가기도 했습니다. 그땐 서울에서 출발했죠. 물론, 전주에 보고 싶은 여자사람친구가 있어서 그 곳을 간 것이기도 했지만 예전에 부산까지 갔던 그 경험과 버스에서 느낀 것들이 참으로 좋았어서 또 한 번 가지 않았나 생각이 듭니다.

지금도 대리운전을 하면서 버스를 타면 그 생각들이 많이 납니다. 그 생각과 동시에 창밖을 바라보면서 사람들 표정도 읽고 흘러가는 풍경들을 보면 마음이 많이 편안해집니다. 전철에서는 볼 수 없는 것들이죠. 전철에서도 때론 멋있는 진풍경을 볼 수 있습니다. 바로 전철이 지하에서 한강다리들을 건널 때, 때마침 해가 지고 있는 석양까지 보여진다면 버스에서는 또 볼 수 없는 진풍경이라고 할 수 있죠. 바깥을 본다는건 어쩌면 전철과 버스나 뭐 도긴개긴 비슷합니다.

하지만 제가 느꼈던 것은 버스에서의 기분과 감정이 좋은 향기와 추억으로 남아져서 그런 것이겠죠. 지금 복잡하고 마음이 힘들다면 밖으로 나가면 좋습니다. 밖으로 나가야하긴 해야 하는데 어디로 뭐하러 갈지 모르겠다 싶으면 그저 집앞 버스정류장에 오는 버스 아무거나 타고 그 끝을 향해 몸을 맡기는 것은 어떨까요? 무조건적인 마음을 치유하는 해결책이라 할 수는 없습니다만 하나의 방법이었고 저에게 많은 것을 남겨준 좋은 경험이었습니다. 여러분도 한번 느껴보셨으면 좋겠어요.

• 아는척 하지 말고 모른다고 말하기

"모르겠습니다" 라고 말하기는 참 어렵습니다. 특히 저에게는 더욱 그렇습니다. 모른다는 것을 인정하는 것은 왠지 자존심 상하고 무식 해 보일까봐 어려서부터 아는 척하는데 익숙했습니다. 물론 아는 척을 함으로써 얻어지는 것도 있었습니다. 어떻게든 아는 것을 포장하기 위해 언변이 늘게 되었고, 그 언변을 통해 다른 사람들에게 조금 유식 해 보이는 이미지가 되기도 했죠. (제 생각이 그렇다는 겁니다.)

이런 심리적인 문제로 발생한 일이기도 하겠지만 원체 궁금한 것을 잘 못 참는 성격이기도 합니다. 내가 안다는 것에 대한 자신감은 아무래도 제가 아는 지식 범위에서 나타나는 법이니까요. 그래서 요즘 세상이 저는 너무 좋습니다. 궁금한 것을 언제든 바로 찾을 수 있는 인터넷 세상에 살고 있다는 것이요.

가끔 포털사이트 검색내역을 보면 참 다양한 것이 검색됩니다. 연예인이나 정치인들의 가십거리나 세계지리나 국내지리, 과학에 대한 키워드, 역사 등등 다양한 주제로요. 이렇게 검색에 의한 지식은 깊이가 깊지 않은 것도 있습니다. 하지만 궁금한 것을 빠르게 찾아서 습득하는 것은 저에게 있어서 또 하나의 재미입니다. 하도 많은 정보가 들어와서 출처가 불분명한 게 흠이라면 흠이겠지만 그래도 이런 지식으로 누군가에게 있어서 설명해줄 수 있고 이야기거리를 만들 수 있는게 저는 참 좋습니다.

그런데 문제는 정확한 정보 인지에 대해서 발생됩니다. 주로 아는 체 하는 것을 즐기는 저는 '이 사람은 모를 것이다' 라는 전제로 출발하기 때문에 괜히 아는 척했다가 등골에 땀이 맺힌 적이 한 두 번이 아닙니다. 예를 들자면, 요즘 빠진 요가 수업에 새로운 분이 오셔서 요가에 대한 이것저것을 알려드렸으나, 알고 보니 이미 발레를 전공해 강사과정까지 끝낸 분이었고 단지 그분은 새로운 프로그램 수업을 배우기 위해 요가 수업을 신청한 것이었습니다. 정말 번데기 앞에서 주름을 잡은 꼴이 되었죠. 요가 하는 동안 힐끔힐끔 봤는데 동작도 저보다 훨씬 잘하고 몸 자체가 유연한 것을 보고 괜히 아는 채 하면서 설명했다는 생각이 들었습니다. 그 회원님은 나름 강사자격도 있는 분인데 고작 3~4개월 정도 요가원을 조금 일찍 다녔다고 아는채 하는 저를 얼마나 우습게, 혹은 귀엽게 봤을까요. 쥐구멍에 숨고만 싶었습니다. 일상의 이런 경험은 하루 이틀이 아닙니다.

사람은 자기가 아는 것이 전부라고 바라보기에 안다는 것에 대해 엄청난 고집을 부립니다. 서로의 아는 것이 맞다라고 우기기 시작할 때 비로소 인간관계에 문제가 생기고 갈등이 발생하는 것이죠. 고집이 누가 더세냐의 싸움이라 고집 센 사람 둘이 붙으면 싸움이 끝나질 않습니다. 제가 그 고집 센 사람 중 하나죠. 그저 '제가 잘못 알았군요. 죄송합니다.' 한마디면 끝날 일을 계속 긁고 긁어내서 피가 날 때까지 혈투를 벌입니다. 지금이야 이렇게 제 행동이 '이런것이구나' 라고 깨달았지만 20대에는 제가 아는 지식이 세상의 전부인냥 내 의견에 반박하는 사람들하고는 연을 끊어냈습니다. 적대시 한 것이죠. 그렇다고 후회가 되거나 그렇지는 않습니다.(천성이 그래서 그런가 그냥 나랑 안 맞는 사람들이었다고 생각할 뿐이죠.)

본인이 발전하고 알아가기 위해서는 안다 혹은 알 것 같다라는 전제가 아니라 모른다 라고 시작을 해야만 더 나아갈 수 있습니다. 발전이라는 단어가 조금 강박관념의 단어 같기에 거부감이 들 수도 있을 꺼에요. '굳이 발전을 해야해?' 라는 식으로요. 꼭 지금보다 나은 사람이 될 필요는 없습니다. 그냥 아는 채 하면서 살고 마음 맞는 사람들끼리만 사는 것도 하나의 방법이죠.

그런데 저처럼 조금 더 나은 사람이 되고 싶다거나 과거의 습관들을 바꾸고 싶은 사람들은 아무래도 바꾸고 싶다는 의지를 '모른다' 라고 인정 하는 것부터 시작되는 것이 아닐까 생각이 듭니다. 이렇게 알고 있는 저 자신도 확 바뀌지는 않더군요.

대리운전을 할 때 특히나 그렇습니다. 길눈도 밝고 운전에는 자신 있는 터라(저뿐 아니라 본인이 자신 있는 것에 대해서는 '모른다' 라고 인정하기가 더 어렵습니다.) 손님이 가려는 도착지를 얘기하면 제가 아는 길로 가려합니다. 하지만 손님은 또 평소 본인이 다니는 길이 더 빠르다며 제가 모르는 길로 가자고 합니다. 그럴 때, 저는 고속도로를 타고 어디로 가면 더 빠르다 라고 말하고 손님은 뚝방길을 따라서 죽 내려가면 훨씬 빠르다 평소에 내가 그렇게 다닌다 식으로 말하면서 문제가 생깁니다.

결과적으로는 누가 더 빠르고는 큰 차이가 없습니다. 많이 나봤자 5~10분의 차이인데, 괜히 내가 말한 길로 안가서 5분 늦게 도착하면 기분이 나쁩니다. 교통이라는 것은 매일매일 그 시간대에 알 수 없는 일들로 막히기도 하고 시원하게 뚫리기도 하는 건데도 저는 아직 완전하게 '모른다' 라는 사실을 인정하지 못하고 있었어요.

그래도 조금씩 바뀌고 있음을 느낍니다. 대리운전을 할 때 두 가지 전제를 깔고 시작하죠. '손님들은 새로운 길에 낯섦을 느낀다.' '내가 아는 길이 진짜 빠른 길이 아닐수 있다'

라고요. 그렇게 손님을 모시다보면 훨씬 마음이 편해집니다. 내가 안다는 고집을 살짝 내려 놓는 것이죠.

마음의 작용이라는 것이 참 신기합니다. 제가 그런 손님의 특성이나 제 마음의 특성을 이해하지 못한 채 계속 내 말이 맞다 라는 식으로만 하면 쉽게 기분이 나빠지기도 하고 문제가 아닌 것을 문제로 만들어 일을 더 크게 만들기만 합니다. 그저 흐르는 대로 두고 상황을 지나가게 만든다면(마치 명상하듯이) 크게 문제가 되지도 않고 마음이 편안해짐을 느낄 수 있는 것이죠.

'마음을 내려놓는다' 는 것은 어쩌면 이런 것부터 출발 되는 것일지도 모릅니다. 자신이 안다는 것을 내려놓는 것. 즉, 모른다고 인정하는 것부터 시작하면 마음을 내려놓기도 훨씬 수월하고 오해 했던 것들을 이해하게 되는 겁니다. 성격이라는 것이 하루아침에 바뀌지는 않겠지만 그래도 조금씩 마음을 내려놓는 이런 연습을 해가면서 마음을 가볍게 만들어 보세요.

• 소속감에서 오는 평화

사람마다 조금 다릅니다만, 혼자라는 마음을 즐기는 제가 왜 우울한가를 고민하다보니 외로움에서 오는 경우가 더러 있었습니다. 외로움이라는 것은 사람이 한 인생을 살아가면서 피할 수 없는 마음의 작용중 하나인데, 이것을 어떻게 생각하고 이용하느냐에 따라서 우울감이 더 커지고 작아지느냐가 결정됩니다.

제가 음악을 시작하고 대리운전을 하기전 까지는 늘 어딘가에 소속되어 살아왔습니다. 첫 사회생활인 유치원부터 초,중,고 군대, 대학교를 거쳐 아르바이트 할 때도 어딘가에 소속되어 있었고 아르바이트 이후 회사를 다닐 때도 저는 늘 어딘가에 누구로 생활했습니다. 학생일 땐 어느 학교의 학생, 어떤 업종의 알바생, 회사에서는 직급으로요.

그렇게 20년 정도 어딘가에서 늘 소속되어 살다가 의도치 않게(?) 독립을 하게 되었고 그때부터는 어딘가에 소속되어 있지 않은 진짜 혼자의 삶을 살게 되었습니다. 혼자의 삶을 사는 것은 참 좋았습니다. (잠깐만, 여기서 혼자라는 것은 인연이 없다거나 사랑하는 사람 혹은 가족이 없다는 그런 뜻이 아닙니다. 아시겠지만요.) 어디론가 어느 시간에 출근 해야 할 필요가 없었고 늦거나 뭘 잘한다 잘못한다에 대해 간섭하는 직장상사도 없었고, 휴일이나 휴무도 내가 통제하며 살수 있다는 점이 너무 좋았습니다. 드디어 어딘가에서 구속됐던 마음이 해방이 된 것이죠. 한동안 정말 행복했습니다. 돈을 많이 벌고 적게 벌고 가 중요한 것이 아니었습니다. 동물원에 꽤 오랜 시간을 살다가 야생으로 해방된다면 이런 느낌이 아닐까 생각이 들더군요.

하지만 이런 해방감에서 누리는 자유와 행복감은 오래가지 않았습니다. 처음 프리랜서 생활을 해보는 것 이었기에 어떻게 나를 홍보해야하는지도 몰랐고 만약 돈이 안 됐을 때를 생각해서 재정적인 관리를 어떻게 해야 할지도 전혀 모르는 상태로 야생으로 뛰어든 샘이었으니까요. 야생에서 느껴지는 비바람과 추위와 더위 그 살벌함을 방어막 없이 알몸인 상태로 받아들여야했습니다. 그렇게 고정수입이 점점 끊기고 사람들과의 만남도 줄어들기 시작하니 굉장히 예민해졌습니다. 안그래도 예민했던 성격인데, 사소한 공황이 잦아졌습니다. 나를 보호해줄 직장이라는 곳도 없었고 자취하느라 가족들도 멀리 있었습니다.

결국 월세도 밀리게 되었고 여자 친구와의 사이도 악화되어 이별을 해야 했습니다. 원래 시련은 한 번에 오는 법이지요. 그나마 1~2년정도 음악작업으로 피쳐링이나 개인앨범작업 혹은 그룹 활동을 하다가 일적으로도 꼬이더니 함께 음악 하던 형과도 등을 지게 된 것이죠. 최악의 3박자였습니다. 하고 싶은 일을 하고 싶어서 나왔지만 하고 싶은 일을 못하게 되었고, 생계유지가 되지 않아 더 이상 서울에 살 수가 없었으며, 여자친구나 음악을 하는 지인과의 사이가 단절되면서 벼랑 끝에 서게 되었습니다. 그리고 저는 깊은 우울의 나락으로 떨어졌습니다.

한동안 폐인처럼 살다가 내가 행복했던 때가 언제 였나 라고 생각을 해보니, 직장을 가졌을 때가 그나마 안정적이고 좋았었다는 생각이 들었습니다. 어딘가로 갈 곳이 있었고, 나를 좋아해서라기보다 필요로 해서 기다리는 사람들이 있었고, 그들과의 관계에서 오는 안정감이 저한테는 꽤나 좋았었나봅니다. 프리랜서의 삶처럼 복잡하지 않고 단순해서 더 좋았습니다. 일정한 시간에 출근하고 퇴근하고, 사람들을 만나고 퇴근 후의 취미를 즐기고 또 아침이 되면 출근을 하고 이런 단순함에서 오는 안도감이 하루하루 즐길 수 있게 해줬고 근심걱정이 사라졌었음을 느꼈습니다. 그제서야 방법적으로 좀 잘못되었다는 것을 생각하게 되었죠.

하고 싶은 것을 하되 안정적인 조건에서 해야만 더 좋은 작업물이나 방향성을 가질 수가 있는 것이었고, 마음이 불안하기 시작하니 아무것도 되지 않았습니다. 실력은 거꾸로 감퇴되었고 점점 하루 24시간 중 음악이라는 것에 투자하는 시간 역시 줄어들었습니다.

이토록 소속감이라는 것은 굉장한 안정감을 줍니다. 물론 그 안에서의 스트레스 때문에 요즘 많은 이슈가 되지만, 본인이 확실한 실력이나 어떠한 방어막(예를 들어 돈..)을 갖추지 않은 상태에서 저처럼 무턱대고 야생으로 나와버린다면 다시 안정감이나 일상의 단순함을 위해 직장을 들어가는 악순환을 해야만 합니다. 많은 사람들이 공무원을 하려는 이유도 꼬박꼬박 나오는 월급과 그 안에 소속되어 있는 마음들이 밖으로 나와 고군분투하는 것보다 훨씬 편하고 안정이 되기 때문인 것이죠.

그 이후 저는 조언합니다. 혹여나 하고 싶은 일이나 할 것들이 있어서 회사를 나와야하는 상황이라면 조금 더 안정된 위치에서 본인의 실력을 객관적으로 판단하고 나오라고요. 그 소속감에서 오는 평화도 인생에 있어서 중요한 부분이며 사회를 구성해 나가는데 있어서 필수불가결한 요소들이니까요.

혹시 오해할 수 있을 것 같아 말씀드립니다만, 소속이라는 것은 꼭 직장이나 학교가 아니어도 됩니다. 동호회 활동이나 학원, 같은 취미에 대한 사교모임도 좋습니다. 사람이라는 존재는 결국 혼자서는 살아갈 수 없도록 설계되었기에 혼자라는 생각에 마음이 불안정 하다면 어딘가에 소속되어 마음의 평화를 누리시길 바랍니다. 그런 마음의 안정부터 시작입니다. 마음이 안정되면 꼬였던 일들이 하나둘 풀리는 신기한 경험을 하게 될 거에요. 건투를 빕니다.

• 자기 중심적? vs 타인 중심적?

마음을 달래주는 책들을 보면, 자신에게 집중하세요. 혹은 남들에게 봉사하세요. 두 가지로 크게 나뉘는 것을 볼 수 있습니다. 그럼 그럴 때 마다 그 책에 맞게 자신의 생각을 갖다 붙이려고 하죠. 예를 들어 자신에게 집중하고 이기적인 것이 본인에게 좋다고 하면 얼마간을 이기적으로 살고 있을 것이고 그게 아닌가 싶어 타인에게 봉사하는 삶을 살라고 하는 책을 보면 또 얼마간은 그렇게 집중해 살게 됩니다.

그런데 마음이라는 것이 그렇게 단순하지가 않은 것이 문제입니다. 이분법적인 사고로 자신에게 집중할 것 vs 타인에게 봉사할 것 이 두 가지로 결론이 나올 수 없는 게임인 것이죠. 상황에 따라 다르고 본인이 자라온 환경에 따라 다를 수밖에 없는 답입니다. 때론 자신에게 엄격해야하고 타인에게 관대해야하지만, 또 다른 상황에서는 자신에게 관대하고 타인에게 엄격해야하는 경우가 있습니다. 그렇기 때문에 마음이 어떨 때 어떻게 작용하는지를 잘 살펴 보는것이 우선입니다.

저 같은 경우에는 이기적이라고 할 만큼 자기중심적인 사고를 가진 사람인데, 측은한 마음이 들거나 상대방입장에서 바라볼 땐 또 한없이 타인을 위한 배려를 하곤 합니다. 뭐가 더 좋다 나쁘다는 없습니다. 그저 마음이 편안한대로 그저 변하는것이지요.

대리운전을 하면 가끔 하이브리드 차량을 운전하는데, 하이브리드 차량은 시동이 걸렸는지 말았는 지도 모를 만큼 조용

합니다. 일정속도까지는 배터리로 움직이고 일정속도 이상으로는 엔진을 이용해 움직입니다. 우리는 하이브리드 차량처럼 때때로는 자기중심적이고 어느 정도 이상이나 이하 일 경우엔 타인 중심적으로 살아가는 것이 마음에 훨씬 도움이 됩니다.

마음이라는 녀석은 원채 변덕이 심하기에 자기중심적이라고만 생각하면 그 기준에 의해 사람들과 말이 통하지도 않는 외골수가 될 것이고, 타인에게 봉사하는 사람은 줏대 없는 사람, 우유부단한 사람이 되는 것이죠. 그때마다 그 기준치를 어떻게 두는지를 생각해야합니다.

그 기준치를 두는 방법은, 자신에게 피해를 입거나 피해를 줄 정도가 아니라면 자기중심적, 타인에게 피해를 줄 것 같거나 타인이 불편해 할 것 같으면 그땐 타인의 입장에서 생각해보면 쉽습니다. 적절히라는 추상적인 기준치가 애매하긴 합니다만, 이건 사람들과 사람사이에서 생기는 일들에 대해 기준이 없는 것과 같기에 직접 겪어보며 맞춰나가는 것이 정확합니다.

그 두 가지가 아니어도 상관없습니다. 그냥 아무렇지도 않은 상태도 좋아요. 자기중심적이지도 타인에게 봉사하는 자세가 아니어도 좋습니다. 오는 자극 그대로 받아들이는 마음상태도 있죠. 그런 자세가 제일 좋긴합니다.

호불호가 없는 상태인거죠. 무언가를 권하면 권하는 대로 좋은 것이고, 무언가 일이 안 풀리면 안 풀리는 대로 마음의 안정을 얻는 것. 이것이 더 현명한 방법이기도 합니다.

하지만 우리는 성인에 가까워지고 싶은 사람일뿐, 아직 성인이 안 되었기에 그 중립의 자세에 있기는 참 힘들기만 합니다. 저도 그래요. 하루에도 수 백번씩 나를 위해 살고 싶다 생각하지만 막상 밖으로 나가면 삶이라는 것은 혼자살수 없기에 그 사회구성원으로 살아가기 위해 남을 위해 살아가게 됩니다.

그러니 책에 나오는 컨텐츠, 인터넷에서 흐르는 컨텐츠, 구전으로 전해지는 컨텐츠를 곧이 곧대로 받아들이기보다 자신의 때와 상황에 맞춰서 적절하게 그 사람들이 좋다라고 하는 것들을 구사하는 것이 더 현명한 일입니다.

괜히 어떤 것을 맹신했다가 실망하게 되면 거기서 오는 배신감에 마음이 크게 다칠 수 있습니다. 그 마음을 보호하기 위해서라도 중요한 것이 이런 중용의 자세가 아닌가 생각이 들어요. 무슨 자세가 맞다 틀리다가 아니라 다만 상황에 맞게 다르게 할 수 있겠다 라고 생각하면 마음이라는 녀석이 기분나빠하지 않을 것입니다. 흑백논리에서 벗어나 보세요!

• '그럴 수도 있지 뭐' 라고 말하기

저는 고집이 쎕니다. 특히 지식적인 것에 대해서는 고집이 무척이나 쎕니다. 사람들이 말하는 '안다 병' 에 걸린 사람이죠. 단순히 안다는 것에 대해서뿐만 아니라 잘 모르는 것도 아는척을 하는 '척척박사' 이기도 합니다. 이런 저 같은 사람의 성향일수록 남의 행동이나 생각을 잘 받아들이질 못해요. 또 자신의 의견이 먹혀 들어가지 않는 것 같으면 기분이 나빠지죠.

그런 제 성향을 잘 이해하기에 저는 문득 왜 그런지 생각을 해봤습니다만 도저히 그에 대한 답을 찾을 수 없었습니다. 내가 말하는 것에 대해 상대방은 아니다 라고 말할 자유가 있고 그것을 받아들이고 상처를 받냐 안받냐는 제가 선택할 수 있는 문제였습니다. 하지만 제가 선택하기는 커녕 선택지에 담기기도 전에 제 마음은 이미 상처를 받았었습니다. 더욱 이유를 알 수가 없었죠. 이유를 찾다가 더 마음이 다칠 것만 같았습니다.

아예 내 의견을 피력하는 것을 없애버릴까 생각에 사람을 덜 만나고 말을 줄여보기도 했지만 그 답답함은 차라리 상처를 받고 내뱉는 것이 낫다 생각이 들 정도였습니다. 그러다가 나름대로의 해결책이 떠올랐습니다.

하나의 만트라(요가나 명상 시 집중을 위해 특정나 문장을 반복 시키는 일)를 만들어버리기로요. 사람들이 나와는 다른 의견을 제시할 때는 머릿속으로 혹은 작은 목소리로 '그럴 수도 있지 뭐' '그럴 수도 있지 뭐' 이렇게 반복합니다. 이 또한 타인의 의견으로부터 1차적으로 방어막을 형성하는 것과 같습니다. 어떤 의견이 들어오더라도 '당신의 의견을 존중합니다' 라는 뜻도 담겨있죠.

매번 운전으로 예를 들어 죄송합니다만, 제가 지금 하는 일이 대리운전이다보니 운전에 빗대어 말씀드릴 수밖에 없군요. 운전을 하다보면 가끔 IC에서 왼쪽 오른쪽 햇갈려서 뒷차의 통행을 방해하는 경우가 있습니다. 일부러 서행하는 것은 아니겠지요. 네비게이션을 보며 운전하다보니 초행길일 경우 자신이 원하는 방향이 맞는지 순간적으로 헷갈리는 것이죠. 저도 여행을 가거나 그럴 때 그런 실수를 많이 하곤 했는데, 반대로 남이 그런 상황이 오면 참고 이해못하고 도로위에서는 저러면 안된다는 생각을 하며 크락션을 울려대곤 했습니다. (앞차는 얼마나 당황스러웠을까요.) 운전대를 잡으면 난폭해지는 것은 아닙니다만 도로위에서만큼은 조심해야하고 뒷차에 피해를 주면 안된다는 생각이 깊이 박혀있어서 예민해집니다. 그렇게 크락션을 울리고 그 앞차에서 죄송하다고 비상들을 켜거나 손을 올리면, 그렇게 화낼 일도 아니었는데 화가 났었구나 하고 창피해집니다.

거꾸로 제가 그런 상황이었을 때 뒷차가 있었을 것이었는데 그 뒷차는 저에게 크락션을 울리는 대신 배려를 해줬을 것이 에요. (제가 도로위에서 조금 늦게 가더라도 크락션을 받은 적은 없었기 때문에..) 그런 제 상황과 비교해보니 '그럴 수도 있겠다' 라는 생각이 들었습니다. 초보운전일수도 있고 네비게이션이나 길눈이 어두운 분일 수도 있고 초행 길이었을 수도 있습니다. 그 상황은 제가 직접 옆에서 대화해보지 않는 이상 모르는 것이기 때문에 그럴 때는 차라리 '그럴 수 도 있겠다' 라며 그분을 이해하는 마음을 갖는 것이 저에게도 그분에게도 좋은 일이라고 생각이 들었습니다.

대화하고 서로의 견해를 주장하는 것에 대해서만 적용하는 것이 아니라 사람과 사람사이에 일어나는 모든 상호작용에 대해서 만트라처럼 자신의 마음을 달래며 다른 사람들을 이해 해주는 것이지요. 이것은 꽤나 효과가 좋습니다. 위에 제 부끄러운 과거를 소개했듯이 예민했던 제가 그런 상황마다 주문을 외웠더니 마음의 평화가 찾아왔던 경험을 했으니까요.

도저히 이해가 안가는 행동을 하는 사람도 있지만, 웬만큼 상식이 통하는 사람 앞에서는 그 사람의 행동을 이해할 수 있는 이런 만트라 하나씩 갖고 있으면 자신의 마음과 다른 사람들의 배려를 함께 지켜낼 수 있는 훌륭한 해결책이 됩니다. 고집이라는 것은 서로의 고집을 만났을 때 싸움이 일어나는 것이기에 상대방이 고집을 부린다면 한걸음음 뒤에서 '그럴 수 도 있지' 라고 생각을 하며 이해 해 보시기 바랍니다.

• 가슴뛰는 일에 대한 착각

여러분들은 일을 하고 있습니까? 그 일이 여러분들의 가슴을 뛰게 만드나요? 이 질문에 어떤 답을 해야 할까요? 보통은 아니요 라고 답을 하겠지요. 글을 쓰는 저도 대리운전을 하면서 가슴 뛴 적은 없었으니까요. 일이 라는 것이 참 그렇습니다. 가슴 뛰는 줄 알고 시작했다가도 시간이 흐르면 돈 때문에 하게 되고 생계를 위해서 하게 되면 재미를 잃습니다. 물론 소수의 사람들이 재미도 느끼며 사명감으로 일을 하겠지만 보통사람인 저는 일에서 가슴 뛴 적을 느낀 적이 없었습니다. 초반엔 일을 배우는 재미를 느껴 잠깐 가슴이 뛰기는 했지만요. 그런 가슴 뜀은 오래가지 못했습니다.

이게 가슴 뛰는 일인가? 햇갈려서 계속 이 느낌을 기억하고 지속 해보려했지만 일 자체에서 오는 기쁨은 오래 갈 수 없더군요. 검색도 해보고 책도 읽어봤습니다. 가슴이 뛰는 일을 하는 것과 가슴 뛰는 삶을 사는 사람들은 보통 아침에 눈을 뜰 때부터 그 일을 할 생각에 너무 설레어서 잠에서 깨어난다고 했습니다. 그런 경험을 했던 적이 있나 제 기억 속을 뒤적거렸습니다. 그때 반짝하고 생각이 났습니다. 저도 그런 경험이 있던 것이었죠.

제가 아침에 설레었던 적은 온라인게임을 했을 때, 새로운 것을 배울 때, 어릴 적 소풍가는 날, 더 어렸을 적 일요일 아침 8시 디즈니만화동산을 보기위한 날, 여자 친구와 데이트를 하는 날등 주로 노는 것과 관련되어 있었습니다. 놀이와 공부와 하나가 되면 좋겠지만 저는 아무래도 노는 것에 더욱 흥분을 하고 집중을 했죠. 그 흥분은 다음날 아침에 번쩍 일어나게 하는 마법을 일으켰구요.

여기서 집중해야할 것은 제가 무언가에 설렌 적이 있다. 라는 것입니다. 이런 경험이 당시에만 반짝 나왔던 것이죠. 이런 경험은 주로 반짝 하고 찰나의 경험을 안겨주는데, 이게 바로 그 아침의 설레임에 대한 진짜 속성입니다.

이것을 지속시키기 위해서는 매일매일 설레는 일을 해야 하고 설레는 결과 값이 나와야만 합니다. 시험을 치루려는데 나는 이미 공부를 많이 해둬서 그 시험을 100점 맞을 설레임이 있다던가, 오디션이나 경연에 나가는데 내 실력과 자신감이 그 누구보다 뛰어나서 합격이 된다던가 결과가 원하는 방향대로 될 것이라는 희망이 있어야만 이런 설레임을 가질 수가 있습니다.

하지만 실제로 이런 결과값대로 이뤄지는 경우는 거의 없습니다. 이게 점점 나이가 들면서 어렸을 적 느꼈던 설레임을 느낄수 없는 경험이 되어버린 것이죠. 어릴적 소풍을 간다는 경험에서 온 설레임은 중학교 고등학교 똑같은 소풍을 반복하면서 점점 재미를 잃어버리고, 여자 친구와의 데이트도 하루 이틀 의무적으로 만나게 되면 식상해지고, 게임이나, 각종 만화 등도 이미 거기에서 느꼈던 경험들로 인해 설레임을 다시 찾을 수가 없게 되는 것입니다.

20대에 '가슴 뛰는 일을 해라' 라는 말을 들은 이후 저는 중독 된 듯이 위의 느낌을 찾고자 노력했습니다. 물론 저때와 비슷한 설레임을 느꼈던 적이 많았죠. 디지털 싱글 앨범을 제작하거나 새로운 연기학원을 다닌다거나 예쁜 여자친구를 만나는 등 몇 번의 반짝거렸던 설레임을 느꼈었습니다. 저는 그게 가슴 뛰는 일인 줄 알았었어요. 가슴이 뛴다는 것이 매일 이런 감정을 갖고 살아야 하는구나 하고요.

그런데, 여기에 대한 착각이다 생각이 든 경험을 하게 되었습니다. 바로 다이어트였죠. 그동안 다이어트의 상식은 적게 먹고 많이 움직이면 된다 였는데, 새로 배운 다이어트 비법은 무얼 먹느냐에 따라서 살이 찌고 빠지고가 결정된다는 것이었어요. 새로 배운 다이어트 지식대로 저는 탄수화물의 섭취를 줄이고 단백질과 지방위주의 식사를 해서 6개월동안 14kg을 감량했습니다. 약간의 운동도 하긴 했지만 운동은 거의 하지 않고 식단으로만 다이어트에 성공을 한 것이죠. 힘들기도 했지만 재미도 있었습니다. 매일 0.3~0.5kg씩 체중계에 수치가 줄어드는 재미와 무얼 만들어서 신선하고 맛있게 먹을 수 있을까에 대한 고민이 다이어트를 즐길수 있게 해주었습니다. 이렇게 다이어트를 성공해 보고 돌아보니 다이어트와 가슴 뛰는 일이란 것은 같을 수도 있겠다 생각이 들었습니다.

흔히들 좋아하는 것과 잘하는 것을 고민합니다. 저도 이에 대해서 많이 고민하고 답을 원했지만 결국 '좋아하는 것을 하자' 라고 마음을 먹게 되었죠. 좋아하는 것을 한다는 것은 틀린 말이 아닙니다. 좋아하는 것을 잘할 때까지 하다보면 돈이 되고 하고 싶은 일로 부와 명예를 다 가질 수 있으니까요. 그런데 저는 좋아하는 것만 하다 보니 발전이 없었습니다.

다시 다이어트와 비교 해 볼께요. 제가 다이어트에 성공할수 있었던 것은 좋아하는 음식만 먹었다기 보다, 다이어트에 효과적인 음식을 꾸준히 섭취했다는 것이죠. 제가 좋아하는 음식들은 달콤한 양념이 되어있는 음식 혹은 라면, 볶음밥 등이었는데, 좋아하는 것 대신 다이어트에 필요한 음식들을 공부하고 그것을 매일 같은 시간에 같은 식단대로 먹었습니다.

여기서 힌트를 얻은 저는 다이어트를 하듯 글을 쓰고 내 인생에 발전되는 것에 집중하자 생각을 했습니다. 그동안 좋아하는 것만 쫓았던 (정확히는 좋아하는 것이라 착각한 설레임) 저는 다양한 재주가 생겼습니다. 다 초~중급정도의 레벨이지만 그동안 음악편집, 작곡, 작사, 앨범커버제작, 켈리그라피, 엽서제작, 동영상편집, 사진보정, 요리 등등 누가 보면 전문가처럼 보일만한 일들을 조금씩 건드렸습니다.

이런 다양함은 결국 발전보다는 잡끼(?)가 많은 사람이 되었고 뭐 하나로 표현하기 힘든 정체성을 가지게 되었습니다. 이런 삶이 나쁘다기보다 이런 삶은 중심이 흐트러지기 때문에 전문성을 확보하기가 힘듭니다. 음식을 먹는 것처럼 이게 내 삶에 도움이 될 수도 있겠다. 내가 좋아하는 일인 것 같다 싶어서 한입 먹고, 또 새로운 맛이 있다고 해서 좋다고 한 입 먹고, 좋아한다는 것은 그때그때 바뀌는 성향이기에 좋고 나쁘고를 기준으로 일을 정하면 다이어트에 실패하는 것처럼 인생에 큰 도움이 되지 못한다는 것을 깨닫게 되었죠.

좋고 나쁘고 보다는 내가 해야 하는일 하고 싶은 일에 집중하고 매일 꾸준히 해 나가자 마음먹었습니다. 글을 쓰고 책을 읽고 운동을 하는 것을 매일 하는 것이죠. 어떤 날은 기분이 좋으니까 글을 많이 쓰고, 어떤 날은 기분이 나쁘다고 하루 쉬고, 이런 것이 아니라 기분이 나쁘거나 좋거나 비가오거나 눈이 오거나 내가 할 일을 그저 이유 없이 매일 해나가는 겁니다.

효율적인 측면에서나 제 정신건강을 위해서라도 이것이 저에게는 딱 좋은 일입니다. 설레임을 쫓다가 설레임이 사라지면 또 새로운 설레임을 찾는 어리석은 일은 이제 그만해야 할 때가 된 것입니다. 몸이 기억할 수 있도록 매일 똑같은 시간에 똑같은 일을 한다면 제가 원하는 것을 이룰 수 있고 또 선택과 집중에 대하여 정확한 판단을 내릴 수가 있습니다. 중심이 잡히는 것이죠.

가슴 뛰는 일을 한다는 것은 새로운 설레임을 찾거나 기분좋은 일만 하라는 것이 아니라 지금 하는 일에서 가슴뛰을 느껴야만 합니다. 자신이 하는 일에 대한 의미를 찾고 그 의미로부터 자유로워지는 것이 진짜 가슴 뛰는 일을 하는 것입니다. 저처럼 설레이는 것이나 기분좋은 것 흥분되는 것을 쫓지 말고 지금 주어진 일이 무엇이건 간에 그것으로 인해 가슴 뛰는 삶을 살기 바랍니다.

2. 누구나 알고 있는 약한 우울증 레시피

• 나를 위한 봉사 활동

대가 없이 누군가를 도와본적이 언젠가요? 우울증이 나타나는 이유 중 하나는 이기심입니다. 자신에 대한 과한 사랑이 욕심을 불러와 기대치를 높이고 그 기대치를 만족시킬 때까지 자신을 혹사시키고 밀어붙이는데도 불구하고 달성하지 못했을 때 우울감과 불안감이 나타납니다.

이런 분들을 위한 방법이 바로 봉사 활동입니다. 학창시절이나 대학교까지는 학교에서 시키는 수동적인 봉사활동을 많이 합니다. 그 역시도 효과적이죠. 하지만 성인이 되고 키가 크고 세상에 대해 알게 되면 시간이 없다. 돈이 없다 등등의 이유로 봉사활동과는 멀어져가는 인생을 살게 됩니다. 지금까지 해왔던 봉사활동이 타의에 의한 봉사활동이었다면 이제는 본인이 직접 찾아가는 봉사활동을 한번 진행해보는 것은 어떨까요?

봉사활동에는 다양한 봉사활동이 있습니다. 어르신 미용 봉사활동, 유기견 봉사활동, 환경 미화 봉사활동 등 조금만 둘러보면 자신이 맞을 법한 봉사활동이 있을거에요. 그중에 한가지만이라도 딱 한번 여러번 안 해도 되니 한번만 냉장고에서 꺼내듯 해보세요.

이 방법은 평소 자신에게 모든 화살을 꽂았던 자기 자신에게서 해방되는 방법이기도 합니다. 타인과 어울리며 봉사를 하면 모든 게 자기 잘못인줄만 알았던 그 화살들이 떨어져 나가는 것을 느낄 수 있어요. 세상사람들 사는 것이 다 비슷하거든요. 그 비슷한 사람들끼리 어울리고 이런저런 이야기도 하면서 같은 보람찬 일을 하다보면 어느새 자신의 삶을 되돌아보게 되고 그게 시작이 되어 봉사활동이 취미가 될 수도 있고 우울감에서 해방시키는데 첫 걸음이 될 수도 있습니다. 너무 거창하게 생각할 필요 없어요. 지금 이 시간에도 누군가는 도움을 필요로 하고 있으며 그 도움을 주는 것이 바로 봉사니까요.

제가 아는 분중 한분은 메이크업 선생님인데, 한 달에 두 번 정도는 재능기부를 하기 위해 전국 방방곡곡을 다닙니다. 한번은 제가 궁금해서 왜 그런 활동을 하는지에 대해 물어봤어요. 돈이 되는 것도 아니고, 그렇다고 한가한 것도 아닌데 왜 일부러 시간을 만들어가면서까지 재능기부 봉사활동을 가는지에 대해서요. 메이크업 선생님은 대답해줬습니다. 처음에 자신도 그렇게 재능기부까지 하면서 내 시간을 쪼개야 하나 하는 의문이 들었는데, 막상 재능기부를 하고 같은 업계에 있는 사람들끼리 모여서 같은 봉사를 하니 메이크업이 더 재밌어졌다고 하더라구요. 그냥 그대로였다면 본인은 매너리즘에 빠져서 메이크업에 싫증을 낼지도 몰랐을 것이라 했습니다.

선생님이 메이크업 재능기부를 하면서 재능기부를 받는 취약계층에 있는 친구들이 그로인해 기분좋아하고, 또 메이크업 아티스트라는 직업에 대해 꿈을 갖게 해주게 되니 자신에 일을 더욱 사랑하게 되었고 더 나은 사람이 되고자 노력하다보니 메이크업 실력도 더욱 좋아졌다고 합니다.

누군가를 돕고 누군가와 나눈다는 것은 그 누군가를 위한 행위인 것 같지만 실제로 보면 사람이라는 존재는 남들과 나누는 것으로부터 행복을 느끼는 존재이기에, 나누면 나눌수록 자기 자신을 사랑하게 되고 자신을 위한 일을 가질 수 있다고 합니다.

이 부분은 메이크업 선생님뿐 아니라 저도 느꼈던 것 중 하나입니다. 저는 유기견 봉사활동을 주로 가곤 했는데, 동물을 워낙 좋아하다보니 그 친구들로부터 마음의 안정을 받고 싶었습니다. 그렇게 우울감이 밀려와 무기력할 때쯤 봉사활동 모임을 찾아가 견사 청소도 하고, 산책도 시키고, 사람들과 이런저런 얘기하다보니, 내가 우울했나? 되물을 정도로 재밌고 보람찬 경험을 했었습니다. 그 경험이 긍정적인 생각이 되다보니, 봉사활동하면 뭔가 크게 부담스럽게만 느껴졌는데, 이제는 봉사를 간다고 생각하면 그냥 가볍게 사람들과 나눔을 위해 간다 생각하고 마음편하게 가게 되었습니다.

유기견 봉사활동이라고 사람과 나누지 않는게 아닙니다. 나눈다는 것은 꼭 사람일 필요도 없고 그렇다고 동물에게만 할 필요도 없습니다. 중요한 것은 자기 자신이 나눔으로부터 오는 행복과 자기 만족감에 있습니다. 이 점은 평생 봉사를 해보지 않은 사람들은 알 수 없는 느낌이 되지요. 가벼운 단계에 우울증이라고 생각이 되신다면 이참에 봉사활동을 함으로써 본인의 정서적인 건강도 챙기고 사람들과의 관계 개선과 행복을 느끼는 것은 어떨까요? 혼자가 어려우면 친구와 함께 하는 것도 좋구요! 우울감 때문이아니더라도 나눔의 행복을 위해서 꼭 한번 해보시길 추천합니다! 결국 봉사는 남을 위한 일이 아니라 자신을 위한 일이 될테니까요!!

• 헤어스타일 바꾸고 마음도 바꾸고!

마음이 울적할 땐 괜히 다 밉게만 보입니다. 이럴때 잠깐이나마 마음을 속일 수 있게 헤어스타일을 바꿔주면 기분상승을 느낄 수 있습니다. 헤어스타일이라는게 참 신기합니다. 어떻게 만지느냐에 따라 그 사람의 캐릭터가 만들어지거든요.

예를 들어볼까요? 영화에 머리가 헝클어지고 며칠 감지도 않은 사람을 보면 이 사람은 게을러 보이고 신뢰가 느껴지지 않습니다. 반면에 깔끔하게 왁스도 바르고 머리를 고정한 사람을 보면 괜히 믿음직스럽고 좋은 직업을 갖고 있어보입니다. 우리가 그렇게 본다는 것은 헤어스타일에 대한 고정관념으로 인해 선입견이 나타난 것이겠죠.

이러한 선입견을 이용해 우리가 마음을 다쳤을 땐 외모의 변화를 주는 것도 하나의 우울증 처방전이 될 수 있습니다. 거울에 비친 자신의 모습에 변화를 주는 것이죠.

물론 헤어스타일뿐 아니라 여성분들은 메이크업을 하면서 우울감을 날려버릴 수도 있습니다. 실제로 제 아는 여동생이 산후우울증이 심해 먹지도 못하다가 수척해진 자신의 모습을 보고 결혼 전처럼 화장을 다시 하고 생기를 찾게 되었습니다. 그뿐 아니라 이 작은 행동으로 인해 동생은 블로그와 유튜브를 이용해 본인이 사용해본 화장품 리뷰를 올림으로써 우울증이 많이 완화되었습니다.

사실은 이 머리스타일을 변화시키는 것에 대해 써야할까 말아야할까 고민이 많았습니다. 그런데, 친한 동생과 얘기를 하다가 문득 헤어스타일에 대한이야기를 써야겠다는 생각이 들었어요. 미용실에 기분 전환하러 가는 성별은 대체적으로 여성분들이 많습니다. 단발로 머리를 잘랐을 때 주변에서 심경의 변화가 있었냐는 질문을 할 정도로 여성의 감정과 머리스타일은 많이 연결되어 있습니다. 하지만 남성의 경우 미용실을 자주가긴 하지만 주로 컷트를 위해 가죠.

남자도 그루밍하는 시대라고 트렌드라며 다들 꾸밀 것이라고 생각하시겠지만, 아닌 남성들이 더 많습니다. 그래서 이 머리스타일에 대한 이야기는 남성분들이 읽어주셨으면 하는 마음이 큽니다.

이 남동생에게 약한 정도의 우울증이 와서 저에게 상담요청이 왔을 때 실제로 헤어스타일을 바꿔보라는 제 조언을 듣고, 자신의 외모를 다시 생각하게 되었고, 미용실로 가서 헤어스타일을 바꿨습니다. 순간적으로 머리모양일만 바꿨을 뿐인데 자신감이 생겼다고 하더군요.

물론 미용실에서 헤어를 바꿨다고 우울감이 전부 해소되지는 않습니다. 그러나 일시적으로 기분을 좋게 하여 자신의 감정이 상승기류에 탈수 있도록 해야 합니다. 다들 아는 방법이라고 할 수 있지만 막상 안 해본 사람들은 그 헤어스타일이 바뀠을 때 느껴지는 자신감이나 행복을 모릅니다.

만약 확실한 기분의 변화를 원한다면 저는 조금 강하고 확실한 변신을 해보았으면 좋겠어요. 예를 들어 노란색으로 탈색을 한다거나 컬러감이 강한색으로 염색을 해보는거죠. 물론 회사생활을 한다거나 머리에 규정이 있는 곳에서 생활을 한다면 어렵겠지만요. 그런 규정이 있는곳이라면 파마를 하거나 평소 인상 깊게 봤던 드라마속 주인공의 헤어스타일을 따라 해도 좋습니다.

꾸민다는 것은 살아있다 라는 것입니다. 우울하다는 것은 마음이 죽어있다는 것이기에, 이 죽은 마음을 살리기 위해서는 외적인 것을 꾸며보는 것도 좋습니다. 외모를 꾸밈으로써 죽어있는 마음에 생기를 불어넣어 다시 기운을 차릴 수가 있으니까요.

헤어스타일이 아니어도 좋습니다. 도전적이지 않아도 좋습니다. 평소와 조금 다른, 혹은 깔끔한 스타일로 본인에게 좋은 인상을 줄 수 있는 그런 스타일로 변화를 주는 것이 우울감 해소에 꽤나 도움이 됩니다. 헤어스타일, 메이크업을 통해 외적인 자신감과 내적인 자신감 둘 다 얻을 수 있었으면 좋겠네요.

• 사람많은 곳에서 아이쇼핑 하기

역시나 여성분들이 많이 하는 레시피중 하나죠. 저는 일을 하다보면 밖에 있는 시간이 많다보니 아이쇼핑이나 사람 관찰을 많이 하게 되는데요. 그럴 때 희한하게도 영감이 솟구친다던지 마음이 평온해진다는 경험을 할 때가 종종 있었습니다.

이 방법은 이성 친구로부터 마음을 정돈할 때 어떤게 있을까 물어봤을 때 추천받았던 레시피중 하나에요. 제 이성 친구는 겉으로 보기엔 활발하고 철없이 행동하는 것 같지만 실제로는 속도 깊고 배려심이 깊은 친구죠. 그런데 이 친구도 저와 대화를 하다 보니 우울감을 느꼈던때가 있다고 하더라구요.

한 번 두 번 겪는게 아니라 어떠한 시점을 계기로 오르락 내리락이 반복한다고 합니다. 그래서 그럴 때마다 자신은 집에서 가까운 복합쇼핑센터를 가서 귀에 이어폰을 꽂고 관심 있던 브랜드의 신상품이 뭐가 나왔는지, 요즘 베스트셀러는 뭔지, 사람들은 누구와 어떻게 걸어가고 있는지 구경하고 집에 돌아오면 어느새 우울한 감정이 사라졌다고 했습니다.

왜 그런지에 대한 이유는 모르겠으나, 확실한건 시각적으로 받아들이는 것들로부터 안정을 찾을 수 있다는 사실이었습니다.

가끔 우리는 흐르는 것 그대로를 보는것에 안정감을 받습니다. 혹은 아무것도 움직이지 않는 것을 봐도 안정감을 느끼죠. 본인이 그 안에서 멈춰있거나 흐르는 것이 아닌 있는 그대로를 바라보는 것을 함으로써 안정감을 느껴보는 겁니다.

친구의 얘기를 듣고 저는 이 방법을 따라 해 보기로 했습니다. 친구가 말한 방법 외에 한가지 더했어요. 사람들이 많은 곳을 의도적으로 가기로 하되 집에서 멋있는 옷을 입고 멋이란 멋은 잔뜩 부리고 나갔죠. 나도 멋 부리면 이 정도는 된다라는 것을 보여주고 싶었던 것 처럼요.

쳐다보는 사람이 한명도 없었지만 저는 사람들이 나만 쳐다본다는 착각으로 모든 사람의 시선을 받아 주겠다 마음먹고 한껏 폼을 잡았습니다. 그리고 친구가 말했던 것처럼 따라했어요. 한손에는 테이크아웃 커피 한잔을 들고 서점에가 책을 구경하기도 하고 옷 가게로 가서 나름대로의 코디도 해보고, 전자제품 매장에서 이것저것 만져보면서 얼리어답터 흉내도 냈습니다.

그러고 집에 들어오니 진이 빠지더군요. 사람들과 직접적으로 교류하거나 무엇을 하지 않았는데도 불구하고 저는 쉬어야겠다는 생각이 들었어요. 그 덕분에 잠깐의 우울증을 넘겨버릴 수 있었고 그날 저녁 저는 잠을 푹 잘 수 있었습니다.

우울과 스트레스는 보통 통제할 수 없는 것에 대한 것들에 대해서 찾아 옵니다. 세상을 바라보면 실제로 우리가 통제할 수 있는 것은 거의 없음을 알 수 있어요. 이를 자각하기 위한 방법으로도 이 방법이 꽤나 효과가 있습니다.

그저 바깥으로 나가 사람들을 쳐다보고 새로운 것들을 받아들이면서 '저 사람들은 과연 무얼 위해 이 쇼핑몰에 왔고 여기서 무얼 하는 걸까?' 하고 사색해보는 겁니다. 이 사색은 우울과 불안에서 온 잡념에서 벗어나게 해주기도 하며 제가 경험한 바와 같이 체력적으로도 힘이 드는 일이기에 어느 정도 불면에서 벗어나는 효과도 줍니다.

물론 이 방법은 우울감이 어느 정도냐에 따라 다를 수 있겠지만 대형 쇼핑몰이나 사람들이 많은 곳은 기운이 좋은 곳입니다. 왜 기운이 좋냐면 사람이 많은 곳에는 주로 무엇을 사거나 누구를 만나거나 설레는 일로 사람들이 만나는 곳이기에 그런 좋은 감정들이 사람과 사람을 통해 전이됩니다. 이러한 전이로 인해서 우리처럼 우울한 사람이 그 안으로 들어가기만 해도 기분이 좋아지는 것을 느끼는 것이죠.

오늘따라 왠지 우울하고, 혼자 있다라는 사실에 너무 슬프다면 여유있는 시간을 정해 한껏 멋을 내고 가까운 쇼핑센터나 사람들이 많은곳에 가보시길 바랄께요. 우연히 나갔다가 아는 사람을 만나 좋은 일이 생길 수 도 있고, 괜히 누군가 생각나서 전화해 볼 수도 있고, 평소에 살까 말까 고민했던 제품이 할인을 해서 싼 가격에 구입할 수도 있을 겁니다. 꼭 이런 우연의 일치가 아니더라도 여러분들의 기분을 상승시키는데에는 분명 효과가 있을 터이니 우울하다고 그저 앉고 누워있기보다 거울도 보고 스타일링도 하셔서 멋있는 모습으로 바깥으로 나가 효과를 보시기 바랍니다!

• 미각으로 푸는 우울증

우리나라 사람들은 매운 음식을 참 좋아합니다. 저는 잘 못 먹지만요. 아마도 스트레스와 많은 연관성이 있지 않을까요? 통계적으로 나왔는지는 잘 모르겠지만 OECD 국가 중 삶의 만족도가 하위권인 우리나라는 그만큼 스트레스를 많이 받습니다. 이런 스트레스를 푸는데 있어서 제일 쉬운 것은 어딜 가거나 무얼 하기보다 매운 것이나 달콤한 것을 먹으면 효과가 바로 옵니다.

유튜브나 페이스북 영상에 매운 음식만 소개하는 채널이나 크리에이터가 있을 정도로 맵다는 것을 참 좋아합니다. 기분이 우울할 때나 스트레스 받을 때 매운 것을 먹으면 괜찮아 진다는 것은 굳이 설명이 필요 없는 방법이기도 하죠.

그럼에도 제가 매운 음식이나 달콤한 것에 대해서 쓰는 이유는 제 경험에서 매운맛과 달콤한 맛에서 느낀 점에 대해서 이야기를 드리고자 적어봅니다.

위에 얘기했듯이 저는 매운 것을 못 먹습니다. (전 여자 친구와의 대결구도로 잘 먹는다 생각했었지만 그때도 억지로 이겨보려고 먹었을 뿐 매운 것은 잘 못 먹습니다.) 그럼에도 불구하고 제가 스트레스를 받거나 약간의 우울감이 느껴질 때엔 꼭 매운 음식을 찾게 되더군요.

그때마다 맵다고 하면 알아주는 엽기떡볶이나 매운 닭발, 불닭볶음면을 먹었습니다. 그리고 나서 꼭 후회했습니다. 먹을 때는 몸에 열이 오르기 시작해 심장이 빨리 뛰고 혓바닥이 타는 듯 한 느낌이 들고, 헥헥 거리면서 까지 입속으로 욱여넣었습니다. 땀이 식으면서 어떠한 안정감을 얻는 느낌도 들었지만 반나절이 지났을 때 쯤 제 속은 활화산처럼 활활 타기 시작해 배탈이 난적이 한 두 번이 아니었습니다. 그럼에도 불구하고 스트레스 받을 때마다 더 매운 것을 원했고 매운 것으로 스트레스를 받고 또 스트레스로 매운 것을 먹고 악순환이 되었습니다.

스트레스와 매운 음식의 과학적인 이유를 보면, 매운 음식으로 인해서 몸은 고통을 느끼게 되면 교감신경이 활성화 되고 그 활성화된 교감신경을 낮춰주기 위해 잠시 후에 부교감신경이 활성화 된다고 합니다. 그때 부교감신경에서 나오는 엔돌핀이 몸에 안정감을 주고 기분을 좋게 해주는 것이죠.

정리를 하자면 외,내부에서 받은 스트레스로 인해 마음이 아파서 매운 음식으로 몸에 통증을 주고 통증으로 인해 몸은 순간적으로 긴장하고 잠시 후 이완이 됩니다. 이완 이후에는 쾌감의 상태가 되어 매운 음식으로 스트레스가 풀린다고 착각을 하는 것입니다.

우울감이 생길 때 또 찾는 것이 달콤한것입니다. 달콤한 것을 찾는 다는 것은 자신이 지금 소모된 에너지원으로 인해 영양분이 필요하다는 몸의 신호이기도 하며, 다음 행동을 이어가기 위한 하나의 발판이 되기도 합니다.

저는 몸의 원리를 어느정도 이해하다보니 집중을 해야할 때나 우울감을 떨쳐버릴 때 초콜릿 혹은 조금 더 달콤한 커피나 음료를 마셔 그 마음을 달랬습니다. 시중에서 나오는 달콤한 음식들은 몸에서 따로 변환 없이 바로 당분으로 흡수 될 수 있는 음식들이기에 먹으면 바로 효과가 일어납니다. 그러기에 사람들은 에너지 소모가 컸을 때(운동하거나 뭔가에 몰입했을 때) 간식으로 먹게 됩니다.

우울감이 일어났을 때 미각으로 느껴지는 효과는 이렇게 큽니다. 즉각적인 효과가 있기도 하고 잠깐이지만 기분을 들뜨게 해주어 스트레스를 받았던 것 조차 잊을만큼의 만족감을 가져다 주죠. 그래서 이 방법은 스스로 매콤이나 달콤한 맛을 조절 할 수 있는 분이 하셨으면 좋겠습니다. 만약 적당한량의 단맛이나 매운 맛이 아닌 그 이상을 섭취 했을 경우 제가 위에서 경험한 악순환이 반복됩니다.

이 악순환은 마치 뭔가에 중독된 것처럼 스트레스 받을 때마다 달거나 매운 음식을 찾고 다음번에는 더 달고 매운 음식을 찾게 됩니다. 마약을 한 사람들이 내성이 생겨 점점 더 강한 자극을 원하는 것처럼 강한 자극으로 몸에 고통을 주고 그 고통을 식히는 과정에서 나오는 호르몬들로 안정을 얻고 스트레스가 풀리는 듯 한 느낌을 위해서죠.

그러니 어느정도 본인이 컨트롤 할 수 있는 정도라면 잠깐 일어난 마음의 부정과 불안을 달콤한 맛과 매콤한 맛으로 떨쳐버리기 바랍니다. 저는 그때 조금 과하게 먹어 위장질환과 비만이 함께 와서 고생을 했기에 저처럼 너무 과하게 의존하기보다 조금만 먹어도 우리의 기분은 나아 질 수 있으니 이점 꼭 참고하시면서 드셔보세요. 분명 효과가 있을 겁니다.

• 친구와 마음 껏 수다 떨기

저는 마음이 약합니다. 지금까지도 약했고 지금도 강하지는 않습니다. 전보다 조금 좋아진 정도랄까요? 저처럼 마음이 약해짐을 느끼는 분은 친구와 신나게 수다 떠는 것이 우울감을 쫓는데 효과적입니다.

저는 말하는 것을 좋아합니다. 말하는 것을 좋아하다보니 마음이 약해지면 말이 더 많아 졌습니다. 마치 '나 불안해' 라는 것을 티내듯 입으로 표현했던 것이죠.

그럴 때 마다 저는 친구를 찾았습니다. 친구를 불러 이런 저런 이야기를 했습니다. 물론 이런저런 이야기는 누구의 뒷담화 혹은 신세 한탄이었습니다. 시원하게 수다를 떨고나면 기분이 나아졌습니다. 우울감을 해소한 느낌이 확실 했죠.

이럴 때 좋은 친구는 무조건적으로 제 말에 공감해주는 친구입니다. 문제 해결이나 논리적으로는 도움이 안되지만 무조건적으로 내편을 들어주는 친구에게 이야기를 하면 상처받은 마음에 연고를 바른 것처럼 안정을 얻습니다. 그래서 이럴 때는 팩트를 말해주는 친구보다 공감을 잘해주는 친구가 필요하죠.

제가 우울증이라는 것을 알고 나서 몇 명의 친구에게 제 이야기를 했는데 저를 이해 못 해주는 친구와 무조건적으로 공감해주는 친구가 있었습니다. 저를 이해 못 하는 친구에게는 제 증상에 대해 설명하느라 너무 힘이 들었어요.

반면에 무조건적으로 내 편을 들어주는 친구에게는 그저 감정과 마음에 대해서 이야기를 했을 뿐인데 마음이 편해지는 느낌을 받았죠. 이런 얘기는 굳이 제가 하지 않더라도 본능적으로 아시겠지만 제가 경험한 바를 먼저 말씀드리는 것은 친구 중에도 무조건적으로 공감해주는 내 편 한명만 있어도 마음이라는 녀석에게 안정감을 줄 수 있다는 것을 말씀드리고 싶었습니다.

친구라는 관계는 서로 필요에 의해 만들어지는 관계이기에 서로 어느 정도 주고 받는 사이가 됩니다. 이때 주고 받는 것이 꼭 물건이 아니라 정서적인 공유만 가능해도 정서의 필요를 주고 받음으로써 친구의 관계가 성립이 됩니다. 이글을 읽으면서 아마 지금 떠오르는 친구가 있을 꺼에요. 그 친구 한명만 있어도 충분합니다.

떠오르는 사람이 없다면 그런 사람이 있는지 확인하는 방법도 있어요. 그동안 연락은 조금 뜸했지만 알고 지냈던 친구나 지인들에게 먼저 연락을 해보는 겁니다. 실제로 친구나 지인이라는 것이 오래됐다고 다 좋은 친구도 아니고, 새로운 친구라고 좋은 친구도 아닙니다. 그렇다고 저에 대해 잘 아는 친구도 이 우울증이라는 것에 도움이 되지 않는 경우도 있죠.

하지만 지금 제 마음을 헤아려줄 수 있는 친구는 꼭 있습니다. 비슷한 이유로 마음이 다쳤었거나 경험이 있는 사람한테요. 아무리 내가 그 지인에 대해 조금 안다 싶어도 우울증을 겪었던 경험이 있는지 없는지는 직접 대화를 해봐야 알 수 있는거죠. 뜬금없이 내 아픔을 이야기 한다는 것은 어려운 일이지만 이런저런 이야기를 해보면서 내 이야기(내 상처)를 먼저 꺼냄으로써 서로 공통점을 알 수가 있습니다.

실제로 제가 우울증을 겪고 나서 예전에 알던 지인에게 오랜만에 연락해 이런저런 이야기하다가 그 지인도 우울증을 겪었었다며 한참을 통화했던 기억이 있습니다. 서로 밝고 외향적인 성격으로 알고 있어서 그런 상처가 있는 줄 몰랐는데 막상 이야기를 하면서 제 상처를 먼저 꺼냄으로써 시원하기도 하고 극복방법에 대해 조언까지 해주어서 더욱 힘이 났습니다.

이렇게 마음이 아플 때 같이 정서를 공유하고 수다를 떨 수 있는 친구가 있다는 것은 마음에 큰 도움이 됩니다.

그러나 모든 방법이 그러 하듯, 너무 남용하지는 마세요. 가벼운 우울증이 아니라 이미 깊어진 우울증을 겪고 있다면 이 방법으로 해소되지 않을 가능성이 큽니다. 혹은 이로 인해 새로운 습관이 생겨버리기도 하죠.

실제로 제가 우울증이 더 깊어진 것은 모르고 제 아픔만 떠들고 다니다보니까 듣는 친구들이 괴로워했습니다. 저는 무슨 일만 있으면 결정권을 친구들이나 지인들에게 줘버리고 제 고민을 들어 달라고만 연락하니 자연스럽게 친구들과 멀어지기도 했습니다. 결국 마음이 아픈 것이 아니라 고민이 있으면 자신의 결정이 아닌 남의 판단에 의지하게 되었습니다. 이는 제 주변에 좋은 사람을 놓친 일이기도 합니다.

거꾸로 제가 그런 친구의 이야기를 들어주고 대답해줬던 경험도 있습니다. 이 친구는 자신이 실연으로 인한 우울증을 인정하지 않았습니다. 그저 자신의 고민일 뿐 우울증과는 거리가 멀다고 했죠. 하지만 이는 우울증이 확실했습니다. 왜냐면 제가 위에서 말씀드렸던 바와 같이 똑같은 신세한탄을 하면서 자신의 결정권을 저에게 넘겼거든요. 문제가 해결되긴 커녕 제자리에서 돌고 돌기만 한 것이죠. 나중에 본인도 의존적이라는 것을 알게 됐는지, 저한테 전화가 뜸해졌습니다.

이토록 친구와 수다떨기는 우울감을 떠쳐내는데 큰 도움이 되기도 하지만 친구를 잃는 안좋은 점도 있습니다. 어느 정도의 우울감이냐에 따라 혹은 반복되지 않을 문제여야만 이 방법으로 효과를 볼 수 있습니다. 그냥 스쳐가는 약한정도의 우울감이라면 지금 자신이 직면한 문제에 대해서 공감 할 수 있는 사람과 신나게 수다를 떨어보시기 바랍니다. 꼭 어디서 만나고 커피를 먹고 그럴 필요 없이 요즘 좋잖아요? 전화 한통으로도 그사람과 교감을 할 수 가 있으니 혹시 지금 자신이 잠깐 우울하다면 전화한통 걸어보시기 바랍니다.

• 말하는 대로 따라가는 마음

저는 말의 힘을 믿는 사람입니다. 말을 어떻게 사용하느냐에 따라 기분이 달라지기 때문이죠. 우리의 마음은 변덕이 심하고 유리처럼 얇아 깨지기 쉬운 성질이 있습니다. 이럴 때 말을 이용해 생각을 전환 해 마음을 굳건하게 만들어야 합니다.

영화 세얼간이를 통해 유명한 말이 있죠. '알이즈웰'

'알이즈웰' 은 영어 'All is well' 을 발음 그대로 소리낸 말입니다. 이 말의 뜻은 모든 것이 다 잘 될 거야 라는 의미가 담겨져 있습니다. 세얼간이 영화의 주인공인 란초는 문제가 생길 때마다 왼쪽 가슴(심장부근)을 두드리며 '알이즈웰, 알이즈웰' 하고 자신만의 주문을 겁니다. 이렇게 하는 이유 역시 영화 속에서 말해줍니다. 주인공 란초는 마음이라는 것은 겁이 잘 먹기 때문에 마음에게 괜찮다는 '알이즈웰' 이라는 주문과 함께 닥친 문제를 해결합니다. 우리나라 말로 풀면 아마 '괜찮아 잘 될 거야' 라는 말로 풀수 있습니다.

이 영화에서 이 장면이 인상 깊었던 이유는 나이라고 하면 고작 20세 초반인 란초가 마음의 작용에 대해서 이해하고 있다는 거였죠. 마음이라는 녀석이 겁을 먹지 않기 위해 알이즈웰이라는 주문을 걸고 역경을 헤쳐 나가는 것이 큰 인상으로 남았습니다.

몇몇의 책이나 연예인, 스포츠스타, 유명인들의 인터뷰를 보면 그들이 하나같이 알이즈웰과 같은 일종의 주문을 했다는 것을 알 수 있습니다. 그 단어들은 대체적으로 긍정적이고 한 문장정도로 짧습니다. 흔히들 알고 있는 말인 '할 수 있다', '괜찮아', '그럴 수도 있지', '집중!' 등의 말이 있습니다. 이런 말들이 실제로 좋은 결과만을 가져오지는 않습니다. 다만 확실한 것은 해결해야할 문제에 직면했을 때 마음을 안정시켜 줌으로써 조금 더 집중하여 좋은 결과가 나타날 수 있게끔 도와준 다는 것이죠.

그렇기에 저는 말의 힘을 믿습니다. 말 한마디가 가진 힘으로 인해 나비효과가 일어나고 그 결과가 좋건 나빠지건 시작은 말 한마디부터 일어납니다. 그렇기에 우리는 이 말의 힘이라는 것을 마음이라는 녀석에게 이용해야만 합니다.

마음이 울적하다는 것을 알아챘을 때 '좋아질 거야' 아침에 일어났을 때 '오늘도 행복할 거야', 길을 걷거나 무엇인가를 할 때 '나는 행복해' 라고 말하는 겁니다. 세얼간이의 대사처럼 마음은 외부자극에 매우 약하기 때문에 이 자극을 방어할 방어기제가 필요한 것입니다. 이것이 바로 주문을 외우듯 자신에게 응원하는 말들입니다.

일본의 세금 납세액 1위 부자인 사이토 히토리의 저서를 읽어보면 그가 하는 말은 겸손해보이지만 똑같습니다. '그저 운이 좋았을 뿐이에요' 사이토 히토리는 이 운이라는 것을 이용하기 위해 매일 혼잣말로 '나는 운이 좋아' 라고 말했다고 합니다. 이렇게 자신이 운이 좋다고 반복함으로써 마음에게 진짜 운이 좋은 것처럼 만드는 것이죠.

실제로 이 운이 좋다는 혼잣말은 운이 좋아지는 효과보다는 마음을 안정시켜주는데 도움이 됩니다. 우연의 일치일지 모르겠지만 저 역시 이 말의 힘으로 신기한 경험들이 있습니다. 대리운전을 하다보면 본의 아니게 한적한 지역으로 갈 때가 종종 있습니다. 이때 한적한곳으로 운전하는 동안 마음속으로 혼잣말을 했습니다. '나는 운이 좋아, 난 운이 좋아' 그랬더니 정말 내 주문이 통하기라도 한 듯 한적한 동네에서 우연히 술 마신분이 대리운전을 필요로 하는 일이 생겨 다시 시내쪽으로 벗어났던 적이 있습니다. 운이 실제로 작용했는지 아닌지는 모르겠습니다만 제가 그 주문을 반복함으로써 오지(대리운전에서 손님이 없을 것 같은 지역)에 들어가서 생길 일에 대한 두려움에 대비할 수 있었습니다. 마음에게 최면을 건 것이죠. 오지에 들어가도 나는 운이 좋아서 좋은 일만 생길 것이다. '그 일로 인해 새로운 곳으로 탈출할 수 있을 것이다' 라는 믿음을 심어 놓는 것이죠.

이렇게 우울감을 대비하거나 우울감에서 벗어날 때에는 말의 힘을 적극적으로 사용해야만 합니다. 생각이 곧 말이 되고 말이 곧 나의 모습이 됩니다. 생각을 반영하는 하나의 채널이 말임으로 이 말을 긍정적이고 밝은 용도로 사용하고 내 신변(?)에 일어날 일에 대해서 두려움을 극복할 수 있도록 해야만 합니다.

과학적으로도 사례를 찾아보면 많이 있겠지만 제가 경험한 바에 의하면 말이라는 것은 신기하게 쓰이는 경우가 많습니다. 글을 쓰게 된 것도, 저는 글 재주가 없지만 책을 쓰고 싶다는 생각을 가졌었습니다.

하지만 도통 책상에 앉으면 무슨 글을 어떻게 써야할지 생각이 나지 않더라구요. 글을 써야한다는 저항감이 마음에서 일어나고 있던 것입니다. 이때도 제가 적용 했던말이 '나는 글쓰기를 사랑한다' 였습니다.

스티브 잡스가 졸업연설 중 자신의 일을 사랑하라는 말처럼 자신의 일을 사랑하려면 이러한 혼잣말이 필요하다는 것을 알게 되었습니다. 몸 쓰는 것을 좋아하지 않는 제가 매일 요가를 사랑한다고 혼잣말을 되뇌고 요가원에 가는 횟수를 늘리다보니 진짜 요가를 사랑하게 되었습니다.

어렸을 적부터 많은 운동에 도전했다가 늘 실패했었는데, 이렇게 어떤 운동을 꾸준히 오랫동안 하게 된 것도 신기할 따름입니다. 물론 적성이라는 것과 요가라는 운동이 저에게 일치했던 결과이기도 하겠지만, 저는 요가를 더욱 사랑하기 위해 요가에 대한 질문들을 선생님께 꾸준히 가져갔고 그로 인한 이론적 내용을 바탕으로 요가 동작에 적용시켜보았습니다.

처음에는 요가원에 가는 것을 그렇게 반대하던 몸이 어느새부터 조금씩 열어주더니 요가에 간다는 것에 대해 별 저항감을 일으키지 않습니다. 어느 날은 차라리 요가원에 가고 싶다고 할 정도로 적극적이기도 합니다.

이렇듯 말이라는 것에 큰 의미를 둬야합니다. 이 책을 읽는 분들은 저처럼 마음이 불안하고 쉽게 전염되고 약하기 때문에 읽고 있다고 생각합니다. 그렇기에 이런 마음의 안정을 위해서는 말의 힘을 적극적으로 사용하여 마음을 속이는 방법밖에 없습니다. 좋고 나쁘고 옳고 그르고를 판단 하기 전에 자신이 해야 하는 일, 꼭 하고 싶은 일, 기분이 좋아지는 일을 위해서는 자신만의 주문을 만들어 소리내어보시기 바랍니다.

몇 가지 추천 드리자면 '감사 합니다', '행복 합니다', '사랑 합니다', '난 운이 좋아', '괜찮아 잘 될 거야', '나는 00를 좋아해', '역시 최고다', '할 수 있어!', '집중하자 집중!!', '말하는 대로' 이렇게 생각이 나네요.

이 외에도 본인만의 말을 만들어 끊임없이 반복하다보면 진짜 그렇게 된 느낌을 받을 것입니다. 약한 마음의 성질을 이용하는 것이죠. 속일만큼 반복했다면 성공한 것입니다. 이로 인해 집중력도 높아질 것이고, 잠깐 우울했던 마음들도 속일 수 있는 하나의 방법이 될 것입니다. 여러분만의 말과 글로 편안한 마음을 얻어 나가시길 바랍니다.

• 일상속에서 여행하기

보통 여행이라고 하면 계획하고 실행하는데 까지 꽤 복잡하고 거창하다고 생각합니다. 하지만 여행은 거창한 것이 아닙니다. 그냥 쓱 떠나버리는 것이 여행이에요. 집밖으로 나가면 모든 것이 여행입니다.

제가 정의한 여행은 익숙함에서 낯선 곳으로 이동하는 것이 여행이에요. 익숙함은 편안함을 주지만 문제점도 있습니다. 실예로 매너리즘이 있죠. 이 매너리즘에서 벗어나는 방법은 익숙함에서 벗어나는 겁니다. 그렇다면 이 익숙함에서 발생하는 문제를 해결하려면 어떻게 해야 할까요?

보통은 어디론가 떠나는 것으로만 생각하겠지만 익숙함에서 벗어나라고 꼭 다른 지역을 방문한다거나 다른 나라로 갈 필요는 없습니다. 그저 평소와 다른 방향으로 움직여보는 거에요.

예를 들어 평소에 지하철타기 위해 왼쪽 도보를 이용해 에스컬레이터를 이용했다면, 다음날에는 오른쪽 도보를 이용해 계단을 이용 해보는 겁니다. 또 그게 익숙해졌다면 다른 방향으로 움직여 보는 것이죠. 저는 이게 여행이라고 생각합니다. 평소와 다른 생각으로 움직여보고 새로 발견하는 것을요.

이렇게 하면 익숙함으로 굳어진 마음이 조금 부드러워짐을 느낍니다. 매번 낯선 경험을 할 수는 없지만 일상 속에서 이런 것들을 여행이라고 생각하고 조금 천천히 느껴는 것이죠.

여행을 해보신 분들은 알겠지만 여행을 하면 낯선 것을 마주하고 그 낯선 것에서 느끼는 것들에 대해 집중하게 되잖아요.

그런 경험을 일상 속에서 되살려 보는 겁니다. 일상 속 여행이 되게끔 해서요.

인생은 균형이라는 것이 참 중요합니다. 그 균형이라는 것은 일과 쉼의 균형, 사람과 사람사이의 균형, 오른쪽 왼쪽의 균형, 이성과 감성의 균형 등등 균형을 맞춰가면서 살아야 안정이라는 것을 얻게 되죠. 그래서 마음이 약해졌을 때 우리는 일상 탈출이라는말, 즉 일탈을 하며 새로 마음을 다 잡아야합니다.

그렇다고 일탈이 곧 여행을 의미하지는 않습니다. 일탈이라는 것이 사람마다 다른 의미로 해석되기도 하죠. 누군가는 탈선과 일탈을 동일시하기도 하고 누군가는 일탈이라고 잠적하기도 합니다.(제가 이 두 가지를 다 해봐서 잘 압니다.)

굳이 일탈을 정의하자면 여행처럼 생각하자는 거에요. 여행이야말로 일상을 벗어나 새로운 환경을 맞이하는 행위니까요. 삶 자체가 여행이라는 말처럼 우리는 지금 여행을 하고 있는 것이라고 생각하는 겁니다.

우리의 문제는 매일 똑같은 컨텐츠가 계속 되어버리기 때문에 삶이 여행이 아니라 지겨움을 느끼고 사람들이 흔히 말하는 '죽지 못해 산다' 라고 표현 하는 것이죠. 이때 바꿔야하는 마음자세가 다시 여행자의 마인드를 갖는 것이 일탈이라고 하고 싶습니다.

사람이라는 동물은 관성에 의해 살아가는 존재이기에 형성된 습관대로만 살아갑니다. 이런 관성에서 벗어나는 연습으로 여행을 하는 거에요. 여유가 된다면 통상 알고 있는 개념의 여행을 하는 것이 좋습니다. 여행을 해보신분도, 안 해보신 분도 다 계시겠지만 여행을 하기 위해서는 다양한 준비를 해야 합니다. 준비하는 과정부터가 여행의 시작이라고 볼 수 있죠.

이런 과정에서 느끼는 감정들을 기억 해보는 거에요. 낯선곳으로 가는 발걸음에 대한 기대감과 설레임, 마치 어린 시절 김밥을 싸고 소풍갈 준비하는 초등학생 때처럼요. 그리고 계획을 짜보는 거에요, 머릿속으로 상상하며 무얼 할지 어디로 갈지 누굴 만나게 될지, 사진은 어디서 찍고 날씨는 괜찮을지에 대해서 상상을 하는 것만으로도 좋은 감정이 일어납니다.

이때 우리의 마음은 여행을 하러 가는 것이기에 매우 들떠있죠. 우울한 감정은 생길틈이 없어요. 일상 속 지루함을 떠나 진짜 여행이 시작되는 것이니까요.

하지만 이런 계획에서 지치는 사람도 있습니다. 친구들과 여행을 가면 꼭 한명은 계획대로 움직이고 한명은 즉흥적으로 움직이고자 합니다. 이런 친구사이처럼 우리의 마음은 때론 즉흥적으로 원하기도 해요.

즉흥을 원하는 마음은 계획하는 것만 생각해도 몸이 굳어버리죠. 부담스러워 하는 겁니다. 이럴 때에는 무계획으로 움직여야 해요. 일단 버스를 타는 거죠. 차가 있다면 시동을 걸고 엑셀레이터를 밟는 겁니다.

목적지가 어딘지, 가는 동안 무얼 할지는 막상 시작하면 그때그때 떠오르기 마련이에요. 이런 마음이 생길 때에는 그저 움직이는 게 최상책입니다. 마음으로 시작해 굳어버린 몸을 움직여줌으로써 다시 마음을 움직이게 하는 거죠.

멀리가도 좋고, 가까운곳을 가도 좋습니다. 먼 친척이나 친구를 만나러 가도 되고 서점이나 카페에 가도 좋아요. 그저 집 밖으로 떠나는 겁니다. 1박2일이 아니어도 좋아요. 단 몇 시간이더라도 여행자의 삶으로 살아가기 위해 평소와 다른 것을 하는 거에요. 주의할 것은 평소처럼 하지 않기 위해 신경써줘야 한다는 거에요.

기껏 움직였는데 매일 똑같은 길로 움직여 차가 막히는 것을 보면 자신도 모르게 짜증이 돌테니까요. 짜증대신 편안한 마음과 호기심과 설레임이 들어야 해요. 이 편안한 마음이라는 것은 기분이 좋아 너무 들뜨지도, 짜증이 나서 기분이 다운된 상태도 아닌 상태입니다. '그냥' 이라는 상태라고 말할 수 있겠네요.

이 '그냥' 이라는 마음을 기억하는 것이 포인트입니다. '그냥' 이 된 마음을 지루했던 일상에 적응하는 것이죠. 이것이 바로 우리가 일탈을, 여행을 하는 이유입니다. 여행을 다녀와서 제일 힘든 것이 일상으로 돌아오지 못해 아직도 여행지에 마음이 머물고 있을 때입니다. 기분이 너무 좋았고 편안함과 즐거움이 계속된 흥분상태에 있었기에 마음이 자꾸 그곳에 머물고 있는 겁니다.

여행 후유증이라고 할까요? 이런 현상을 아는 우리는 그런 후유증을 겪지 않기 위해 '그냥' 이라는 마음을 유지해야 하는 겁니다. 혹은 너무 들떴던 자신의 기분을 알아채는 거죠. 그러고 나면 일상으로 돌아오기 훨씬 수월해집니다.

어찌됐건 우리는 일을 해야 하고 일상으로 돌아와야 사회의 구성원으로 살아갈 수 있으니까요. 이렇게 지루한 일상 속 평소와 다른 짓(?)을 해보세요. 그것이 곧 여행을 하듯 사는 것이고 여행을 하고 나면 마음이 한결 가벼워질 것입니다. 일과 쉼의 밸런스를 잘 맞춰가며 우울함을 떨쳐내 보시길 바랄게요.

• 볼륨을 크게 음악듣기

우울해지면 몸은 처지고 약해집니다. 만사가 귀찮아지고 누워있고만 싶어지죠. 이런 우울감이 오래 지속되면 우울증이라고 합니다. 우울감을 없애기 위해서 이번에는 청각에 집중해보려 합니다. 앞서 이야기 한 것처럼 우울해지면 몸이 굳어집니다. 아무것도 하기 싫어져 무기력해진다는 것이죠. 이때 몸을 움직이기 위해 필요한 것이 음악입니다. 물론 신나는 음악이면 더 좋겠죠.

리드미컬한 음악이 좋습니다. 고운 선율로 이뤄진 아름다운 음악도 좋지만 심장박동처럼 쿵탁쿵탁 울리는 리듬있는 음악이 좋습니다. 이러한 리듬음악을 듣다보면 자신도 모르게 고개를 끄덕이게 되죠. 이 작용을 이용하는 거에요. 굳어진 몸을 리듬음악으로 살짝 풀어 보는 거죠.

처음에 고개를 끄덕였다면 다음은 팔을 움직이고, 가슴, 배 순으로 움직여주는 겁니다. 이때 좋은 음악장르는 힙합을 추천합니다.(개인적으로 힙합앨범을 발매해본 경험으로..) 볼륨을 크게 올리고 쿵탁 소리인 드럼소리를 도드라지게 하기 위해 이퀄라이즈(EQ)를 조정합니다. 조절방법은 쉽습니다.

EQ에 대해 간단하게 설명하면 각 음별로 설정된 주파수대역을 움직여줌으로써 원하는 부분의 소리를 조정할 수 있는 역할을 하는 겁니다. 음역대가 많지만 설명을 위해 주파수대역은 3개로 나눠보겠습니다. 저음역대, 중음역대, 고음역대, 이렇게요.

특히 리드미컬한 음악에는 저음역대를 도드라지게 하여주면 쿵탁쿵탁 거리는 드럼소리가 더욱 잘 들립니다.

요즘은 음악어플리케이션이 좋아서 EQ 조정이 가능합니다. 차량에서는 BASS라고 된 부분을 올려주면 저음역대가 잘 들립니다. 이렇게 셋팅을 했다면 이제 청각에 집중해 음악에 몸을 맡겨보세요. 방금 전까지 했던 걱정과 불안을 잠시 뒤로 보내놓고, 장소는 방이나 차안으로 합니다. 좋은 스피커가 있으면 좋겠지만 아니어도 상관없습니다. 이어폰이나 음악재생장치에 있는 내장스피커를 이용합니다. 요즘은 거의 스마트폰을 이용하겠죠.

음악을 플레이합니다. 흘러나오는 음악에 집중 해 보세요. 아까 설정했던 EQ의 저음부분이 도드라지는지에 대해서요. EQ를 설정 했을 때와 안했을 때의 차이도 한번 느껴봅니다. 기호에 따라서 중음역대나 고음역대를 조절해서 들어보세요. 고개를 끄덕이면서요!! *중요합니다.*

박자와 리듬을 타세요. 쿵 소리에 고개를 들고 탁소리에 고개를 내리면서요. 음악 역시 진동에 의해 흘러 나오는 것이기에 그러한 진동을 온몸으로 느껴보는 거에요. 지금까진 제가 추천한 EQ설정방법이었고, 이 외에도 EQ를 조정하면 다양한 느낌으로 음악을 들어볼 수 있으니 한번 해보시기 바랍니다.

이렇게 음악을 들어봤다면, 이번에는 가사에 집중 해 볼게요. 힙합을 추천 드린 이유 중 하나가 또 가사 때문입니다. 힙합가사에는 사랑도 있고, 우정도 있고, 무엇보다 삶의 가수의 철학적인 이야기들이 많아요. 그중에는 디스곡이나 욕설이 난무한 곳도 많지만..

욕설이 있으면 있는 대로 또 들어보세요. 나 대신해주는 욕설덕분에 묘한 카타르시스를 느낄 수도 있으니까요. 그중에는 나랑 비슷한 생각을 가진 사람의 이야기가 있을 수도 있고 내가 하지 못한 이야기들을 사이다처럼 풀어나간 곡도 있을겁니다. 음과 가사에 집중 해 보는거에요.

힘들 때 힘든 사람의 이야기를 들으면 훨씬 마음에 와닿음이 커집니다. 저 사람도 저랬구나 하는 안도감이 들죠. 또한 그들의 암호 같은 비유법을 풀어나가는 것도 하나의 재미입니다.

여기까지 해보셨다면 이제 따라 불러보기도 하세요. 마치 힙합가수가 된 것처럼요. 우리의 문제는 대부분 말하지 못해 끙끙앓는 경우에 많이 나타납니다. 이 앓음을 풀어나가려면 입밖으로 소리를 꺼내주는 것이 중요해요. 빠른 랩도 좋고, 고음인 보컬도 좋습니다. 뭔가를 해소하듯 소리 내어 보세요. 평소엔 그냥 귀에 이어폰을 꽂고 생각 없이 들었다면 이번에는 제가 말씀드린 방법으로 해석하듯 들어 보는 겁니다.

이런 방법을 알려드리는 이유 역시 이 순간에 집중하는 법을 알려드리고 싶었어요. 3분내외의 짧은 음악이지만 이 음악이 나오기까지 아티스트들의 고뇌도 느껴보고 부분적으로 나눠 들어보면서 온전히 음악에 집중해보는 것입니다.

사람은 멀티태스킹이 안 되는 존재입니다. 한 번에 한 가지에 집중할 수밖에 없죠. 이런 집중력의 성향을 이용하는 거에요. 청각에 집중을 시작하여 입에서 내뱉는 시원함까지, 처음 제가 드렸던 말처럼 우울증은 우울감이 지속되었을 때 생기는 증상이기에 이 우울감이 지속되지 못하게 부정적인 사고의 흐름을 끊는 것이죠. 음악을 통해서요.

음악만큼 사람의 감정을 만져주는 매체도 없습니다. 여러분만의 음악을 듣는 방식이 있었겠지만 이번에는 다른 방법으로 음악을 들어보고 느껴보시고, 마음이 힘들 때 이렇게 예술의 다양한 관점으로 마음을 풀어나가면서 그저 귀로만 듣는 음악이 아닌 몸을 움직일 수 있는 연료로 사용하여 우울감에서 벗어나보시기 바랍니다.

• 응어리가 해소 되는 소리 지르기

음악을 들어봤다면 이제는 제대로 소리를 질러 볼까요?

소리를 지른다는 것은 그저 목소리를 키우는 것이 아닙니다. 고음을 올리기 위한 수단이기도 하지만 이 책의 취지에 맞게 소리 지른다는 것에 대해 이야기를 해보겠습니다.

저는 연기학원에 잠깐 다닌 적이 있었어요. 그땐 제가 감성적이기도 하고 영화 보는 것을 좋아해 영화배우가 될 수 있을 것 같았습니다. 연기학원에 등록해 좋았던 것은 10평 내외정도 되는 연기 연습실에서의 경험이었습니다. 달랑 테이블하나와 의자두개 그리고 벽걸이 에어컨이 전부인 텅 빈 하얀 방이었습니다. 처음에는 차갑게 느껴졌어요.

하지만 며칠이 지나고 점차 적응해서인지 그 차가운 하얀방은 연기 지망생들의 뜨거운 열정으로 인해 후끈해졌습니다.(각종 냄새도 뒤섞이긴 했습니다만..) 그런 방에서 저는 매주 2번 2시간씩 수업을 받았죠.

처음에 낯을 가리는 성격이라 기존 학원친구들과 어울리기가 어려웠지만 적응 후에는 주도적인 연습을 해 나갔습니다. 이 연습이라 함은 주로 대본을 받고 그 대본의 캐릭터로 변하여 대사를 읊어내는 것이었습니다. 자신의 감정과 경험을 몸을 이용해 표현하는 거였죠. 처음 한 두번은 뭣 모르고 지났지만 차츰 재미가 붙었습니다.

특히 재미를 붙였던 연습은 감정소모가 큰 대사를 읊어내는 씬이었죠. 울거나 웃거나 화내는 연기였습니다. 그 하얀 방에서는 층간소음을 신경 쓸 일도, 집주인의 눈치를 볼 일도 없었습니다. 눈치 보기 바빴던 처음의 저와 달리 배역이 주어졌을 때에는 최선을 다해 연기를 했습니다. 이미 영화배우가 된 것처럼요.

오후 7시부터 9시까지의 수업이었는데 9시에 수업이 끝나면 어느 샌가부터 후련함과 개운함이 느껴졌습니다. 한번, 두 번, 그러한 경험과 느낌이 계속되더니 그 느낌을 이어가기 위해서라도 학원을 열심히 다녀야겠다는 생각을 했어요. 그 느낌이 무얼까 한참 고민했습니다. '좋다' 라는 기분과 개운한 것은 어디서 시작됐는지, 나는 의무적으로 정해진 시간인 오후7시에 수업을 들었을 뿐인데, 왜 9시가 되어 수업이 끝날 때에는 후련함과 시원함이 생겼는지에 대해서요.

화장실 들어갈 때와 나올 때 느낌이 다르다는 것이 뭔지 알 수 있겠다 싶을 정도였습니다. 진지하게 고민해 본 결과, 첫 번째로 마음껏 소리를 지를 수 있다는 것이었습니다. 제가 추구하는, 제작했던 앨범은 주로 소리를 지르기보다 주저리주저리 떠들어대는 랩이었기에 큰소리를 지를 기회가 없었었죠. 태생적으로 남들의 눈치를 보며 살아와서 큰소리를 내려 해도 상당한 신경이 쓰였으니까요.

그런 제가 눈치 보지 않고 마음껏 소리를 지를 수 있는 곳은 학원의 하얀 연습방이었습니다. 인터넷을 하다가 본 늦깎이 배우 김광규님의 인터뷰가 기억이 났습니다. 택시운전수로 일하다 문득 배우를 해야겠다 싶어 연기를 시작했는데 연기를 하는 동안에는 자신의 감정을 쏟아 낼 수 가 있어서 우울할 때마다 큰 도움이 되었다고 하는 기사가요.

아마, 저도 저런 비슷한 느낌을 받은 것 같습니다. 실제로 소리를 지를 때 몸과 마음의 변화가 일어나는 것을 알 수가 있었습니다. 특히 요즘시대를 살아가는 우리 같은 사람들에게요.

우리 같은 사람이라 함은 각종 스트레스에 노출된 삶을 얘기합니다.

스트레스를 받으면 일종의 압력을 받는 것인데, 이때 압력을 받으면 몸이 굳어집니다. 몸이 굳는다는 것은 혈액이 제대로 순환되지 못하고 있다 라는 것이죠.

이 혈액을 제대로 순환시켜주기 위해서는 막힌 곳을 뚫어줘야합니다. 뚫어뻥으로 하수구를 뚫는 것 처럼요. 이때 우리에게 뚫어뻥같은 역할을 하는 것이 소리를 내지르는 것입니다.

그렇게 큰소리를 질러 혈액의 흐름을 다시 원활하게 만들고 내지르는 만큼 호흡을 통해 산소를 들이마시면 각종 신경계의 작용에 의해 몸의 기능이 제자리를 찾게 됩니다. 이러한 과정이꼭 필요하다고 볼 수는 없지만, 답답한 일이 있는 사람들이 한숨을 쉬는 것처럼 감정의 흐름이 압박(스트레스)으로 인해 막혔다면 큰소리를 내질러주는 것이 큰 도움이 됩니다.

두 번째로는 감정의 표현이었습니다. 어렸을적 저는 감정표현을 잘하는 어린아이였습니다.(거의 모든 이가 그러겠지만..) 점점 나이가 들고 생각이 깊어지고 사회 구성원이 되어가면서 감정표현에 대해 굉장히 무뎌졌습니다. 왜 무뎌진지에 대해서는 잘 모르겠습니다. 해소하지 못하는 감정의 잔해가 늘 가슴속에 쌓이다보니 답답함으로 인해 표현하는 법을 잃어버린 것이겠죠. 아마 감정을 숨기는 것이 현명하다고, 그게 미덕이라고 믿었나봐요.

그런 감정의 잔해들로 인해 청소하지 않은 어지러운 방처럼 마음속이 어지러워졌던 겁니다. 이런 감정의 잔해들을 하나하나 제자리에 정리해주는 것이 제가 느낀 연기에서의 희열이었습니다. 요즘은 울고 싶어도 눈물이 나지 않고, 웃고 싶어도 크게 웃지 못합니다. 언제부터였는지 기억은 나지 않네요.

그렇기에 연기수업에서 역할놀이를 한 감정연기가 신선한 경험으로 다가왔던 겁니다. 묘하고도 개운한 감정, 그 느낌을 유지하고만 싶었습니다. 하지만 연기학원을 다닐 처지가 되지 못했고(금액적인 부분과 시간적인 부분 때문에..) 더 이상 다니지 못하게 되었습니다. 저는 머리를 굴려 이러한 느낌을 받을 수 있는 저렴한 곳이 어딜까 생각했습니다.

그곳은 바로 코인노래방이었습니다. 연기학원의 하얀 방처럼 크지는 않지만 소리를 질러도 눈치 보지 않아도 되었고, 마이크와 흘러나오는 MR은 감정을 표현하기에 최적이었습니다. 연기와 노래는 다르면서도 참 비슷하거든요. 노래는 감정을 목으로 표현을 하고 연기는 몸으로 표현하는 것의 차이정도랄까요? 그래서 저는 최대한 발라드나 락을 부르기로 했습니다. 제가 좋아하는 힙합도 부르지만, 빠른 곡에는 차분한 감정표현을 하기 어려웠기 때문입니다.

어떠한 이유이건 간에 우리가 우울감을 느낀다는 것은 외부적인, 혹은 내부적인 이유에 의해 일어납니다. 이렇게 일어난 우울감은 앞서 말한 하나의 압력이기에 이 압력을 풀어주려면 소리와 감정을 이용하면 좋습니다. 정확히는 감정표현이죠. 저는 누구나 갈수 있고 번화가에 가면 어디에나 있는 곳이며 저렴한 곳인 코인노래방을 선택했고 그곳에서 소리를 지르고 제 감정을 쏟아내고 있습니다.

코인노래방에서 꼭 오래있으면서 시간을 보내지 않아도 됩니다. 누굴 기다려야 하거나 혹은 5분 10분정도 시간이 남았을 때 천원, 이천원 적은 금액으로 큰소리와 함께 묵은 감정을 쏟아내시면 됩니다. 어떻게 받아들일지는 모르겠지만 이 글을 읽는 여러분들도 소리를 질러봄으로 써 막혔던 응어리를 풀어내어 개운함과 함께 우울감을 떨쳐내는 경험을 해 보셨으면 좋겠습니다.

• 인문학적 관점으로 영화보기

이야기라는 것은 참 신기합니다. 이야기 속에는 다양한 등장인물이 존재하며, 각자의 방식으로 삶을 풀어가죠. 이 과정에서 느끼는 감정도 무한합니다. 이야기를 만드는 사람의 의도 따로, 이야기를 듣는 사람이 받아들이는 의도도 다양하죠. 저는 이러한 이야기라는 것을 잘 풀어낸 매체가 영화라고 생각합니다.

인물이 어떤 성향의 사람인지, 영화구성에 있어서 분위기의 높고 낮음에 따라 흘러나오는 음악이 어떤지, 색체나 카메라 구도가 어떻게 잡혀있는지, 대사나 나레이션은 어떻게 진행되는지 등등 영화라는 매체는 각종 감각들이 한 번에 느낄 수 있는 감각의 종합선물세트가 아닌가 생각이 듭니다.

저는 영화중에도 교훈이 있는 영화를 좋아합니다. 전에는 무조건 액션이나 판타지만 좋아했지만 우울증이라는 경험을 거치고 난 후 에는 교훈이 담긴 영화를 보는 시간이 많아졌습니다. 우리가 영화를 볼 때는 그 주인공과 자신의 마음을 동일시하여 영화를 시청합니다. 내가 주인공이 되어 영화 속에서 일어나는 일들에 대해 공감하고 때론 위로받기도 하죠.

특히 교훈이 담긴 영화는 우울이라는 감정을 겪고 있을 때 더 큰 감동과 여운을 남깁니다. 잠깐의 스트레스를 풀기 위해서 액션이나 판타지물이 좋긴 하지만 우리가 어떠한 감정에 휩싸였을 때에는 해피엔딩의 드라마가 좋습니다. 고난과 역경을 극복해낸 스토리들에 대해서요.

저는 그중에서 교육에 대한 영화가 좋았습니다. 제가 이런 우울감을 느끼게 된 것이 경쟁중심, 목표와 결과중심의 교육 때문이라 생각이 들어 그런지도 모릅니다. 그래서 자연스럽게 교육관련 영화에 관심을 가지게 된 것이죠.

우울증을 겪으면서 저에게 아직까지 기억에 남은 영화를 보면 [굿 윌 헌팅],[죽은 시인의 사회],[세 얼간이],[패치 아담스],[행복을 찾아서],[잠깐 회사 좀 관두고 올게]등 교육으로 인한 사회제도가 잘 그려진 영화입니다. 이 외에도 교훈이 담긴 영화가 많겠지만 지금 생각나는 영화는 이정도네요. 영화의 취향이 생긴 것이죠. 제 우울증 덕분에요.

그 후로 영화를 볼 때 캐릭터위주로 영화를 보게 되었습니다. 영화 속 인물이 어떤 캐릭터로 무슨 사연을 통해 그런 인물이 되었는지, 왜 감독은 그런 인물을 그리고자 했는지에 대해서요.

이렇게 캐릭터위주로 영화를 감상하는 것은 인문학적으로 크게 도움이 됩니다. 자신을 영화 속 캐릭터에 투영시킴으로써 닮은 구석을 찾아보기도 하고 아닌 부분도 비교해 보는 겁니다. 교훈이 담긴 영화 속 주인공은 주로 엄청나게 밝거나 지나치게 어두운 사람들로 설정됩니다. 그 사람들이 그러한 성향을 가지게 된 이유도 잘 설명해주죠. 어릴 적 왕따를 당했다던가, 부모의 사랑을 받지 못했다거나 어떤 아픔이 트라우마가 되었는지에 대해서요.

이런 장면을 보고 듣고 느끼는 것은 우울이라는 감정에서 벗어날 수 있는 열쇠가 되기도 합니다. 사람마다 우울이라는 감정이 언제 발동되었는지 이유가 뭔지 다르기에 영화라는 매체를 통해 내 문제점이 어떤 곳에서 시작됐는지 확인 할 수도 있죠. 정답은 없습니다. 정답을 주는 영화는 없죠. 그저 그곳에서 힌트를 찾는 겁니다.

우리의 인생과 영화 속 주인공의 삶은 닮으면서도 다르니까요. 하지만 주인공이 어떠한 것에 대해 상처를 입거나 그 일로 인해 더 씩씩해지는 경우를 볼 수 있습니다. 거기에 집중해보는 거에요. 인문학적인 관점으로요. 사람의 마음을 적절하게 반영한 것이 영화 속 캐릭터 인만큼 그 캐릭터가 겪는 마음과 제가 겪었던 마음의 변화가 일치하는지 보는 겁니다.

그것이 바로 공감이죠. 공감이 일어나면 '저 사람도 저렇구나 나만 그런게 아니구나' 라는 안정감을 갖게 됩니다. 또 집중력도 올라가죠. 저처럼 마음을 다쳐본 사람들은 자연스럽게 관심이 가기도 합니다.

가끔은 영화를 보며 울기도 하고 웃기도 하며 쌓인 감정을 씻어내는 것이 좋습니다. 이런 자극으로 자신을 알아가는 동시에 타인을 이해 하는 데에도 도움이 됩니다. 우리는 1인칭의 인생을 살아 자신의 행동을 어디에 비춰보지 않는 이상 (혹은 누가 알려주거나) 잘 알지 못 합니다.

영화라는 매체는 촬영기법마다 다르기도 합니다만 보통은 3인칭 시점으로 촬영이 되어 지죠. 1인칭으로 보는 것과 3인칭 시점으로 전체를 아우르듯 보는 것은 시점이 다른 만큼 받아들이는 것도 많이 달라집니다.

현재 내가 갖고 있는 문제, 혹은 나 같은 사람을 연기하는 배우를 그러한 시점으로 보게 되면 문제점에 대해 더욱 정확하게 객관적으로 관찰할 수가 있습니다.

이러한 판단과 공감능력으로 인해 자신을 치유시키는데 영화는 큰 도움이 됩니다. 영화 한편이 만들어지는데 많은 사람들의 수고와 시간이 들어가는 만큼 보는 사람들이 받아들이는 정보도 방대하죠.

이 정보 안에서 우리는 그저 몸을 맡겨보는 겁니다. 아직 영화취향이 생기지 않은 분께는 저처럼 영화취향이 생길수도 있고 기존 취향이 있는 분들께는 영화의 다양성과 새로운 구성을 느껴 볼 수 있어요.

이렇게 영화를 볼 때, 주의할 점은 시청하는데 방해될만한 요소들을 제거하고 보는 겁니다. 예를 들면 스마트폰을 잠시 꺼두거나 알람들을 무음으로 바꿔 온전히 영화를 보는데 집중하는 것이죠.

앞서 이야기도 했고 다음 장에도 이야기 하겠지만 우리는 지금 이 시간에 집중해야만 우울감이라는 느낌을 통제 할 수 가 있습니다. 스마트폰 대신 종이와 펜을 준비해 보는 동안 공감됐던 대사나 느낌에 대해 써 보는 것도 좋습니다. 기록하면 여운이 더 오래가고 깊어지니까요. 꼭 이런 제 취향에 맞추지 않으셔도 됩니다.

제가 우울감에서 많이 공감할 수 있었던 장르가 드라마/교육/성장 에 대한 장르일 뿐이지, 다양한 장르가 존재하는 만큼 각자의 취향에 맞게 관람하면 됩니다. 최신영화도 좋고, 액션, 호러, 다 좋습니다. 다만 관점을 조금 달리해서 그저 킬링타임을 위한 영화가 아닌 인문한적인 관점으로 관람하는 것을 추천합니다.

이것도 저것도 분석자체가 다 싫은 분들은 그냥 보셔도 무관합니다. 잠깐 받았던 스트레스에서 벗어날 수 있다면요!(괜히 제 방식대로 따라했다가 영화 보는 것만으로 스트레스를 받을 수가 있으니..) 우울감이 있는 분들은 저처럼 해보세요.

모든 일에는 원인이 있고 해결방법이 있습니다. 우리는 아직 그것을 알아내는 방법이 무엇인지 몰라 해결하지 못하는 것 인 만큼 영화 보는 제 방법을 통해 원인을 알아가는 하나의 과정이 되었으면 좋겠습니다. 우리 모두는 각자의 이름의 영화 속 '나' 라는 주인공이니까요.

• 목욕탕에서 느낀 안정감

우리나라는 참 좋습니다. 언제 어디서나 목욕서비스를 받을 수가 있죠. 목욕탕이 많다는 이야기입니다. 어릴 적에는 집에 없는 욕조대행으로, 수영장으로 많이 갔고 어른이 되어서는 반신욕이나 때를 밀러 갑니다. 요즘은 부모님댁에 내려갈 때 마다 목욕탕에 들리죠.

이 목욕탕에서의 기분은 묘합니다. 매번 다니던 목욕탕이 갑자기 묘해진 것은 처음 실연의 아픔을 겪었을 때였어요. 이게 진짜 마음이 아프다는 것이구나, 이 아픔을 치료할 때는 어떤 게 좋을까 고민 하다가 고등학교 1학년 때 담임선생님의 말씀이 떠올랐습니다.

자신이 세상에서 초라 해보이고 사소하게 느껴질 때 에는 얼굴을 물에 담가 숨을 참아보라는 것이었죠. 물속에서 1분내외의 시간동안 숨을 참아보면 숨 쉬는 것 하나만으로도 참 감사하다는 느낌을 받을 수 있게끔요.

고등학생 때에는 그 말이 무슨 말인지 몰랐습니다. 성인이 되었고 우울증을 겪고 나서야 그 생각이 났습니다. 왜 떠올랐는지는 모르겠습니다. 그냥 번뜩하고 머릿속에서 일어났습니다.

저는 실연의 아픔을 가지고 바로 목욕탕으로 향하였습니다. 바닷가에서 자라온 터라 잠수에 자신이 있었고 잠수 자체를 좋아했기에 목욕탕을 가는 발걸음은 가벼웠습니다.

우울하기 전에도 자주 갔던 곳이 목욕탕이었으니까요. 그런데, 목욕탕에 들어가 냉탕에 앉으니 또 새로운 생각이 떠올랐습니다. 추억이었죠. 어린 시절 냉탕에서 물장구치고 어른들에게 혼이 났던 추억이었습니다.

저는 어느덧 그 어린이들을 혼내는 어른이 되어있었습니다. 똑같은 시절을 겪었지만 그 어린이들을 이해하기보다 혼내는 어른이 된 것이죠. 저에게 혼난 어린이들도 언젠가는 저처럼 혼내는 어른이 되겠죠.

우울감 이라는 것이 참 그렇습니다. 그저 목욕탕에 숨을 참으려 왔다가 생각이 생각을 꼬리에 물고 우리의 사고를 과거로 혹은 미래로 끌고 가죠.

생각이 맑아진다는 것은 장점일 수도 있으나 단점이 실제로 많습니다. 이런 생각이라는 것을 억제하기 위해서는 깨어나는 행위가 필요합니다. 깨어남이라는 것은 생각을 멈추고 지금에 집중하는 것입니다. 대표적으로는 명상이 있죠.

하지만 명상을 가만히 앉아 자신을 통제해야하기에 그 자체가 조금 어렵습니다. 앉아있는 행위는 잡념이라는 꽃을 피워내는 토양과 같으니까요. 이러한 잡념을 차단시키기 위한 극단적인 방법이 필요합니다. 예를 들자면 전기충격? 번지점프? 뭐 다양한 것들이 있겠죠.(하하)

이러한 위험을 맞이했을 때 우리들은 사고의 전환이 재빠르게 일어납니다. 위험이라는 것은 꼭 앞서 이야기한 것들로 할 필요는 없습니다. 제가 들어 간 목욕탕에서 가능합니다.

저는 생각이 끊기지 않는 실연의 아픔을 멈춰내기 위해 냉탕에서 잠수를 했습니다. 차가운 물 속 세상은 평온했습니다. 밖에서의 소음도 들리지 않았고 눈앞에는 푸르지만 뿌옇게 희미함만 가득했고 차가움에 놀랐던 감각들은 어느새 익숙해졌습니다. 그리고 고요함이 찾아왔습니다.

이러한 감각에서의 느낌도 잠시, 물속에의 멈춘 호흡 때문에 내 몸에서는 위험함을 감지하고 얼른 산소를 공급하라고 했습니다. 그래도 참아보자 하고 참아봤지만 위험하다는 신호만 더 키울 뿐 고요함과는 멀어졌습니다. 아무런 감각도 생각도 느껴지지 않았습니다. 그저 지금 호흡을 해야 살수 있다는 생각뿐이었습니다.

잠수를 하고 숨 참는 것이 최대치가 되었을 때 저는 머리를 들어 올려 가슴 가득 숨을 들이마셨죠. 그토록 달콤한 호흡은 태어나 처음 경험한 것이었습니다. 이게 바로 선생님이 말씀해 주셨던 호흡자체의 감사라는 것이구나 하고 알게 되었습니다.

몸이 위험이라고 알려주는 것을 보고 위험에서 벗어났을 때 자유에 대한 해방감을 느낀 경험이었습니다. 우울감이라는 것은 어떻게 보면 이런 깨달음을 주는 자극제가 되기도 합니다.

이후 저는 생각이 생각의 꼬리를 물때나 시간적 여유가 있을 때 목욕탕에 가서 잠시 호흡을 멈추는 연습을 합니다. 그때 일어나는 마음을 보고 싶었어요. 몇 번은 차가운 곳에서 몇 번은 온탕에서 했습니다. 또 이 대로의 재미가 있더군요.

냉탕과 온탕을 번갈아 가면서 잠수를 하다 보니 새로운 느낌을 받기도 하였습니다. 차가운 냉탕에서 수축되었던 근육들이 따뜻한 온탕에서 이완되며 몸이 편안해짐을 느꼈습니다. 이 냉탕 온탕 번갈아가는 방법은 몸이 피로 할 때 효과가 더 컸습니다.

과학적으로는 어떤 현상이 일어나는 것인지는 잘 모르겠습니다만 잠을 잘 못자고 육체적 고통이 컸을 때 냉온탕을 번갈아 가며 목욕을 했을 때에는 스르르 잠이 올 정도로 몸이 가벼워지는 느낌이 들었습니다.

저는 생각의 차단과 우울감을 떨쳐내기 위해 갔던 목욕탕에서 몸과 마음의 치유를 경험했습니다. 이대로도 너무 신기한 경험이었죠.

목욕탕이라는 곳은 몸을 씻기 위한 곳이기도 하지만 이렇게 생각의 흐름을 막고 현재의 집중 할 수 있습니다. 그곳에서는 휴대폰이나 CCTV가 없으니까요. 여러분들이 지금 온갖 생각들로 복잡한 마음을 갖고 있다면 저처럼 목욕탕에 가서 저처럼 이런 실험을 해 보는것은 어떨까요?

어쩌면 저와 느낌이 도 다를 수도 있습니다. 아니면 또 새로운 몸과 마음의 작용을 느낄 수도 있고요. 모든 감각이 예민해져 있을 때이니 새로움으로 다가올 것입니다. 여러분들의 편안한 몸과 마음을 위해 가끔은 목욕탕의 탕 속에 몸을 담가 보아요.

• 종교 활동 해보기

여러분들은 종교가 있나요? 있는 분도, 없는 분도 있을 겁니다. 이 종교라는 것은 어떤 종교 나가 중요하지는 않습니다. 기독교, 불교, 천주교, 유교 등등 많은 종교가 있을 뿐이죠.

이러한 종교를 갖게 되는 이유는 무엇일까요? 저는 마음의 평화를 위해 갖게 된다고 생각합니다. 종교의 규율에 맞게 생활함으로써 마음의 안도감을 얻고 믿음으로써 자신에게 일어나는 두려움 앞에서 용기를 가질 수 있게 되는 것이죠.

이렇게 편안한 마음으로 선한 영향력을 끼치고 더 좋은 사람이 되기 위한 것이 종교를 갖게 되는 본질적인 이유인 듯 합니다.

그중 어떤 종교가 더 우위에 있다 주장하는 사람들에 의해 종교간 충돌이 일어나긴 하지만 우리는 종교라는 것에 한번 생각해 보아야합니다. 내가 종교를 갖는 이유에 대해서요. 이번 단락에서 말씀드리고자 하는 내용은 '종교를 갖자' 가 아닙니다. 다만 마음이 아픈 우리들에게는 종교 역시 큰 도움이 될 수 있다는 것을 말씀드리고 싶습니다.

저는 종교가 없습니다. 다만 영향을 받은 종교라면 부모님의 종교인 불교의 영향을 받았습니다. 그러나 종교 활동을 꾸준히 한 적은 없어요.

종교에 대해 생각이 깊어지는 것은 군대에 있었을 때였습니다. 해병대에 복무했던 저는 몸과 정신이 참 약한 병사였습니다. 8주간의 기초훈련을 잘 견뎌냈지만 실무에 배치되어서 적응을 잘 못했고 자주 아팠습니다. 지금 생각해보면 그때도 몸보다 마음이 아팠던 것 같아요.

이런 군 시절에 유독 좋았던 경험은 주말마다 참여했던 종교 활동이었습니다. 당시 선임을 따라 교회를 다녔는데, 운이 좋게 성가대에서 활동을 할 수 있었습니다. 주말엔 웬만한 군종병만큼 바빴죠.

교회에 미리 와서 자리를 정리하고 다른 교인들을 받을 준비와 노래준비를 했어요. 그때만큼은 군 생활에 적응을 참 잘했습니다. 성가대에서 노래를 부르는 것도 좋았어요. 소리를 크게 낼 수 있다는 것이 저에게 해방감을 안겨줬습니다. 그만큼 좋은 것은 목사님의 설교시간이었습니다.

마치 인생이라는 것을 다 알고 있는 듯 한 목사님의 한마디 한마디는 일주일에 한 번있는 종교생활을 더욱 깊고 생각을 풍부하게 만들어줬습니다. 이대로 저는 기독교인이 될 것이라 생각했습니다.

그런데 사람이라는 존재는 참 간사합니다. 그렇게 몸과 마음이 힘들 때에는 교회에 잘 다니더니 마음이 편해지고 전역해 일상으로 돌아오니 교회근처에도 가지 않았습니다. 그래도 좋은 기억과 편안한 마음을 가졌던 것에 대해서는 참 감사하고 있습니다.

그렇게 교회를 떠났고, 바쁜 일상을 지내다가 우울증으로 인해 마음이 고장 났습니다. 당시 2015년이었어요. 그때 저는 유튜브를 통해 법륜스님의 법문을 듣게 되었습니다.

태어나 몇 번 가보지도 않았고 불교라는 곳이 그저 부처님만 믿으면 다되는 곳이라고 알고 있었던 저는 법문에서 큰 깨달음을 느꼈습니다. 불교는 부처님이 모든 것을 이뤄주시는 것이 아니라 자신의 번뇌를 자각하고 그것을 풀어나가 마음의 평화를 얻는 곳인 것을요.

이를 통해 우리 인간이 종교에 의지하는 이유는 불안정한 마음을 달래 안정감을 얻기 위함이었던 것임을 알게 되었죠. 자연스럽게 종교에 관심을 갖게 되었습니다. 어떤 종교가 더 좋을지 보다 그 종교를 가짐으로써 갖게 되는 마음의 작용에 대해서였죠.

사람은 이타적 인척 하지만 대부분 이기심으로 살아갑니다. 모두 자신이 믿고 있는 것이 최고라고 하죠. 그 최고라고 하는 것들의 본질을 보면 결국 우리는 마음의 평화를 위해 그토록 자신의 믿음을 타인에게 강요합니다. 원하는 대로 되길 바라는 것도 그것을 얻음으로써 오는 (혹은 올 것이라 믿는) 마음의 평화 때문이죠.

그게 기도 일 수도 있고, 절일 수도 있습니다. 그래서 마음이 불안정할 때 종교의 모든 말씀이 와닿게 됩니다. 마음은 복잡한데 종교에서의 이야기는 모두 내 이야기 같고 그 이야기로 치유되는 느낌을 받으니까요.

실연당했을 때 모든 사랑노래가 내 심정을 대변하는 것처럼 들리는 것과 같죠. 그렇기에 우울감이 커졌을 때에는 마음의 평화를 위해 종교활동을 하거나 각 종교가 갖는 지혜를 보거나 듣는 것이 큰 도움이 됩니다.

종교가 없다면 종교를 갖게 될 것이고, 그저 공감만 하고 말 수 도 있습니다. 영적인 것은 있을 수도 없을 수도 있지만 이런 종교 활동은 영적인 굳건함을 얻을 수 있게 도움을 줍니다.

저는 그것을 자신에 대한 믿음, 세상에 대한 용기라고 말하고 싶습니다. 종교에서 배운 깨달음이 일당백이 되어 불안한 미래에 조금 더 적극적으로 받아들일 수가 있으니까요.

이 느낌에 대해 개인적으로 분석해 말씀드렸지만 굳이 저처럼까지 본질에 대해서 까지 생각할 필요까지는 없습니다. 그냥 마음이 불안할 때에는 종교활동으로 편안한 마음을 가져보세요.

모든 것들은 과하면 독이 됩니다. 약인줄 알고 먹었다가 내성이 되어 더 독한 약을 찾듯 과하면 도움이 되지 않겠지요. 종교도 똑같습니다. 자신의 마음을 돌아보고 반성하고 더 나은 사람이 되려 가는 것이지 종교에 취해 모든 것을 종교에 바치면 주변 사람들의 우려를 살 수 있으니 현재의 마음을 공부해 본 다는 생각으로 종교를 접해보시기 바랍니다.

요즘은 세상이 좋아져서 꼭 교회를 가거나 성당, 절에 안가도 인터넷을 통해 종교에서 나오는 많은 설법들을 들을 수 있습니다. 종교활동에는 다양한 방법이 있으니 이로 인해 다시 한번 더 자신의 마음을 공부하고 평화를 얻는 계기가 되길 바랍니다.

3. 중간정도의 우울 레시피

• 어쩌면 인생이 바뀔지도 모르는 산책

걷는다는 것에 대해 다시 생각하게 된 것은 아버지의 변화 때문이었습니다. 저희 아버지께서 는 지금보다 어린시절에 그저 술, 친구 좋아하는 대한민국의 흔한 아버지였습니다. 아버지는 그런 자신의 모습 때문에 우리남매의 어린시절에 가난을 면치 못했고 생활환경이 어려웠다고 자책하시곤 합니다.

그렇다고 아버지께서는 늘 노는것만 좋아하는 분은 아니었습니다. 일을 할 때엔 누구보다 확실한 원칙주의자였으며 불의에 맞서는 뜨거운 심장을 가진 분이었습니다. 너무 뜨거운 혈기 때문에 우리 집이 늘 힘들었지만요. 고분고분 누구의 말을 듣는 사람이 아니었습니다.

그렇게 아버지께서는 고향인 제주도에서 힘들게 48년을 살았습니다. 당시 저는 그때 이미 부모님 곁을 떠나 제주가 아닌 육지생활을 하고 있었죠. 그러던 어느 날 아버지께서도 어머님과 제주를 떠나 타지인 육지로 올라왔습니다.

48년만에 익숙했던 고향을 떠나겠다는 큰 결심을 하게 된 것이죠. 습관이라는 것이 참 무섭게 느껴졌다 하셨습니다. 아버지는 올라와 일을 하시면서도 늘 술과 담배를 즐겼습니다. 환경은 바뀌었지만 정작 본인의 습관은 바꾸지 못 했던 것이죠. 제주에서의 생활과 크게 달라지지는 않았습니다. 다만 환경이 조금 바뀌었을 뿐이었죠.

설상가상 아버지의 회사는 더욱 힘들어졌고, 그런 회사를 본인이 책임져야한다고 다 망해가는 회사의 대표직을 맡기로 했습니다. 당시 아버지의 회사 빚만 22억이었다고 합니다. 아버지는 대표이사직을 맡은 후로 더욱 스트레스가 커져 음주와 폭식을 일삼았습니다. 뱃살은 나오고 건강은 안 좋아지는 것을 느꼈을 때 아버지는 이대로 가다가는 자기 자신이 완전히 망가질 것 같다는 위협을 느꼈다고 합니다.

저희 남매에게 해준 것이 없기 때문에 본인 건강이라도 잘 챙겨놔야 나중에 아들딸에게 고생하게끔 안할 것 같다고 운동을 해야겠다는 생각이 들었다고 합니다.

그 후로 아버지는 무작정 걷기 시작했습니다. 회사현장까지 가는 길을 차대신 걸어다녔어요. 무려 7kg나 되는 거리를요.

처음에는 발이 너무 아파 몇 번이나 중간에 쉬면서 물마시고 다녔다고 합니다. 등산을 가듯 가방에 물과 간단한 간식거리를 싸들고요.

그럼에도 불구하고 포기할 수 없었던 것은 건강을 위해서, 또 자신의 습관을 바꾸고 싶어서라고 했습니다. 그저 지금보다 더 나아지고 싶었던 것이었죠.

그렇게 하루, 이틀 1년 2년이 흘렀고 현재는 7km 걷는게 부족해 뛰어 다니실 정도로 건강해졌습니다. 당시 86kg까지 불어났던 아버지의 체중은 62kg까지 줄어들었고 매일 접대한다면 마시던 술까지 줄였습니다.

뿐만 아니라 식습관에도 변화가 생겼습니다. 조미료 가득한 간편식대신 채소와 과일위주의 신선식품을 드시면서 밀가루와 설탕을 멀리했습니다. 지금도 어김없이 새벽2시가 되면 일어나 운동을 나갔고 절주와 식습관개선, 운동을 병행했습니다. 이러한 습관의 변화는 한 번에 일어난 것이 아닙니다. 그때부터 현재까지 아버지는 어김없이 새벽2시가 되면 일어나 운동을 시작합니다.

운동을 하면서 일어난 현상은 비단 체중감소와 식습관 개선

뿐이 아니었습니다. 새벽이라는 시간, 즉 아버지 기준에 머리가 제일 맑아지는 시간대에 걷기운동을 함으로써 자신의 삶과 회사의 경영에 대해 고민하고 결정을 내렸다고 합니다.

그 덕에 22억의 빚이 있던 아버지의 회사는 정상화가 되어 경영난을 극복하였고, 빚도 거의 청산되었습니다. 저는 그저 옆에서 바라보기만 했습니다. “아빠! 운동 좀 해!” 하고 얘기한 적도 없었고 그저 아버지는 자기 자신이 바뀌어야 한다는 생각을 했을 뿐인 것이죠.

제가 어느 날 아버지랑 차를 타고 가는 도중에 물어봤어요. “아빠, 아빠는 왜 이렇게 잘 풀려나가게 된 것 같아?” 라는 질문에 아버지께서는 “다 걷기 때문이지 뭐” 걸음으로써 건강이 좋아졌고 건강한 육체에 건강한 정신이 깃든 덕분이라고 했습니다. 시작은 누구나 할 수 있는 초라한 걷기였지만 결과적으로는 체중감량 및 회사의 경영까지 정상화 시킨 거대한 효과를 보았다고 했습니다.

그 이후로 아버지께서는 걷기 신봉자가 되어서 어딜가건 걷기를 추천합니다. 걸음으로써 변했던 자신의 경험을 이야기 하면서요. 이런 아버지의 변화는 저에게 아버지에 대한 존경심을 갖게 해주었습니다.

사람이라는 존재의 특성은 잘 변하려 하지 않는 다는 것을 알기에 48년동안 정들었던 고향을 떠난 것과 한평생 본인이 갖고 있던 습관을 새로 바꿨다는 것은 30대인 제가 봤을 때엔 그저 대단하고밖에 볼 수 없었습니다. 고작 30년밖에 살지 않은 저도 제 자신을 바꾸지 못해 이렇게 고생하고 있으니까요.

그래서 우울할 때 저는 아버지의 영향을 받은탓 인지 생각없이 걷는 것을 좋아하게 되었습니다. 누구에게는 운동, 누구에게는 산책이라는 것을 감정기복이 심한 저에게 실행하도록 한 것입니다.

걷기라는 것은 어딜 가기위한 목적성을 띄는 행위라고 생각했는데, 울적할 때 걸으면 상쾌해지고 잠깐의 우울감을 떨쳐내는데 큰 도움이 되었습니다. 그럴 수밖에 없는 것이 밖으로 나가 걷는다는 것은 안전한 집을 떠나 새로운 자극을 받아들이는 행위인 것입니다.

우울할 때 걷는다는 것, 즉 감각이 예민해 졌을 때에 바깥으로 나가 걷는다는 것은 신선한 자극들을 곧이곧대로 받아들일 수가 있는 것이죠. 위대한 작가나, 철학가 예술가, 기업가 등을 보면 산책을 하면서 영감을 얻었던 사례를 많이 볼 수가 있습니다.

그만큼 걷기는 생각의 전환을 가져다주는 큰 역할을 합니다. 무리한 걷기보다 뒷짐 지고 가슴을 열고 하늘을 바라보며 코로 크게 숨을 쉬고 앞으로 한걸음, 한걸음을 나가면 기분이 좋아집니다.

바빠서 보지 못했던 계절의 변화나 일상의 흐름을 온몸으로 느껴보는 거죠. 어떤 목적을 가지고 어디에 몇 시까지 가야한다는 걷기가 아니라 그저 바깥분위기에 몸을 맡긴 채 걷는 것이랄까요? 우리가 깃털이라면 바람에 휩쓸린 채 날아다니는 것처럼요. 푸른 하늘과 초록빛의 나무를 보세요. 시각적으로 오는 편안함까지 느껴지게 됩니다.

앞서 아버지의 변화에 대해 이야기했지만, 꼭 변화가 목적이 아니어도 됩니다. 아버지께서도 뭔가 변해야겠다는 생각보다 그저 새벽에 걷는 행위자체가 좋다보니 변화가 일어났다고 했으니까요.

이 책을 읽는 여러분들도 그저, 그냥 하셨으면 좋겠습니다. 울적한 마음이 일어나면 그저 걸음에서 오는 신선함을 느끼기 위해 밖으로 나가 보시기를요.

걷는 다는 것은 헬스장을 가듯 의상을 갖추는 번거로운 준비가 필요가 없습니다. 신발을 신고 어디건 나가기만 하면 됩니다. 우울함이라는 녀석의 성질은 정적인 것을 좋아하기 때문에 이 녀석의 성질의 반대인 동적으로 움직여주면 우울감이 사라지게끔 할 수 있습니다. 제일 기본이지만 어려운 걷기로 우리의 마음을 편안하게 만들어보도록 해 보아요. 어쩌면 저희 아버지처럼 인생이 바뀔 수도 있잖아요?

• 내 마음이 어지러운 이유는 내 방이 어지럽기 때문이야

어지럽습니다. 마음도 몸도, 침대위에 누워 뒹굴 거리고 싶습니다. 밥을 먹어야하는데 엉덩이가 무겁습니다. TV채널을 돌려야하는데 리모컨이 보이지 않습니다. 고정된 채널을 생각 없이 응시합니다. 아무 것도 하기 싫습니다.

아무것도 하지 않아서 아무일도 일어나지 않았는데 지금 내 방은 너무 어지럽습니다. 어제 퇴근하고 집에 들어와 벗어놨던 셔츠와 바지는 바닥에 그대로 흐트러져있고 쇼파 위 보자기는 처음그대로가 아닌 흘러내려 곧 쇼파 바닥으로 떨어질 듯 걸쳐있습니다.

PC 모니터 위에는 먼지가 소복이 쌓여있고 모니터 옆에는 어제 게임하면서 마셨던 음료빈병과 음료가 남은 컵이 그대로 있습니다. 방안은 어둡고 여전히 내 몸은 말을 듣지 않습니다.

지금 보이는 이방이 제 마음속 같았습니다. 과거의 사진(추억)위로 먼지가 쌓여있고 해야 할 일은 리스트 대신 쪽지 어딘가에 붙어 바닥에 굴러다니고 기쁨과 슬픔의 감정조차 늘 꺼내봤던 서랍속이 아닌 흐트러진 옷처럼 질서 없이 굴러다닙니다.

굴러다니는 감정을 밟으면 폭발할 것만 같습니다. 몸도, 마음도 제방도 너무 어지러웠습니다. 다행히 후각은 익숙해져버렸는지 악취가 나는 것 같지는 않습니다.

이게 바로 무기력증인가 봅니다. 너무 어지러워 무엇부터 해야 할지 모르는 감각에 빠진 것이죠. 마치 블랙홀에 정신이 빨려 들어간 것 처럼요.

다행인 것은 빨려 들어가는 정신을 원 위치로 돌려내고 싶다는 생각이 들었습니다. 무기력증이라는 것을 인식 한 것이죠. 몸은 누워있지만 극복방법을 고민합니다. 무기력에 힘없이 빨려 들어가는 제 자신의 모습이 안쓰러웠나봅니다. 모든 해결방법은 자신에게 있다는 말이 딱 맞아 떨어지듯 얼마 전 유튜브에서 본 영상이 떠오릅니다.

"저는 아침에 눈을 뜨면 이불정리부터 합니다." 미국 해군제독이 한말이었던 것 같은데 그냥 번뜩이고 떠올랐습니다. 제 자신이 평소 이불정리를 안 해서 그랬을까요? 그냥 떠올랐습니다. 해군제독이 되고 싶다! 라는 생각이 아니라 그냥 그의 말대로 이불을 정리해볼까? 라는 생각이 들었습니다.

천근만근 무겁기 만한 몸이 조금은 가벼워졌습니다. 낮잠을 실컷 자도 뭐라 할 사람이 없기에 뭘 해도 상관이 없었지만 무기력에서는 벗어나고 싶었습니다. 그의 말대로 이불을 정리해 봤습니다. 뭔가 큰 변화가 일어나지는 않았습니다.

이불을 정리하고 침대에 잠깐 걸터 앉았습니다. 또 한참 생각에 빠졌습니다. TV소리가 거슬리더군요. TV속 방송인들은 자기들끼리 뭔가 즐겁고 신나는 일이 있는 것 같습니다. 저에게는 그저 신경을 곤두세우는 소음으로 들려올 뿐이었죠.

저를 방어하기 위해 아까 찾지 못했던 리모컨을 찾아내어 TV를 껐습니다. 고요해지더군요. 소음이 사라지니 왠지 의욕이 솟아났습니다. 리모컨을 찾는다고 발걸음을 옮기다 걸리적거린 옷가지들을 정리해 서랍과 세탁기에 갖다 넣었습니다. 세탁기에 옷을 넣고 침대로 오는 길에 테이블 위(그러니까.. 아까 PC 모니터가 있는 쪽)에 쌓인 컵과 음료수병들을 쓰레기통과 싱크대에 갖다 놓았습니다.

싱크대에는 이미 어제 먹고 씻지 않은 식기들이 있었습니다.

냄새가 나는 것 같습니다. 고무장갑을 끼고 수세미에 세제를 묻혀 그릇을 닦아냅니다. 겉보기에는 많이 쌓였다고 생각했는데 막상 설거지를 해보니 금방 끝났습니다.

아직도 머릿속은 그저 멍합니다. 엉덩이는 편안한곳을 원했고, 커피한잔을 들고 소파위에 앉았습니다. 앉는 순간 편안할 줄 알았던 제 엉덩이 밑에서 불편함이 느껴집니다. 등받이로 썼던 보자기가 흐트러진 탓이었죠. 엉덩이와 나의 허리를 위해 소파 보자기를 다시 등받이 쪽으로 정리했습니다.

그제야 엉덩이가 편안해지고 저는 안정을 찾았습니다. 심호흡, 호흡을 크게 들이쉬다가 먼지가 들어가 기침을 했습니다. 눈물이 찔끔, 환기가 필요했습니다. 창을 열었더니 청명한 가을하늘이 보였습니다. 푸르고 높은 하늘과 뭉게구름 몇 쌍, 어제 왔다간 태풍 때문인지 구름도 짝지어 어디론가 흘러갑니다.

다시 한 번 호흡을 하고 먼지가 밖으로 나가게 손바닥을 흔들어 크게 부채질처럼 해봅니다. 창문사이로 들어온 햇빛에 쌓인 먼지가 보였습니다. 청소를 얼마나 안한 것일까요? 사실 기억이 잘 나지 않았습니다. 쓸고 닦았던 적이 언제였는지에 대해서요. 기분이 많이 전환되었나 봅니다. 이런 생각까지 하는 것을 보니...

청소기와 걸레, 물티슈를 꺼내 소복이 쌓인 먼지를 닦아내었습니다. 안 보이는 곳보다 보이는 곳 먼지 위주로요. 보이는 먼지가 조금씩 사라지는게 보이니 약간 '재미' 가 있구나 하는 생각까지 듭니다.

청소를 끝내고 나니 왠지 좁은 내 방안에 빛이 나는 것만 같습니다. 창밖으로 들어온 햇빛이 닦은 거실장에 반사되어 그렇게 보이는 것이었겠죠. 시간이 얼마나 흘렀는지는 모르겠습니다. 다시 편안한 쇼파에 앉아 방을 돌아보니 깔끔해졌음이 느껴집니다. 아니, 읽다만 책들을 책꽂이로 정리를 해 넣으니 완벽해졌습니다.

한 번더 심호흡을 해보니, 이번에는 들어오는 공기의 맛(?)이 다르게 느껴집니다. 무기력했던 제 마음은 많이 사라지고 깔끔한 방안에서 '또 뭐하지' 라는 마음과 관심으로 바뀌었습니다. 해군제독의 말처럼 그저 이불정리를 해야지 하고 일어났을 뿐인데 공간이 정리되었고 정리된 공간덕분에 제 마음도 정리되었음을 느꼈습니다.

이러한 기분을 계속 유지하고 싶어 근처 공원으로 산책을 나갔습니다. 목적이나 이유보다는 그저 마음이 이끄는 대로요. '나가보자' 라는 마음으로 초록빛 공원과 푸른하늘, 바닥의 잔디와 가을낙엽이 저를 맞이했습니다. 시원했습니다. 마음이 완전히 맑아졌습니다.

공원 한 바퀴를 돌고나니 몸에 열이 나고 허기가 지더군요. 허기를 달래려 집으로 돌아갑니다. 집 현관을 여는 순간 제 마음이 한번 더 좋아졌습니다. 깔끔하게 정리정돈 된 방이 왠지 모를 안정감을 선사해줬습니다. 제 기분은 최고조가 되었습니다. 그렇게 좋은, 들뜬 기분으로 식사를 마치고 저녁을 맞이해 편안한 밤과 수면을 얻을 수 있었습니다.

이 이야기는 실제로 제가 겪은 경험입니다. 마음이라는 것의 속성이 가만히 있으면 더 가만히 있어지고 싶고, 움직이기 시작하면 그에 따라 또 움직이고 싶어 하는 성질을 갖고 있다는 것을 알게 된 경험이었죠.

무기력과 우울증은 제 방처럼 마음이 어지러운 상태입니다. 어떠한 자극의 스트레스 때문이었겠지요. 이렇게 어지럽혀진 마음을 다시 정돈하는데 큰 효과가 있는 것은 실제로 마음을 청소하듯 자신의 공간을 정리정돈 해 보는 겁니다.

사람은 무의식적으로 좌우, 상하, 균형 맞추는 것을 좋아합니다. 공간에서의 잘 잡힌 균형은 마음 안에서도 균형을 잡아

줍니다. 그렇기에 눈에 보이는 시각적인 정돈을 하면 자신도 모르게 마음이라는 녀석이 적극적인 상태로 태세변환이 일어납니다.

지금 누워있고만 싶고 아무 일도 하고 싶지가 않다면 제일 쉬운 정리정돈부터 해 나가시길 바랍니다. 처음에는 가볍게 시작한 정리가 방 정리 뿐아니라 몸과 마음의 균형을 맞춰 마음의 건강까지 정돈할 수 있게 도와 줄 꺼에요. 습관이 되면 제일 좋겠지만 일단은 이불을 개건, 세탁기를 돌리건, 어지럽혀진 일들을 제자리에 돌리는 쉬운 일부터 한번 해 봅시다. 변화는 작은 일에서부터 시작되니까요. 우리 함께 정리해 보아요.

• 웃음으로 마음 속이기

행복해서 웃는 것이 아니라, 웃어서 행복한 것이다. 제가 20대에 가장 와 닿았던 말 중 하나입니다. 웃는다는 것은 어떤 조건부가 있어야만 가능하다고 믿어왔던 생각이 깨진 것이었죠.

저는 특히나 웃음이 없는 편입니다. 웃는다는 것 자체가 사람이 가벼워 보이고 이미지 상 안 좋다고 생각했는지 실제로 웃기는 상황에인데도 올라가는 광대근육을 억지로 눌러내며 '난 너희들과 웃음코드가 달라' 라고 하듯 웃음을 참았죠.

왜 그랬는지는 모르겠습니다. 그냥 웃지 않았습니다. 시크한게 멋있다고 생각 했나 봐요. 잘 웃지 않다보니 인상이 무뚝뚝해 보인다는 말을 듣기 시작했습니다. 근심 걱정 가득해보인다고도 들었고요. 나름대로 저는 인상도 좋고 동안이라는 자부심으로 살았는데, 왜 나에게 이런 말을 하는 것일까 하는 생각이 들었습니다. 거울을 봤습니다. 무표정하고 무뚝뚝 해 보이긴 했습니다. 제 평소의 우울한 감정들이 인상에 반영 되었던 것이죠.

사람마다 기운이 라는 것이 있습니다. 괜히 그 사람 옆에 가면 밝아지는 것 같고 때로는 어둠에 휩싸이는 것 같은 기분이 들죠. 이런 기운의 시작은 그 사람의 내면에서부터 일어납니다. 내면이 어두워지기 시작하면 신체는 실제로 그 어두움을 받아들여 얼굴에 혈색이 안 좋아지고 표정을 관여하는 근육들도 경직되어 움직임을 멈춥니다.

이런 내면의 마음가짐이 하루 이틀 반복되다보면 어느새 그 근육은 자신이 쓸모없음을 알고 퇴화됩니다. 퇴화된 근육으로 인해 무표정인데도 화나 보이거나 우울 해 보이는 등 얼굴에 표가 나게 되는 것이죠.

제가 바로 그랬습니다. 우울한 연속을 지내다보니 표정이 사라진 것이었습니다. 주로 화를 내거나 슬픈 표정을 관장하는 근육들만 발달되었죠. 그래서 사람들이 제 인상에 대해 그런 평가를 내린 것이었습니다. 다행인 것은 저도 그 표정이 마음에 들지 않았다는 것이에요.

변화를 결심했습니다. 다시 예전의 인상 좋던 제 모습으로 돌아가기로요. 장난스럽고 개구쟁이인 모습. 나로 인해 타인까지 밝아질 수 있는 그런 모습으로요. 무엇부터 해야 할까 생각한 것이 바로 웃음이었습니다.

군대에 있을 때 특수 활동으로 웃음치료사(?)라는 분의 강연을 들었던 경험이 떠올랐습니다. 주로 웃을 일이 별로 없는 군인이나 노인들을 상대로 강연을 하는 분이셨는데, 그때 웃음치료사라는 직업이 있다는 것을 알게 되었습니다.

웃음치료라 함은 사람들이 모여 서로를 보기도 하고 앞의 강사를 따라하며 미친 듯이 웃어내는 것이었습니다. 딱히 행복하지도 않고 즐겁지도 않지만 그냥 웃기 시작하는 겁니다. 저는 강사를 따라 미친 듯이 웃었습니다. 강당이 떠나가도록 웃고 박수치고 사람들은 뭔가 새로운 것을 발견이라도 한 듯 웃어댔습니다. 저도 그랬구요.

군생활은 경직되어있기 때문에 웃을 일이 잘 없습니다. 그래서 웃음치료라는 이 시간이 군인인 저에게는 큰 일탈로 느껴졌습니다. 강사님도 사업실패로 인한 깊은 우울증 때문에 고생하던 때에 웃음치료라는 것을 알게 되었고 그 이후로 웃음치료사의 직업으로 제 2의 인생을 살고 있다고 하였습니다. 그게 다 웃음 덕분이라고 하더군요.

이러한 웃음치료가 제 기억 속 깊이 숨어 있다가 10년이 지난 오늘날에 떠오른 겁니다. 신선한 충격이기도 했고 그때에도 마음의 변화와 깨달음에 관심이 있었나 봅니다. 제가 또 이런 번뜩이는 영감에는 즉시 반응 하는 사람이다 보니 바로 화장실 거울로가 제 얼굴을 보고 소리를 크게 내며 웃었습니다. 얼굴이 일그러질 정도로 웃었습니다.

거울 속 웃는 표정의 제 얼굴을 보니 웃는 게 어찌나 어색한지 눈을 둘 곳이 없어서 그냥 눈감고 웃었습니다. 이렇게 웃다 보니 마음이 기뻐지는 듯한 착각이 들었습니다.

기쁜 일이 일어나지는 않았지만 웃음이 마음을 기쁘다고 느끼게 착각을 주는 것을 알 수 있었습니다. 하루 1분정도를 그렇게 웃어보았습니다. 자연스러운 웃음이 나도록 유도하기도 하고 웃음 짓지 않아도 웃는 상이 되도록 연습했습니다.

서비스직에 오래 있었다보니 아무래도 사람표정에 관심이 많았고 느껴지는 것이 많았었습니다. 커피숍을 가거나 식당에서 무얼 시킬 때에도 사람의 표정을 유심히 관찰해보았습니다. 못생기고 잘 생기고가 중요한 것이 아니라 웃는 표정이 그 가게의 이미지마저 좋게 느끼게 해준다는 것을 알게 되었죠.

몇 번 유심히 보다가 이제는 웃음을 바라지 않고 처음 들어갈 때 모든 게 신기한 꼬마아이처럼 신비한 미소를 띠며 먼저 인사를 해봤습니다. 이렇게 먼저 웃으며 인사를 하고 들어가면 저를 반기는 듯 한 느낌이 더 컸습니다. 실제로 반겨주셨어요. 웃는 얼굴에 침 못 뱉는다는 속담이 떠오를 정도로요.

미소에 대한 힘이 대단 하다는 것을 새삼 다시 느꼈습니다. 저도 참 얼마나 웃지 않았던 것인지 입으로 웃기는 쉬웠지만 눈까지 웃는 것은 참 어려웠어요.

연기를 배울 때 제가 웃는 모습을 사진 찍고 영상으로 남겼었는데, 정말 제 눈으로 직접 보기가 어려울 정도더군요. 그러나 같이 수업 받은 친구들과 선생님은 웃는게 제일 예쁘다고 칭찬해주셨죠. 제가 볼 때 제 얼굴은 눈웃음도 없고 팔자주름에 인디언주름까지 어찌나 꼴 보기(?) 싫던지요. 하지만 저를 바라보는 사람들은 웃는게 좋아보였나 봅니다.

이런 것은 저만 그런 것이 아니었습니다. 같은 반 친구들 역시 제가 볼 땐 그들이 웃을 때가 참 예뻐 보이고 친근함이 느껴졌습니다만 본인들은 웃는게 제일 이상하다고 말했으니까요. 다들 본인의 미소 짓는 얼굴에 대해 마음에 들지 않아했어요.

그때 알게 되었습니다. 웃음이라는 것은 어짜피 내가 보지 못 하는 표정이다. 내가 보지 못하지만 그들의 마음을 열 수 있는 열쇠가 되기도 한다는 것을요.

이후로는 쉴새 없이 웃었습니다. 거울을 보지 않고도 그냥 웃었습니다. 지나가는 강아지를 보고도 미소 짓고 마트 시식 코너에서도 웃고 전단지를 받거나 거절할 때도 웃었습니다. 제가 웃는 표정이 예뻐보이건 아니건간에요. 잘 웃지 않았던 제 표정을 바꿔보기로 한 것이죠.

그런 제 노력이 효과가 있었던 것일까요? 어느날 요가원의 매니저님께서 "용훈 회원님은 늘 밝아 보이고 즐거워 보여요, 저희도 기분이 좋아지네요." 라고 말해주더군요. 머쓱한 마음에 또 살짝 웃으며 겸손하게 대답했습니다. "아니에요~" 속으로는 변화에 성공한 것 같아 기분이 좋았습니다. 얼굴이라는 것이 내면의 상태를 보여주는 창인 것이 확실했습니다.

이때부터 뭔가 헷갈리기 시작했죠. 내가 웃어서 행복해 진 것인지, 기분이 좋아져서 웃었던 것인지에 대해서요. 고민 끝에 내린 결론은 '그저 웃었기 때문에 편안한 마음과 기쁨을 얻을 수 있었다' 라는 것이었습니다.

과학적으로는 웃는 근육을 씀으로써 왜 마음까지 좋아졌는지는 잘 모르겠습니다만 아마도 인간이 오랜 시간 진화해오면서 감정의 변화를 얼굴 표정으로 나타 내었기에 어떠한 유전적인 요소가 태어 날 때부터 잠재되어 있었지 않을까요?

갓 태어난 신생아만 봐도 알 수 있습니다. 그들은 부모가 행복하면 웃는 거야 라고 가르쳐주지 않아도 도리도리 까꿍만 해주면 그냥 웃고 행복해합니다.

이렇듯 우리는 내면 깊이 잠재된 유전자의 역할 덕분에 웃음을 짓고 표정만 지어도 감정은 알아서 따라오게끔 할 수 있다는 것을 알 수 있어요. 저는 이 글을 쓰는 이 순간에도 입가에 미소를 띠며 글을 쓰고 있습니다.

이 글을 쓰는 것마저 행복하다고 인식하게끔 말이죠. 처음 제가 이야기한 것처럼 행복해서 웃는게 아니라 웃으면 행복해진다는 말로 기운이 없고 우울한 기분이 감싸고 돌 때 그저 크게 웃어보고 그럴지 못할 상황이라면 입가에 미소라도 지어보며 마음에 변화를 기쁜 쪽으로 만들어보면 어떨까하는 생각이 듭니다. 여러분들도 이 글을 읽으면서 살짝 미소를 띄어보시길 바랍니다. 분명 마음은 착각 할 겁니다. '지금은 기분이 좋을 때 인가봐~' 하구요.

• 웨이트 운동으로 잡아주는 몸과 마음의 균형

몸을 움직이면 마음에 커다란 효과를 가져다줍니다. 꾸준히 운동하는 사람들은 마음의 병도 쉽게 허락하지 않죠. 우리 사람은 무얼 하던 균형을 잡아주는 것이 중요합니다. 유산소 운동을 많이 하면 무산소 운동을 해줘야하는 것처럼요. 흐트러진 균형은 다시 잡아주기가 힘듭니다. 몸과 마음의 균형이 흐트러졌을 때에는 더욱 어렵죠. 그래서 이번에는 마음에 작용하는 근육운동에 대해서 이야기를 해보려합니다.

제가 서른이라는 나이가 가까워졌을 때 진짜 웨이트 운동이 무엇인지 알게 되었습니다. 헬스장은 18살에 처음 다녀보고 그 이후로도 띄엄띄엄 몇 번씩 등록해 다녔었습니다.

그때와 제가 알게 된 현재 웨이트 운동과 달랐던 점은 당시엔 헬스장을 등록만 해도 살이 빠지고 흔히들 말하는 '몸짱'이 될 줄 알았습니다. 운동을 안 해도 헬스장을 가는 것만으로도 허리가 줄고 근육이 커진다고 생각했어요.

그래서 늘 3개월 6개월 단위로 헬스를 등록해놓고는 1~2주 다니다 말았습니다. 다닐 때마다 새로 샀던 운동화나 각종 샤워용품들의 가격만 생각해도 꽤 되었을 꺼에요. 헬스장의 마법이 일어날 것이라고 착각한 것은 아마도 길거리나 인터넷에서 떠도는 before & after 사진 때문이었을지도 몰라요.

몸에 대한 이해보다는 헬스장만 다니면 모든 것이 완성 될 것이라는 생각이었기에 꾸준한 운동을 하기 보다 헬스장에 등록하는 행위에만 집중 했던 것이죠.

그렇게 몇 번을 등록하고 다니다 말고 반복하니 나이가 들었습니다. 그제서야 어리석은 짓이란 것을 알게 되었어요. 사람은 한 번의 실수로 깨우치기 어렵다는 것도 알게 되었고요.

그럼에도 불구하고 저는 또 운동을 해야겠다는 생각이 들었습니다. 이번에는 헬스장을 끊을 돈으로 철봉기기를 구입했습니다.

나름 틈틈이 팔굽혀펴기도 했고 헬스장도 다녀서 철봉 한 개쯤을 할 수 있을 것이라 생각했습니다. 하지만 철봉기기를 설치하고 팔을 땡겨 무거운 몸을 올려보았지만 단 한 개도 하지 못했습니다.

점프해서 매달리기도 힘들었죠. 30년간 몸을 어떻게 썼길래 힘이 하나도 없는지 후회가 일어났습니다. 다행인 것은 집에 철봉기기 하나였지만 헬스장 가는 것보다 재미가 있었습니다. 심심 할 때마다 한번 매달려보고 몇 번 매달리는 것을 반복하다보니 턱걸이 한 개를 할 수가 있었습니다. 역시 운동이건 무엇이건 지금 눈에 보여야 바로 실행할 수 있는 힘이 생긴다는 것도 알게 되었죠. 뭐 제 방은 어짜피 원룸이라 눈에 보일 수밖에 없었죠.

그렇게 1개를 올리니 재미가 더 붙었습니다. 1개를 해냈다는 것은 2개도 가능하다는 희망이었으니까요. 발전가능성을 본 것입니다. 1개 이후부터는 턱걸이를 하는데 도움을 주는 밴드까지 구입했습니다.

밴드의 힘을 빌려 1개에서 2개, 2개에서 5개 5개에서 10개, 10개에서 15개까지 늘리게 되었어요. 하루하루 개수가 늘어가는 성취감이 너무 좋았습니다. 힘이 하나도 없어서 후회했던 처음과 달리 할 수 있다는 자신감을 얻었습니다.

매일 매달리다보니 척추에도 도움이 되어 자세 교정에도 효과가 있었습니다. 살이 빠지고 울퉁불퉁한 근육을 얻는 눈에 띠는 변화는 없었지만 아무것도 할 수 없었던 저에게 할 수 있다는 희망과 성취감을 맛보게 해준 경험이었습니다.

자연스럽게 몸이 웨이트 운동을 했을 때 일어나는 반응에 대해 관심이 생겼고, 운동에 대한 지식도 조금씩 쌓이기 시작했습니다. 마음의 변화도 함께 일어난 것이죠.

이런 성취감은 중독성이 강해서 웨이트로 인한 스트레스는 개운함으로 변했습니다. 근육에 들어가는 통증을 즐기는 변태가 되어감을 느꼈죠. 굽어졌던 어깨와 가슴이 펴지니 걷는 자세, 사람을 대하는 자세에도 자신감이 느껴졌습니다.

지난10년 헬스장을 끊었다 말았다 반복했던 일이 무엇이 문제인지도 알게 되었어요. 웨이트운동은 헬스장에서만 일어나는 일이 아니라 언제 어디서든 무게를 이용할 수 있다면 할 수 있는 행동이었습니다. 고수는 환경을 탓하지 않는 다는 말처럼 건강한 몸을 만들기 위해서는 헬스장에 등록하는 것보다 집에서라도 몸무게를 이용한 움직임이 먼저 실행되어야 한다는 것을 알게 되었습니다.

그렇게 근육이 붙어가고 운동법에 대해서 알고 난 후 헬스장에 가도 늦지 않겠다는 결론이 나온 것입니다. 이러한 몸과 마음의 작용은 위에서 이야기 한 것처럼 마음의 병이 쉽게 들어오지 못하게 막아주는 방어기제가 됩니다.

우울한 마음을 쓰러트리기 위한 방법일 수도 있고 다가올 우울감을 막아 줄 수 있는 백신의 역할도 되는 것이죠. 사람은 긍정적인 자극에 중독되는 것이 제일 좋습니다. 성취감에 중독되고 성장과 발전, 내면의 아름다움에 투자하고 중독되는 것이죠.

매슬로우의 5단계 욕구이론처럼 우리는 최상위 욕구인 자아실현을 위해 살아갑니다. 이 최상위 욕구를 실현해 나갈 때 자신의 잠재력을 극대화 시킬 수 있고 행복과 안정 둘 다 얻을 수가 있습니다.

물론 이론대로라면 하위4단계 모두 만족 시켜 줘야하지만 거꾸로 최상위단계의 욕구를 만족시키면 나머지 4단계 욕구는 따라오게끔 할 수가 있습니다. 늘 이론대로 다 되는 인생살이는 아니기에 어느 정도 일리가 있습니다.

우리의 마음은 늘 유동적인만큼 이렇게 웨이트 운동으로 마음의 변화는 몸을 이용해 잡아주면 심신의 안정에 큰 효과가 있습니다. 더 자세히 다루면 신경과 호르몬 근육과 뼈에서 일어나는 상호작용이 있을 것입니다.

하지만 예를 들어 운전할 때 차량이 어떻게 움직이는지, 무슨 부품이 어떻게 움직이는지 알고 운전하기보다 엑셀을 밟으면 가고 브레이크패드를 밟으면 멈춘다는 것만으로도 운전을 할 수 있습니다. 꼭 해부학적으로 운동을 했을 때 몸이 어떤 현상으로 인해 몸과 마음의 균형을 맞출 수 있다고 생각하기보다 그저 운동을 하면 이러한 점이 좋다 정도로 몸을 사용하면 좋습니다.

이렇게 몸과 마음이 어렵고 심란할 때 웨이트 운동이라는 엑셀을 밟아보고 거기서 오는 성취감과 달콤함을 느껴보며 몸과 마음의 균형을 맞춰가보시길 바랍니다. 마음이 단단해지는 만큼 몸도 단단해 질꺼에요!

• 고요함이 가져온 안정감, 그 이름 명상

생각이 복잡하다는 것은 머릿속에 필요 없는 잡념이 많다는 것이겠죠. 이런 잡념 때문에 저는 꽤나 고생을 했습니다. 지금 이 순간도요. 생각이라는 것에서 자유로워질 수 없었습니다. 이런 생각들을 정리하기 위해 나는 무엇을 해야할까하고 생각난 것이 명상이었습니다. 머리가 깨질 듯이 아픈 이유도 왠지 생각이라는 녀석 때문인 것 같았죠.

사실 명상을 해야겠다 싶었던 것은 [될일은 된다]라는 책을 읽고 나서부터입니다. 명상가이자 사업가인 저자 마이클 싱어의 자서전이죠. 경제학도였던 그는 우연히 내면 세상에 대한 궁금증 때문에 영적인 호기심이 생겼고, 이 호기심 때문에 명상을 시작하게 됩니다.

명상 후 겪은 그의 이야기들이 담긴 책입니다. 저자는 끊임없는 자신의 목소리 때문에 그 괴로워했고 그 괴로움으로부터 벗어나고자 했는데요. 그는 괴로움을 벗어나는 방법으로 명상을 선택했고 그 이후 삶이 주는 대로 살아갑니다. 그 또한 삶의 선물이라고 여기면서요.

처음에는 제목에 이끌렸습니다. 내가 하고 있는 이 일들이 잘될지 안 될지 모르겠지만 이것이 진짜 되는 일이라면 나에게 일어나지 않을까 하는 그런 기대 때문이었죠.

책을 다 읽어갈수록 저도 명상을 해봐야겠다는 생각이 들었습니다. 저에게도 무슨 일이 일어났으면 했어요.

사실 저는 '노잼시기(재미 없이 시간만 보내는 때)' 라고 불리는 시기를 오랜 시간 지내왔습니다. 연애도 못하고 무언가 배우지도 않고 그저 흘러가는 대로 시간을 낭비하기만 했죠. 이런 시간 속에서 벗어나기 위해 무언가 올라왔으면 했고 명상을 시작했습니다.

처음에는 그냥 가부좌자세로 앉아 눈을 감았습니다. 눈을 감으니 그 많던 생각들이 쉴 새 없이 들어와 하나의 영화처럼 상영되더군요. 과거 일부터 미래에 생길 일들과 내가 하지 못했던 일들에 대한 후회와 상실감등 머릿속에서 계속 피어났습니다. 아궁이에 장작을 태워 올라오는 하얀 연기 처럼요. 모락모락 그 연기는 끝이 없었습니다.

분명 눈은 감았는데 검은 배경에 제 생각이라는 영화가 상영되고 있는 것이었죠. 저는 주방타이머를 10분으로 맞춘 후 '이 알람이 울릴 때까지 눈을 뜨지 않겠다.' 마음먹었습니다. 생각나는 대로 그저 생각을 흘러 보냈어요.

길줄 알았던 10분이라는 시간은 너무 짧게만 느껴졌습니다. 체감상 몇 분 되지도 않은 것 같았는데 알람이 울려댔습니다. 가부좌자세 때문에 다리는 저렸고 눈을 떴을 때에는 몽롱했습니다. 눈을 감았을 때 그렇게 복잡했는데 막상 눈을 떠보니 평화만이 남아있었습니다.

그 기분이 너무 좋았어요. 무한히 상영되던 영화가 드디어 끝난 느낌이라 할까요? 그 기분은 뭐라 설명하기 힘든 신비한 느낌이었습니다. 그 기분이 좋아 다음날 오후에 빈 박스 하나를 들고 옥상에서 박스를 깔고 그 위에 앉아 또 한 번 명상(비스무리한)을 했습니다.

숨을 크게 들이 마시고 명상에 빠졌습니다. 이번에는 더 많은 생각이 떠올랐습니다. 야외에서 한만큼 시원한 바람과 강렬한 햇빛 밖에서 들리는 버스 소리까지 들렸습니다. 명상이라고 하기에는 외부자극이 너무 많았어요.

이번 명상은 20분을 해보기로 마음먹었기에 외부자극이 어떻든 간에 알람이 울리기 전까지 눈을 뜨지 않겠다 다짐했죠. 어느 정도 시간이 흘렀는지 모르겠지만 그 시간 속에서 몸이 근질근질해지는 것을 느꼈습니다.

'빨리 눈을 떠 남은 시간을 보고 싶다.', '얼굴이 가렵다.', '다리가 저리다' 등 명상에 집중할 수가 없더군요. 분명 어제는 10분이 1분처럼 짧게 느껴졌는데 오늘은 20분이 2시간처럼 지루해졌습니다.

도대체 무엇 때문인 것인지 문제점을 찾아야 했습니다. 바로 서점에 가서 명상관련 책을 몇권 사고 읽었습니다. 제대로 하는 명상법과 명상을 효과적으로 하는 방법, 명상의 효과에 대해 잘 나와있더군.

저는 그 책에서 문제점을 찾았습니다. 명상 그 자체에도 효과가 있지만 명상다운 명상을 위해서는 주변을 어둡게 하고 적절한 온도와 소음에서부터 자유로워야 한다고 쓰여져 있었습니다.

숙달된 명상가들은 환경이야 중요치 않겠지만 명상에 갓 입문한 초보인 저는 환경적인 요소를 갖추는 것이 필요했습니다. 집에서 최대한 환경을 잘 갖추고 다시 명상을 했습니다. 옥상에서 명상할 때와는 달리 편안함이 느껴졌습니다.

생각이라는 영화는 끊임없이 상영되었지만 피부에서, 겉에서 느껴지는 힘은 편안하기 그지 없었습니다. 생각이 피어나는 대로 연기를 바라보듯 받아들였습니다. 환경적으로 갖춰지다 보니 어제와 달리 명상은 편안함을 가져다 줬어요. 명상이 재밌어졌습니다.

명상에 재미를 붙이고, 책에 쓰여진 실천 법을 따라 해 봤습니다. 명상에 좋은 시간대는 아침과 저녁이 좋다는 말에 기상 직후 아침식사전과 저녁 식사 전 공복에 명상을 했고 명상을 할 때에는 들숨과 날숨에 집중하라는 말에 숨을 세어가면서 명상을 했습니다.

자세도 꼭 가부좌 자세가 아니라 쇼파나 의자에 앉아서 해보기도 하고 10분, 20분, 30분등 시간을 조절해봤습니다. 그렇게 명상에 빠져 매일 규칙적으로 하다 보니 저도 모르게 잠재되어 있던 불안감이 사라졌습니다. 평온한 마음 상태가 되었던 것이죠.

저는 집이 아니어도 일정한 시간이 되면 명상을 했습니다. 단 5분이라도요. 명상을 다양하게 하면서 느낀 것은 자신에게 좋은 명상법을 실천해나가야 한다는 것이었습니다. 저는 명상을 할 때 들이 마시고 내쉬고 '행복', '웃음', '감사' 등의 단어를 속으로 되뇌며 집중했습니다. 주문 처럼요.

습관으로 길들이기 위해 매일 같은 시간에 했습니다. 아침 기상이후 찬물한잔 마시고 바로 명상을 했고 저녁식전에 또 명상을 했습니다. 시간은 실험적으로 진행했습니다. 10분, 20분, 30분을요.

30분을 하려면 일찍 일어나야했고 20분은 어떨 때는 좋았고 어떨 때는 너무 지루했어요. 그래서 매일 규칙적으로 10분의 명상을 하게 되었습니다. 10분은 길지도 짧지도 않은 저에게 딱 적당한 시간이었으니까요. 요즘은 점점 짧다 생각이 들어 가끔 15분~20분 명상을 하기도 합니다.

미국에서는 이런 명상의 과정을 '마음챙김'이라고 합니다. 마음을 바라봄으로써 자신의 마음을 챙기는 것이죠. 자신의 마음을 챙긴다는 것은 자신의 마음이 겁먹거나 상처받지 않도록 보호해주는 것입니다.

물질적인 성장이 급속도로 일어난 우리나라 사람들에게 이러한 마음챙김은 절대적으로 필요한 요소가 아닐까 생각이 들었습니다. 물질로 발전한 속도가 빠른 만큼 물질만능주의가 팽배

해 자신도 모르게 그러한 이념을 갖고 그 외의 정신적은 면을 챙기지 못하고 시들어 간 채 살고 있으니까요.

우울이나 불안을 겪는 사람들은 주변을 돌아보면 모두가 풍족하게 사는 것 같은데 자신만 부족 해 보이는 삶을 산다고 합니다. 이러한 비교에서 생긴 상처들과 모든 것이 자신의 탓이라는 자괴감에서 벗어나기 위해서는 마음을 바라보는 명상이 꼭 필요합니다. 규칙적인 명상은 자신이 실생활을 하면서도 일어나는 마음의 작용에 대해서 바라보게 되죠.

이렇게 바라볼 수만 있으면 실생활에서 일어나는 스트레스에서 자유로워질 수 있습니다. 마음은 눈치가 빠르기 때문에 우리가 이 마음의 성향을 그때그때 알아차려 주면 부정의 감정이 피어나지 않게 해줄 수 있습니다.

명상을 통해 이런 연습을 하는 거에요. 복잡했던 일들 때문에 피어오른 감정들, 예를 들면 불안감과 근심, 걱정에 대해 이것은 그냥 일시적인 것이라며 자신을 달래주는 것입니다. 떠오르는 이러한 생각들은 그저 호흡에 집중 하는 것만으로도 사라지게 할 수가 있으니까요.

잠깐 피어올라 사라지는 연기처럼 내안에서 불타올랐다가 금방 꺼지게 호흡을 이용하는 겁니다. 내안에서 일어나는 화재를 진압할 수 있다면 실제 외부자극에 일어나는 감정의 화재를 진압하는 데에 더욱 수월합니다.

무한히 돌아가는 우리의 뇌를 잠깐이라도 쉬게 해 줄 수 있는 것이죠. 물론 쉽지는 않습니다. 명상은 그저 눈감고 가만히 있는 행위가 아니니까요. 꾸준히 해보면서 명상이 어떤 것이구나 하는 것을 직접 느껴 보아야 해요.

혹시나 명상이라는 것이 종교적인 활동이라 거부반응을 보일 수 있겠지만 요즘은 명상이 꼭 종교활동에서 하는 것이 아니라 하루에 단 5분이나 10분정도 자신의 생각을 정리할 수 있는 행위가 되었으니 딱 1분만이라도 조용하고 어두운 공간에 앉아 호흡에 집중하며 자신이 하는 생각이 흘러가도록 가만히 둬 보세요.

이 명상을 하는 것은 우울감과도 큰 상관관계가 있어요. 우리의 우울감 역시 생각에서 일어나는 것이고 이러한 생각의 안정화를 위해서 다양한 방법들이 있지만 규칙적인 명상은 생각이라는 것에서 자유롭게 해줍니다. 생각이 우울감을 갖고 오기 전에 우리가 통제할 수 있도록 하는 것이죠.

쉽게 말하면 감정은 무의식적으로 일어나는 것인데 명상이라는 의식적인 행동으로 무의식에 정보를 전달하는 것입니다. 이러한 조절 활동으로 무의식적으로도 감정이 우리를 괴롭히지 못하게 의식적으로 잡아줘야 합니다. 우리의 의식이 100% 깨어 있지는 못하겠지만 움직이지 않는 무의식이라는 녀석을 위해 의식적인 명상의 활동으로 무의식에서 피어나는 것을 잡아주시길 바랍니다.

저는 명상으로 인해 정리된 내면은 바깥일들에 호기심을 갖게 해주었고 호기심은 무거운 제 발걸음을 뗄 수 있게 해주었습니다. 호기심이 어떠한 결과를 나타 내 줄지는 모르겠습니다만 이 내용을 여러분께서 책으로 읽고 있다면 이 역시 명상으로 시작된 일이 아닐까 생각을 해봅니다. 마이클싱어의 책 제목 처럼요. 될 일은 되니까요.

• 우울 할 때 왠지 더 잘 되는 독서

요즘 시대는 참 다양한 매체와 채널들이 존재합니다. 사람들의 선택의 폭이 넓어진 것이죠. 이 많은 매체가 있음에도 불구하고 저에게 가장 큰 신뢰가 큰 매체는 텍스트로 이뤄진 책이라고 생각합니다.

제가 책을 언제부터 읽고 좋아했는지는 잘 기억나지는 않습니다만 늘 글자 읽는 것을 좋아했어요. 버스를 타고 가는 동안 길거리 간판을 읽거나 도로 표지판을 읽는 것에 재미를 느꼈으니까요.

그런 제가 언제부터인가 책을 읽게 되었고 점점 책이라는 것에서 삶의 의미를 찾고 싶었어요. 능동적인 독서를 할 때 즈음에는 성공에 관한 책만 읽었습니다. 책을 쓴 그들처럼 성공한 사람이 되고 싶은 마음에 그들이 말하는 대로 한다면 나도 성공 할 수 있을 것 같았거든요.

그렇게 몇 십권을 비슷한 내용의 책을 읽다보니 흥미를 잃었습니다. 자기계발 책이 질린 것이죠. 대신 새로운 흥미를 갖게 된 내용의 책이 생겼습니다. 바로 경험위주의 에세이나 자서전이었어요. 지나치게 자기 중심적인 내용(나 잘났다)도 있었지만 저자들의 각각 다른 생활방식은 너무 재미가 있었습니다.

전에 읽었던 성공습관이나 처세술에 관한 책들은 꼭 따라 해보고 실천해야 한다고 생각하며 읽었는데 경험위주의 에세이나 수필의 책은 읽을수록 삶의 다양성에 대해 생각이 들게 되었습니다. 이런 사람도 있고 저런 사람도 있고 '사람과 삶이라는 것이 참 다양 하구나' 라는 것을 느꼈죠. 인간의 전반적인 이해를 돕는데 큰 효과가 있었습니다.

사람의 경험이 있는 책은 저에게 영감과 힐링을 안겨줬습니다. 책이라는 매체가 좋은 이유가 되었어요.

한권의 책을 쓴다는 것은 그 사람의 다양한 생각과 경험이 남겨져 있습니다. 내용은 가벼울지 모르지만 그 안에는 내가 경험해보지 못한 새로운 일들이 쓰여져 있죠. 또, 비슷한 경험일 지라도 텍스트를 이용했기에 읽는 우리에게 커다란 상상력을 안겨다주기도 합니다. 이러한 경험의 공유에서 저는 마음의 안정을 얻었습니다. 독서가 마음의 안식처가 된 것이죠.

저 또한 저만의 관점으로 우울감에서 벗어나려 했던 경험을 책으로 공유하고 있는 것입니다. 사람은 자신의 문제에 대해 비슷한 사람들을 보면 괜히 반갑기도 하고 어떻게 극복해나갔는지 궁금 해 하기도 합니다.

직접 만나 대화하는 것도 이러한 경험의 공유에 대한 한 가지 방법이죠. 그럼에도 불구하고 책에서 이러한 안정을 얻는 이유는 일단 책을 읽는 행위에서 오는 편안함입니다. 무엇인가를 읽는다는 것은 한 가지에 집중하며 온전히 그 안에 빠질 수가 있으니까요.

내용이 머리에 들어오지 않아도 되요. 다 기억하지 않아도 좋습니다. 뇌는 자신에게 익숙하지 않은 단어들은 거부하는 특성이 있기 때문에 그 단어들을 이해 못한다고 낙심할 필요 없습니다. 이해가 되지 않는 부분은 또 읽으면서 반복하면 되요.

그래서 처음 책을 읽을 때에는 이해를 위한 독서보다 편안함을 위한 독서를 권합니다. 그 편안함을 위해 제일 좋은 책은 쉬운 글로 쓰여진 책을 읽는 것입니다. 읽는다는 것조차 잊을 정도의 글이죠. 요즘 서점가에는 이러한 책들이 많아요.

세상이 점점 복잡해짐에 따라 사람들은 단순하고 쉬운 책에

끌리기 마련이니까요. 잘 팔리기도 하고, 머리에 쏙쏙 들어오기도 합니다. 복잡 한 만큼 사람들의 불안함을 잠재우기 위한 서적들도 많이 있죠.

주로 심리학이나 인간관계 혹은 자신에 대한 책들입니다. 장르가 어떻든 간에 서점가에 이러한 책들이 많이 쌓여 있다는 것은 그만큼 우리 사회가 조금 더 성숙해지고 있다는 증거가 아닐까 생각이 듭니다.

또, 책이 재밌어지는 순간은 바로 자신이 당한 문제에 대해 관심이 생겼을 때입니다. 예를 들어 실연을 당해 가슴이 아프다면 연애에 대한 쓰여진, 상처를 아물게 도와줄 수 있는 책에 관심이 가고 재미가 있어집니다. 자신의 일은 누군가 이미 겪었을 것이고, 그 방법을 자신에게 대입할 수 있으니 흥미가 가는 겁니다. 그렇게 책을 읽는 재미를 붙여나가기 시작 하는게 중요하죠.

이때 주의할 점은 꼭 그 책을 다 읽어야할 생각을 버리는 것입니다. 책속에는 자신이 궁금했던 점에 대한 내용도 있겠지만 불필요하거나 흥미가 가지 않는 내용도 있습니다. 그래서 자신에게 의미 있고 재미있는 챕터나 내용만 읽어도 좋아요.

그렇게 책에 대한 거부감을 떨쳐나가면서 책 읽는 것이 재미있게끔 본인이 직접 느껴야 해요. 그런 재미는 자신이 처한 상황에 대해 잘 이해할 수 있게 도움을 주며, 새로운 흥미를 유발해 무기력함에서 탈출 할 수 있기도 합니다.

또 주의 할 점은 베스트셀러나 남들이 좋다는 책을 피해보는 것입니다. 물론 그중에서 자신의 처지에 대해 잘 이해할 수 있는 책이라면 좋겠지만 남들이 다 좋다고 해서 자신의 관심까지 같을 수는 없는 것이니까요. 서점에 가서 한번 읽어볼 때 쉽게 눈에 잘 들어오는 책이 제일 좋습니다. 그런 책들은 주로 번역본보다 한국작가들의 책이 쉽고 이해가 빠르게 되죠.

한때 저는 미국에서 온 책들이 무조건 좋다는 사대주의적 관점으로 책을 골랐는데, 다 읽은 책은 몇 권 되지 않았습니다. 거기서 베스트 셀러라는 책들도 구해서 읽어봤는데 마음에 와 닿는 것은 별로 없더군요. 그렇게 시행착오를 겪다보니 (이 또한 경험이죠) 제게 맞는 책이 어떤 것인지 정도는 알게 되었습니다. 베스트셀러나 남들이 좋다는 책은 '나 이정도는 읽고 다닌다' 하는 허세에 가까이 됐던 게 사실이에요.

몇 번의 시행착오 후에 제가 관심 갖게 된 분야는 심리나 철학 인간관계나 대화 등 사람의 감정변화에 대한 책에 재미가 있었어요. 우울증을 늘 달고 살아왔기 때문에 제 안에 있는 뭔가에 대해 굉장히 궁금했나 봐요. 그렇게 읽은 책들은 작가이름도 알게 되고 그 장르의 책은 미리 찾아서 읽기도 하게 되었습니다.

한때는 책을 많이 읽는 게 자랑이었어요. 우리나라 성인기준 독서량은 한 달에 한권정도 읽는다고 합니다. 그래서 저는 그 통계보다 많은, 주 1권 책을 읽는다는 허세를 부리기도 했죠.

다독했지만 남는 것은 없었습니다. 자랑하기 위해 깊게 읽기보다 많이 양만 늘린 독서를 했기 때문이었어요. 그래도 다독에서 느낀 것이 앞서 이야기 드렸던 읽는 다는 것 자체에서의 감정이었습니다. 책 많이 읽는 다는 것을 자랑스러워 했던 외부자극으로 시작했지만 저에게는 좋은 결과를 안겨다 줬으니까요. 독서의 첫 시작이 어떻든 간에 도움을 받은 것이 확실했습니다.

이러한 제 경험 공유를 통해 여러분들도 책을 읽기 시작한다면 저라는 외부 자극에 의해 시작하겠지만 나중에는 분명 본인이 직접 책을 찾아다니는 경험을 할 것입니다. 제 모습처럼요. 이렇게 독서는 백해무익한 몇몇의 행위와 달리 무해백익한 행위라고 생각합니다. 어떠한 결과가 일어나든 간에 독서는 좋다는 것이죠.

책을 안 읽어도 세상을 살아가는데 문제가 되지 않습니다. 실제 책보다 직접 겪은 경험으로 느낀 점이 많기도 하니까요. 그래서 책이 무조건 좋다. 그러니 너도 많이 읽어라 라는 말을 하고 싶지는 않습니다.

다만, 책으로 인해 내 마음을 이렇게 돌 볼 수 있었다 라는 제 경험을 공유하고 싶습니다. 저는 지금도 꾸준히 서점에 갑니다. 종교인들이 교회, 절에 가는 것처럼 저는 서점에 가면 왠지 모를 편안함과 흥미들이 마구 솟아납니다.

무엇 때문에 그렇게 느끼는지는 아직 잘 모르겠습니다. 아마 이 책을 써내야겠다는 생각도 그러한 마음과 같지 않을까요? 무언지 모르겠지만 책을 써야겠다. 책을 씀으로써 과정에서 오는 자기표현의 즐거움과 누군가에게 의미를 선물하고 싶다는 마음이 느껴지는 것처럼요.

읽는 즐거움에 의미까지 더해지면 자신에게 최고의 책이 되어가는 것처럼 재미와 의미가 동반되었을 때에는 적극적이고 능동적인 태도가 됩니다. 이러한 마음을 키워나가는 데에는 독서만한게 없다고 생각해요.

즐거움만 찾아도 좋고 의미만 찾아도 좋습니다. 그저 우리는 마음이라는 녀석에게 감정의 통제권을 허락하지 않기 위해 서점을 찾고 책을 읽는 것이니까요.

수많은 책 중 제 책을 선택해 주신 것처럼 삶의 다양한 경험과 이야기 속에서 여러분의 마음을 지켜줄 수 있고, 성장시켜줄 수 있는 그런 소중한 책이 되었으면 좋겠습니다. 우리 서점으로 가서 함께 책에서 의미와 재미를 함께 찾아가 볼까요?

• 집착을 내려놓고 다른 시선으로 느낀 행복감

이번 주제는 앞 챕터에 썼던 대중교통을 이용했던 경험2입니다.

저는 저녁에 대리운전 일을 나갈 때 버스나 지하철을 자주 이용합니다. 겨울철에는 추위를 피하기 위해, 여름철에는 더위를 피하기 위해, 아픈 다리를 위해 등등 이유는 많죠.

한번은 이렇게 버스를 타다가 회차 지점까지 타고 다시 돌아온 적이 있어요. 그때는 그냥 버스 타다가 대리운전 콜이 울리면 일을 하려 했죠. 한 40분쯤 버스를 탔을까요? 번화가 주변을 몇 번이나 지났는데 대리운전 콜이 울리지를 않더군요. '오늘은 일이 없는 날이 구나' 하고 체념한 채 버스에 앉아 있었습니다.

이런 날은 기분이 우울해 집니다. 돈 벌러 나갔다가 돈이 안 되는 날이라서요. 특히 대리운전은 일의 특성상 야간시간에만 일이 있기에 그 시간에 대기가 길어지면, 일은커녕 일하지 못한 우울한 기분을 없애기 위해 돈을 써 맛있는 것을 먹거나 영화를 봐 버립니다. 플러스가 아니라 마이너스가 되는 것이죠. 일이 잘 풀릴 때보다 안 풀릴 때 소비가 일어났습니다.

이런 제 성향을 알고 난 후 웬만하면 일을 잡으러 뛰어다니지만 날에 따라서 정말 일이 안 들어오는 날이 있어요. 그래서 저는 일이 안 풀렸던 그날에 그냥 마음을 놓고 버스에 앉아 사람구경을 시작했습니다.

저는 버스에 타면 제일 뒤에서 바로 앞자리에 앉는 것을 좋아하는데요. 그 위치에서는 타는 사람, 내리는 사람, 서있는 사람 등 모든 사람들의 표정과 행동이 한 번에 보이기 때문이죠.

그 날도 일이 안된다고 스트레스 받으면 오히려 돈을 써버릴 것이 뻔하니 우울한 마음을 잠시 가라앉히고자 좋아하는 자리에 앉아 버스 안에서 풍경을 쳐다봤습니다.

어둠이 깔린 하늘, 반짝이는 가로등, 많은 차량의 빨간 후미등, 세상은 요지경이라는 노래 가사 말이 와 닿는 풍경이었습니다. 평소 같았으면 스마트폰을 보느라 인식하지 못했겠지만, 어짜피 폰을 본다고 없는 대리운전 콜이 생기는 것도 아니니 스마트폰 대신 풍경에 주의를 돌렸죠. 주의를 돌렸다고 우울한 기분이 한결 나아지거나 그런 변화가 있는 것은 아니었습니다.

오히려 성질을 돋구는 사람들도 있었습니다.(워낙 예민한 성격 탓에..) 시끄럽게 통화하는 사람, 내 시선을 방해하는 사람, 물론 그들을 보고 기분 나빠하는 것은 제 마음의 작용입니다. 굳이 화를 내지 않아도 되죠. 하지만 아직 완벽한 성인이 아니기에 올라오는 감정을 어쩔 수 없겠더군요. 그렇게 몇몇의 기분 나쁜 상황을 제외하고는 그저 쳐다보는 것이 재미있게 느껴졌습니다.

대부분 버스 안에서 고개를 푹 숙이고 스마트폰을 봅니다. 그래서 저는 스마트폰을 보지 않는 사람의 숫자를 세 보았죠. 전화하는 사람을 포함해 스마트폰을 잡지 않는 사람은 없었습니다. 그러다가 나이 지긋하신 할머니께서 버스에 탔는데, 할머니는 스마트폰보다 어디서 내려야할지에 초조한 모습이 보였습니다.

또 중년의 남성도 기사님에게 목적지를 묻고 나서는 휴대폰보다는 버스 노선에 집중하는 것이 보였습니다. 스마트폰을 보지 않는 사람들은 주로 중 장년층이었고 가끔 학생들도 안 쓰긴 했으나 그들은 서로 얘기를 하다가 대화주제가 다 떨어졌을 때 각자 스마트폰을 쳐다보고 있었습니다.

스마트폰을 잡지 않은 사람 찾기라는 목적을 잘 잡은 것 같습니다. 뭐 그들이 잘했다 잘 못 했다의 기준은 두지 않았습니다. 다양함을 받아들여보자 라고 생각했다 랄까요? 그리고 바로 제 행동을 돌아보는 계기가 되었습니다. 저도 제가 쳐다본 스마트폰을 보고 있는 사람들 중 한명이었으니까요. 그렇게 나 자신만의 게임을 하면서 이번에는 창밖을 보았습니다.

제가 탄 버스는 인천에서 서울까지 들어가는 버스였는데요. 시간이 9시가 넘어 10시가 다 되어 가는데 창밖에 차는 줄어들 기미가 보이지 않았습니다. 서울 밤의 풍경은 어두운 배경에 빨갛고 주황색의 등만 가득했죠. 버스가 가는 동안에는 앞에 트럭과 경차가 부딪혀 사고 뒤처리 중이었고, 그 접촉 사고 때문에 길이 막혔습니다.

저는 또 시선을 돌렸습니다. 고개를 들어 하늘을 봤죠. 역시 서울답게 밝은 배경과 탁한 공기 때문인지 그 밝은 북극성조차 희미해져 밝기를 잃어가는 듯 보였습니다. 그 주위로 몇 개의 별이 보이긴 하지만 별 감흥이 오지는 않더군요. 예전에 시골에서 하늘에 수놓은 화려한 별들을 보고 크게 감동한 후로부터 웬만한 하늘에는 별 감흥이 느껴지지가 않았어요. 이날 하늘은 평소보다 더 컴컴한 하늘이었죠.

흔들리는 몸을 따라서 제 초점도 흔들렸습니다. 오랜만에 하늘을 봐서 그런가, 목이 아프더군요. 시선을 돌려 제일 앞 유리를 통해 현재 위치를 파악했습니다. 회차 지점까지 거의 와 가는 것 같았습니다.

꽤 오랜 시간 버스를 탔는데 제가 다른 곳에 집중하는 사이 시간은 흘러 회차점까지 오게 된 것이죠. 평소에도 자주 타는 버스였는데 이렇게 관점을 바꾸니 새롭게 느껴졌습니다. 분명 매일 일어나는 풍경중 하나일 뿐이었을 텐데도 말이죠.

그렇게 회차 지점에서 다시 버스에 몸을 맡겨 인천으로 돌아가려 했습니다. 일에 대한 집착은 제가 주의를 돌린 덕분에 사라졌음을 느꼈습니다. 그런데, 이때 휴대폰이 바쁘게 울어댑니다. 인천 35000원!! 다시 버스를 타고 집으로 돌아가려했다가 뜻밖의 행운을 맞이한 것이죠. 빈손으로 돌아가는 것이 아니라 결국 돈을 벌면서 집으로 돌아갈 수 있었으니까요.

또 이렇게 버스를 타며 새로운 관점으로 집착에서 벗어 날 수 있는 방법을 배웠습니다. 우울하다는 것은 다양한 원인이 있지만, 우울감에서 벗어나기 위해서는 잠시 원하는 것을 내려놓고 뻔한 일상 속 다른 시각으로 세상을 바라보는 것이 좋은 방법이 될 수 있겠다는 생각이 들었습니다.

우울감이 커질수록 무언가에 집착하는 성향이 짙어지는데, 이 집착하는 마음을 사라지게 하기 위해서는 뭔가 거창한 것을 하기 보다 매일 일어나는 일상 속에서의 다른 점을 발견하고 재미를 찾으면 우울한 마음에서 벗어나는데 분명 효과가 있습니다.

저처럼 버스를 이용하는 분은 버스 안에서의 풍경이나 사람들의 표정을 관찰 해 보시고, 차량을 이용하신다면 빨리 가야겠다는 생각을 잠시 내려놓고 신호등이 어떻게 바뀌는지 오늘 날씨는 어떤지 느껴보면서 운전 자체를 즐겨보는 것이 도움이 될 것이라 생각합니다.

• 등산을 한다는 것과 인생을 산다는 것

제 주변에는 등산을 좋아하는 사람이 별로 없습니다. 물론 저도 산이 정말 좋아서 등산한 적은 없습니다. 다만 제 나이 또래에 비해 조금 등산을 더 해본 경험이 있다 정도랄까요?

이번에 등산이야기를 하려는데, 사실 조심스럽습니다. 마음이 우울한데 왜 등산이냐? 하는 분도 계실 테니까요. 그럼에도 불구하고 제가 등산을 하며 느낀 점을 이야기 해보도록 하겠습니다.

제 기억으로 제가 처음 산에 오른 것은 7살 즈음으로 기억합니다. 고향이 제주도인 저는 아버지를 따라 산에 올랐는데, 그 산이 우리나라에서 제일 높은 한라산이었죠. 어릴 적에는 산에서 주는 정기? 공기? 분위기? 그런 것들이 좋아서 간다라기 보다는 아버지의 칭찬이 너무 좋아서 올랐습니다.

술자리에서나 어느 자리를 가도 아버지께서는 어린놈이 한라산을 뛰어다닌다며 동네방네 저를 자랑했죠. 그게 좋아서 저는 더욱 열심히 산에 올랐습니다. 처음을 그렇게 시작한 덕분인지 산이라는 것은 다 높고 왕복 8시간이 걸리는 것이 당연하다 생각했죠. 산이라는 것은 한라산이 제 기준점이 되었으니까요.

봄, 가을만 되면 새벽에 엄마가 싸준 김밥을 들고 아버지와 한라산 코스별로 올랐습니다. 매 계절마다 산이 생각나는 것은 아마 이 때문이 아닌가 생각이 들어요. 제가 기억하는 산에 대한 첫 기억이죠.

시간이 흘러 성인이 되었고, 우울증을 겪고 있을 그때, 우울한 기분을 떨쳐낼 수 있지 않을까 하는 생각에 산을 찾아 갔습니다. 당시 저는 우울증으로 인한 폭식으로 비만상태였기에 올라가는 동안 쉬고 또 쉬고, 몇 번을 멈추고 나서야 겨우 정상에 올랐습니다. 흐린날씨여서 뛰어난 경관을 보지는 못했죠. 그렇게 하산하고 다시 한 번 산에 올랐습니다.(당시 제가 갔던 산은 아산에 있는 영인산이었어요.)

이번에도 숨을 거칠게 쉬고 욕심만큼 다리가 움직이지 않았습니다. 그래도 집중하며 한 걸음 한 걸음 내딛었죠. 그렇게 걷다가 한 가지 깨닫게 되었습니다. 정상만을 생각하고 정복하고자 산을 그리며 욕심을 부리면 빨리 지친다는 것을요. 실제로 등산을 처음 하는 분들이나 저처럼 오랜만에 하는 분들에게 고산병이 걸리는데, 이는 등산자체를 즐기기보다 정상의 화려함만 기대하고 산을 오르면 쉽게 걸린다고 합니다.

저는 고산병까지는 아니었지만 욕심에 의해 빨리 지친다는 것을 알게 된 날이었습니다. 이렇게 쉽게 지쳐버릴 때 해결책은 딱 하나였습니다. 바로 지금 걷고 있는 한 걸음 한 걸음에 집중하는 것이었죠.

'이 걸음이 언젠가는 정상으로 이끌어주겠지' 라는 생각으로 걸음에만 집중 했습니다. 이러한 집중력은 대단했습니다. 정상의 아름다움을 쫓았던 날과 달리 쉽게 지치지도 않고 오히려 현재에 집중할 수 있게 됨으로써 완전한 지금을 느낄 수 있었죠.

저는 지금까지 등산의 재미는 정상을 정복하는 것이라고만 생각했는데, 실제는 그것이 아니었습니다. 등산의 재미는 정상에서 바라보는 아름다움도 있지만 올라가는 과정에서 느껴지는 계절의 변화였습니다. 당시 계절은 여름을 지나 가을이 되어가는 시점이었습니다. 단풍철이 아니라 아직 푸릇푸릇했지만 이제 푸름을 던져버리고 낙엽이 될 준비를 하고 있었죠. 이런 풍경이 보였던 것 아마 우울증으로 예민해진 감각 덕분이었을거에요.

이 날도 깨닫지 못하고 산을 정복하려고만 했다면 또 지치고 제 자신과 진짜 마음의 대화는 없었을 것입니다. 그러나 제가 느꼈던 등산의 의미는 지금 여기 발 딛는 곳에서 마음의 평화가 온다는 것을 알게 된 날이었어요.

이런 느낌이 이때 처음은 아니었습니다. 기억을 더듬어보니 초등학교 시절로 돌아갑니다. 제주도의 초등학생들은 소풍으로 한라산에 오르는데, 저는 그때 앞 친구의 뒷 꿈치를 보고 따라가면 정상까지 가는 길이 짧게 느껴진다는 것을 알고 있었던 것입니다.

물론 그때는 너무 어려서 큰 의미로 다가오지 않았지만 언젠간 깨닫게 될 영감의 기회였나 봅니다. 이뿐 아니라 몇 번 제가 자각할 기회들이 있었을 수 도 있어요. 그러나 저는 우울증에 걸린 23살에 비로소 의미를 알게 된 것이죠. '사람들이 괜히 산을 통해 인생을 알아가는 것이 아니 구나' 하는 생각이 들었습니다.

그 이후로 이 공식(?) 대로 마음이 혼란스러울 때 종종 산을 찾게 되었습니다. 지금은 우울증에서 극복한 상태이긴 하지만 가끔 가는 산은 저에게 또 다른 재미와 의미를 안겨다 주었습니다.

우리의 인생이 마치 등산이라 하면 지금 우울증에 걸린 여러분이나 저는 막다른 길이나 길이 없는 곳에서 방황하는 중일지 몰라요. 우리는 이런 방황 속에서 새로운 길을 찾아 가야해요. 새로운 길은 목표만 본다고 해서 알게 되는 것이 아닌 것 같아요.

그저 지금의 풍경을 보고 느끼며 계절의 변화와 함께 현재 이 상황에 오롯이 있음을 인정할 때 새로운 방향과 정상으로 갈수 있는 힘이 생기지 않을까 생각이 들었습니다. 여러분들도 이런 제 경험처럼 산을 찾았을 때 늘 그 자리에 있는 산의 모습처럼 굳건함을 느껴보셨으면 좋겠네요. 우리 함께 등산 할까요?

• 우울을 씻어내는 샤워

제가 지금 이 글을 쓰는 계절은 겨울입니다. 정확히는 12월이죠. 겨울이 되면 많은 사람들이 우울감을 호소합니다. 떠도는 과학기사에 의하면 해가 짧아진 탓에 몸에서 나와야할 긍정 신경전달물질이 나오지 않아서라고 합니다. 그만큼 빛이 우리에게 주는 영향이 크다는 이야기겠죠.

저도 그 내용에 대해서는 크게 공감합니다. 밤마다 대리운전을 하며 야간에 일을 하다 보니 저도 가끔 빛만 제대로 맞이해도 기분이 좋아짐을 느꼈으니까요. 이런 빛에 의한 우울감도 있겠지만 저는 특히 추위에 대한 우울, 두려움, 불안이 컸습니다.

추위라는 것은 사람마다 좋아하는 사람도 아닌 사람도 있겠지만 지금까지 사람은 추위에 노출됐을 때 어떠한 방어기제를 만들어내는 세포가 발달한 듯합니다. 유독 추위가 심해지면 따뜻한 곳을 찾고 따뜻한 곳에서는 유지하려합니다. 다시 그 추위를 맞닥뜨리는 것에 대해 공포감으로 느끼기도 하죠. 그만큼 우리 인간은 적정온도에서 안정감을 느끼고 차분해지는 행복감을 느낍니다.

빛과 추위, 이 두 가지로 인해 겨울이라는 계절이 우울증에 노출이 커지는 것이 아닌가 생각을 했어요. 돌이켜보면 저도 우울증이 시작되고 한참 힘들었던 계절은 주로 겨울이었어요. 계절성 우울증이라고도 하겠지만 저는 유독 겨울에 어떠한 이별이나 좌절이 일어나곤 했습니다. 이때는 늘 이불속에서 숨어 있던 기억이 나네요.

제가 이때 이불속에서 나와 기분의 상승을 위해 했던 것은 늘 하는 샤워에서의 느낀 점 덕분이었습니다. 이불속에 있을 때 우리의 몸은 이불속이 아늑하게 느껴지는 적절한 체온으로 변합니다. 그 온도를 유지하려하죠.

그러나 이불을 걷어내는 순간 몸은 추위에 노출되고 체온을 유지하기 위해 몸의 온도는 조절됩니다. 이때 이불 밖에서 해야 할 것은 다시 이불 바깥온도에 몸의 체온이 적응 할 수 있도록 도와줘야 해요.

그래서 평소보다 약간 뜨겁다고 할 정도의 온수로 샤워를 해주는 겁니다. 처음에는 약간 뜨겁다 싶겠지만 금방 적응하여 몸의 온도는 상승하게 됩니다. 몸이 뜨거워지면 뇌는 '슬슬 준비가 되었다. 움직여도 된 다'라고 받아들입니다. 샤워기의 물줄기를 맞으며 온몸을 이완하고 몸의 온도를 높이면 추위로부터 느꼈던 공포감으로 느꼈던 우울감에서 벗어날 수 있게 됩니다.

우리의 몸은 하나의 유기체로써 공장처럼 각종자극에 대비할 수 있도록 설계되어 있습니다. 자동화 시스템인 것이죠.

이렇게 몸이 따뜻해지면 이불속에 있을 때보다 나은 의욕을 찾게 됩니다. 우리는 잠깐 오는 이러한 의욕을 이용해야합니다. 계속 바닥 저 밑으로 끌어내는 우울함으로부터 벗어나는 것이죠.

순간적이지만 이 의욕을 이용해 샤워 이후 몸이 계속적으로 행동해주기 위한 것들을 샤워 후 플랜으로 잡아주면 좋습니다. 뇌가 너무 부담되지 않는 선에서요. 그런 플랜 역시 샤워를 하며 생각하면 좋지요.

많은 유명 인사들이 샤워나 목욕을 하다가 영감을 받았다고 하는 것처럼 우리도 물줄기를 맞으며 계획을 해볼 수 있습니다. 혹시 모르잖아요? 세상을 바꿀 엄청난 아이디어가 샘솟을지도요.

그런 것도 좋겠지만 먼저 우리는 우울증 치료에 집중해보도록 합시다. 샤워를 하는 것은 이런 몸과 마음의 변화를 위한 행위이기도 하지만 청결한 몸과 마음을 위한 일이기도 합니다. 우리가 불안하고 걱정하고 두려운 것은 아직 몸과 마음이 어지럽고 지저분한 일들이 많아서 그렇습니다. 약간 종교적이나 영적인 것으로 들릴 수 도 있으나 이러한 의미를 담는 것 또한 중요합니다.

어떤 의미로 어떤 행동을 하느냐에 따라 행동과 마음가짐이 달라지기도 하니까요. 유대인들은 특히나 목욕이라는 것에 집착 할 정도로 청결을 강조했죠. 깔끔하고 정리된 몸에 올바른 정신이 깃 든다고 생각을 했습니다.

우리는 그들처럼 그런 큰 의미를 닮아갈 필요는 없겠지만 제가 경험한 바로는 샤워를 하고 나서는 순간적인 의욕이 급상승함을 느꼈습니다. [우울 할땐 뇌 과학]이라는 책에서 이러한 마음의 변화를 상승나선이라고 하는데요.

이러한 상승나선에 몸을 맡기면 그다음부터 감정은 알아서 좋은 방향으로 움직이기 시작합니다. 하지만 이렇게 자동화 시스템이 되어있다고 해도 그 시작점은 지속력이 짧다는 것이 단점입니다. 즉 잠깐의 상승나선의 시작점에서 얼른 우울감을 벗어나고자 행동해야 한다는 것이죠.

또 샤워를 너무 오래해 너무 큰 이완작용을 했을 때에는 오히려 피로를 부르는 부작용을 일으키기도 합니다. 샤워를 할 때에는 10분에서 15분사이의 따뜻한 온수로 짧게 하는 것이 좋고 샤워이후에 수행할 일들은 최대한 가볍고 쉬운 일을 과제 삼아야 합니다.

예를 들자면 빛이 들어올 수 있게 커튼을 치거나 이불을 정리하고 세탁기를 돌리거나, 설거지 등 가벼운 집안일을 하는 것이죠. 가벼운 집안일을 하다보면 자신도 모르게 상승나선에 올라 집안 전체를 청소하게 되는 신기한 경험도 하게 될 것입니다.

이러한 상태를 우리는 꾸준히 관찰하고 이해해야만 합니다. 우울증에서 벗어나기 위해서 해야 할 첫 번째는 뭐니 뭐니 해도 자신의 현재 상태를 파악하는 것이니까요.

이러한 상태파악을 위해 저는 방법을 제시해드리는 것입니다. 우울증은 절대 한번에, 단박에 해결되지 않는 병이기에 이러한 샤워하기 같은 일상에서 쉽게 할 수 있는 일로 감정변화를 일으켜 행복기제를 만들고 꾸준히 상승나선에 맡겨 몸과 마음이 조금 더 긍정적으로 변하게 하는 방법이 제일 좋습니다.

꼭 겨울에만 할 필요는 없습니다. 여름에도 똑같아요. 뜨거운 여름에는 몸도 겨울처럼 체온을 조절하기에 이때는 반대로 몸을 약간 시원하게 만들어줌으로써 기분을 한결 나아지게 할 수 있습니다.

적절한 온도만이 여러분들의 면역력을 올려주고 적당한 체온은 요동치는 감정을 온화하게 만들어주기 때문에 꼭 샤워를 하셔서 체온을 맞춰주는데 신경써보시기 바랍니다. 지금 책을 읽고 있는 당신은 이불속이신가요? 그렇다면 책을 덮고 샤워 후 상쾌한 기분으로 다시 독서를 이어나가는 것은 어떨까요? 분명 기분이 좋아질꺼에요!

• 낯선 경험에 익숙해지기

우리는, 아니 제가 인간으로 살아본 경험상, 익숙한 것을 좋아한다는 결론을 내렸습니다. 낯선 것에 대한 저항감이 크죠. 새로운 길보다는 늘 가던 길로, 안 가본 식당보다는 늘 가던 식당으로, 자신이 주로 해왔던 행동들로 인해 안정감을 느낍니다. 습관화 되버린 일은 내가 이렇게 했었나? 기억이 나지 않기도 하죠.

그만큼 우리는 안면이 있는 사람을 더 좋아하고 눈에 익숙한 것에 편안함을 느낍니다. 흔히 낯가린다는 사람일수록 편안해지기까지가 오래 걸리게 되죠. 이뿐 아닙니다. 이 책에서 전반적으로 다루는 우울감도 우리의 반복된 감정중 하나인 우울감으로 인해 기분이 다운 됐을 수 도 있습니다.

새로운 곳에서의 기대나 기쁨보다는 현실의 우울감을 선택함으로써 안정감을 갖게 되는 것이죠. '우울한데 안정감을 느낀다니!!?' 모순적이라 느끼겠지만 실제로 우리는 습관화 된 우울에 익숙해져있는 경우가 많습니다.

그러한 습관을 '인식하냐 못하느냐'의 문제일 뿐이죠. 이런 습관화된 우울에서 벗어나기 위해서는 낯선 곳으로 가고 낯선 것을 해보고 늘 하던 것 대신 안 해본 일들을 해보는 것이 좋습니다. 이렇게 얘기하면 거의 모두가 여행을 떠올릴 것입니다. 하지만 제가 말씀드리고자 하는 것은 일상 속에서 할 수 있는 일에 대해 이야기 하고자 합니다.

저는 올해 참 안 해본 것들에 대해 많이 도전해봤습니

다.(2018년 기준) 운동을 위해서는 헬스장 말고는 몰랐는데 요가를 다녀 보며 낯선 운동과 친해지게 되었고 채식이나 공복감으로 뺐던 다이어트 대신 단백질과 지방을 듬뿍 먹으며 배부른 다이어트를 성공적으로 했습니다.

안 해본 일에 저항감이 일어난 것은 사실이었지만 의지력보다 매일 조금씩이라는 목표로 새로운 것을 받아들였습니다. 삶의 습관들을 변화 시킨 것이죠. 이것 또한 여행이라고 할 수 있겠네요.

크게 변화시킨 것이 이 정도라면, 지금 계속하는 낯선 것은 매일 가는 길 대신 다른 길로 가보기입니다. 제가 요가원까지 가는 데에는 3개의 사거리를 건너야합니다. 어느 방향으로 가느냐에 따라서 육교로 갈 수도 있고 횡단보도로 건너 갈 수도 있죠.

그렇게 늘 가는 길을 조금씩 다르게 가보는 것이 제가 하는 일입니다. 효율을 따지시는 분들께는 그다지 좋은 방법은 아닐 수 있습니다만 익숙한 것에 벗어나기 위한 쉬운 행위는 이정도가 좋습니다.

보통 사람들마다 자신 삶의 패턴이 있습니다. 자가용을 이용하는 분들, 대중교통을 이용하는 분들, 걸어 다니는 분들, 카풀이나 함께 다니는 분들 등 다양하겠죠.

하지만 우리처럼 익숙함에 의해 매너리즘과 우울감을 느끼시는 분들은 습관화된 것들에서 벗어나는 연습을 해야만 합니다. 거꾸로 이야기하면 낯선 것에 익숙해지자는 것이죠. 기분이 쳐질 때 잠깐의 산책이 기분을 상쾌하게 해주는 것처럼 익숙한 것보다 안 해본 것들을 함으로써 새로운 것과 자신의 행동패턴이 어땠는지 인식해보는 겁니다.

우리의 삶은 의식보다 잠재적인 무의식에 의해 결정되어집니다. 신경 쓸 필요도 없을 만큼 자동화가 된 것이죠. 이러한 자동화 단계에서 벗어나 안 해본 일을 하게 되면 그동안 자동화 되었던 자신의 습관이 어떻게 형성 되었는지 알 수 있는 계기가 됩니다.

그래서 새로운 취미를 갖는 것과 새로운 사람을 만나는 것이 자신의 감정상태에 큰 도움이 되는 것이죠. 새로운 것을 받아들인다는 것은 누군가에게는 굉장히 부담이 되는 일일 수도 있습니다. 현재의 패턴에서 주는 안정감이 있는데, 새로운 것에 대한 자신의 행동을 다시 보라니요!!? 이런 반응이 어쩌면 당연한 것 일 수 있습니다.

습관화된 우울은 주로 자신의 행동이나 문제를 바라보고 받아들이는 감정상태에 의해 일어나는 경우가 많습니다. 이러한 경우일 때 우리는 안 해본 것들에서 느끼는 새로운 감정선과 느낌으로 신선함을 받아들여야한다는 것이죠.

길이나 출근 방법을 바꾸는 것도 힘들다면 호흡을 바꿔보는 것도 하나의 방법입니다. 호흡은 주로 명상이나 요가에서만 쓰인다고 아는 분들이 많지만 우울한 우리는 대체적으로 호흡이 짧고 들이마시는 숨이 내뱉는 숨보다 작은 경우가 많습니다. 혹은 반대일 경우도 있겠군요.

그렇다면 지금 이 우울한 상태가 자신의 호흡이 어땠는지 알 수 있는 절호의 기회 일 수도 있습니다. 먼저 자신의 자연스러운 호흡이 어땠는지 관찰해보고 그 호흡의 반대로 들이쉬고 내뱉어보는 겁니다. 평소 출근길을 바꾸는 것보다 쉬울 거에요.

그냥 앉아서 언제 어디서든 할 수가 있는 일이니까요. 그렇다고 명상까지 권하지는 않겠습니다. 이번 챕터에서는 그저 평소와 다른 일을 함으로써 현재 우울한 감정을 날려버리고자 하는 것이니까요.

가벼운 일이 이 정도라면 이 외에 새로운 것을 봤거나 들었을 때 생각만 했던 일들을 하나씩 해보는 것도 추천합니다. TV

나 인터넷에서 본 맛집을 직접 찾아가 맛을 보거나 저처럼 새로운 취미를 위해 집근처 레슨을 받아보는 것도 좋구요.

가만히 있는 것을 원 할 수도 있겠지만, 가만히 있는 다는 것은 휴식이 필요한사람에게만 권하겠습니다. 가만히 있는 것은 독이 될 수 있으니까요. 우울감이라는 것은 개개인마다 증상이 다르지만 상당히 모순적입니다. 출근을 안 하는 휴무에는 실컷 잠을 자고 싶어 편하게 자지만 잘수록 더 졸린 것도 이와 같습니다.

지금 우리의 뇌는 익숙함에 속아 편안하다고만 느끼는 것이죠. 뇌를 다시 깨우려면 안 해본 일을 하며 우울의 하강나선에서 벗어나야만 합니다. 이 방법은 좋은 기분을 유지하려는 저도 계속 하고 있는 일입니다. 때로는 호흡을 할 때 한쪽 코를 막고 쉬어보기도 하고 걸을 때도 괜히 같은 발을 내딛으면서 바보 같은 짓을 하기도 합니다.

늘 만나는 사람들에게도 평범한 인사대신 칭찬으로 시작하기도 하고 엘리베이터를 늘 이용했다면 계단으로 걸어가 보기도 합니다. 운전을 할 때 네비가 시키는 곳으로만 가기보다는 지도를 보고 방향만 맞춰나가기도 하구요.

이렇게 일상 속에서 안 해본 것들을 매일 조금씩 실천할 수 있습니다. 실천하다보면 감각들이 다시 활성화되고 익숙했던 것들이 새롭게 느껴지기도 합니다.

낮에 이것저것 신경을 쓴 덕에 밤이 되면 잠도 잘 오고 우울했던 감정 상태에서 벗어날 수가 있습니다. 수많은 방법 중에 하나이지만 현재 자신의 감정이 습관화되어 우울감이 온 것이라면 작은 변화를 일으켜 낯설다는 것에 익숙해지는 연습을 해보시기 바랍니다.

• 펜을 들고 뭔가 쓰거나 그려보기

사람마다 다르겠습니다만, 질문하나 드리겠습니다. 무언가를 써보거나 그려본 적이 언제였나요? 보통사람들은 그리거나 쓰는 행위와 많이 멀어져 있을 것입니다. (예술 계통이나 디자인, 혹은 글쓰기 쪽 직업이신 분들을 제외한)

어렸을 적 우리는 늘 숙제로 뭔가를 그리거나 만들었습니다. 제가 태어났을 때에는 인터넷이나 컴퓨터가 없었던 시대였던 터라 동네에 알던 형이나 누나 부모님께 물어물어 숙제를 해갔던 기억이 있습니다.

이런 기억이 우울증이 한창 심할 때 왜 떠올랐는지는 잘 모르겠습니다만, 제가 우울증이 극에 달했을 때 어린 시절 펜 하나로 즐거웠던 경험을 떠올리면서 펜을 잡았습니다. 그런 좋은 경험을 다시 느끼고 싶어서 펜으로 처음에는 글씨를 그리기 시작했습니다.(글을 쓴 게 아니라 글씨를 그렸어요.)

중,고등학교 때 수업시간에 딴 짓으로 했던 3D입체 글씨를 그려보기도 하고, 사람들이 알아볼 수 없을 정도로 흘려 써 보기도 했습니다. 그게 제 나름대로의 필기체가 되기도 했죠.

그렇게 손에 펜을 쥐었을 때만큼은 아무런 생각이 나지 않았습니다. 그저 내가 그리고 싶은 것에 집중 할 뿐, 그 이상 그 이하도 아니었습니다.

이 펜을 잡았던 당시 제 직업은 연예인 매니저였는데, 운전을 하고 난 후나 촬영 중 대기시간에는 수첩을 들고 글씨를 그려댔어요. 지금 생각해보면 그때 제가 스트레스에 엄청난 부담을 느끼고 있었던 것 같습니다. 그런 현실을 피하고자 펜을 들었으니까요.

남들은 맛집 가고, 게임하고 즐기고 있을 때 저는 틈만 나면 작은 수첩에 글씨를 그리거나 취미로 하던 랩 가사를 쓰고는 했죠. 왜 우울증이 예술적인 성장을 가져다주는지 알게 되었습니다.

정신없이 그리고, 쓰다보면 시간도 잘 갔고 지루할 틈이 없었죠. 그렇게 나름대로의 스트레스 해소법을 실천하다가 흥미를 잃었는지 펜과 멀어졌습니다. 바쁘다는 핑계가 생기기 시작한 것이죠.

그렇게 시간이 흘러 제 정신과 우울증의 중간에서 갈피잡지 못하는 제 모습이 있었습니다. 어느 쪽이 진짜 내 모습인가 헷갈릴 때쯤, 결국 제 정신에서 멀어졌고 더 심한 우울증이 생겼습니다.

사람이라는 존재가 참 간사하다고 느껴진 날이기도 했어요. 우울해지니 또 펜을 잡고 싶어졌거든요. 펜으로 '뭘 해야겠다' 하고 잡지는 않았습니다. 저번 경험 그대로 흰 종이 위에 그저 뭔가를 끄적거릴 뿐이었죠.

끄적거리다 보니 이게 참 멋있어 보였습니다. (물론 제가 제 모습을 봤을 때) 글씨에 재능이 아닐까 착각이 들 정도였어요.

제가 원고를 쓰면서도 신나게 써내려가는 것을 보니 우울증 덕에 잡은 펜질(?)이 지금도 참 좋게만 느껴지나 봅니다. 무엇보다 어디 버릴 수 없고 가둬두기만 했던 제 감정을 어딘가에 배설 할 수 있었다는 점이 좋은 경험으로 남은 것이 아닌가 생각을 해 봅니다.

이런 경험으로 시작한 펜질은 캘리그라피에 관심을 갖게 해주었죠. 그리기에 재능이 있지 않을까? 라고 착각했던 오해에서 시작된 흥미였습니다.

저는 캘리그라피를 어떻게 시작할까? 고민했습니다. 마침 서점에 가보니 따라 그려보는 책이 있었어요. 저는 책을 구입하고 서점 옆에 팬시점에서 붓 펜을 들고 집으로 돌아왔습니다. 물론 강습이나. 배울 수 있는 곳도 있었지만 기분도 기분이었고 가벼운 지갑사정으로 인해 어딘가에서 배우긴 부담스러웠습니다. 그때는 일을 그만둔 상태라 시간적으로는 여유가 있었지만 금전적으로는 부족했었기 때문이었죠.

집으로 돌아가 바닥에 쪼그려 앉아 집에 있는 흰색 무지노트에 캘리그라피 책에서 멋진 글씨들을 따라 썼습니다. 시간이 잘 가더군요. 어린 시절이 빨리 갔다고 느낀 것도 아마 이런 몰입의 과정이 많았기 때문이 아닌가 생각이 들 정도로요.

글씨를 그리는 순간만큼은 아무런 상태도 아녔습니다. 아니, 글씨 장인이라도 된 것 마냥 하얀 노트 속으로 빨려 들어가는 기분이었어요.

하지만 문제는 펜을 다시 손에서 멀어질 때 발생되었습니다. 뭔가에 몰두해, 그리고 내 생각이나 감정을 표현 할 때에는 모르다가 펜을 놓는 순간 우울해지고 누간가 살짝 건들기만 해도 짜증이 나거나 슬퍼졌어요. 마치 제 심장이 투명한 비눗방울이 된 것 처럼요.

그럴수록 더욱 펜을 잡는데 집착했습니다. 펜을 잡는 시간만큼이나 주변에서는 글씨가 멋있어졌다고 했습니다. 사람들의 관심과 인정을 받기 시작 한 것이죠.

제 3자가 인정해주니 제 우울했던 정신 상태는 많이 호전되었습니다. 그렇게 쓰는 글씨를 페이스북에 재능 기부 겸 필요한 글씨를 써준다고 올렸더니 자고 일어나면 다 처리해줄 수 없을 정도로 많은 요청연락이 왔습니다. 첫날엔 10건, 그 다음날은 20건, 그렇게 반복하며 많은 글씨를 써 주다보니 우울한 마음은 어디로 갔는지 알 수 없을 정도로 제 감정 상태는 좋아졌습니다.

생각해보니 펜으로 쓰는 그 자체에서 느낀 안정감과 재능기부로 누군가에게 나눌 수 있다는 것에 행복을 느낀 것 같습니다. 그렇게 펜을 잡으면서 자연스럽게 좋아진 마음과 실력으로 캘리그라피 엽서를 만들어 판매까지 하게 되었습니다. 취미가 돈이 된 순간이었죠. 우울증이 가져다준 멋진 선물이었습니다.

과학적으로도 손과 뇌는 연결되어 있어 손으로 어떤 행위를 하게 되면 뇌는 일처리로 인해 몰입을 하게 되고 안정화 된다고 하더군요. 저는 그 덕을 보게 된 것이구요. 한 가지를 오래 못하는 성격 탓에 점점 캘리그라피에 대한 흥미를 잃어가긴 했지만 펜에 의지한 제 불안한 마음 역시 자유로워졌습니다. 펜이 없이도 안정감을 느끼게 된 것이죠.

저는 펜질(?) 덕분에 경제적인 이득까지 보게 되었습니다만, 모든 분들이 그렇게까지는 하지 않으셔도 좋습니다. 그저 우울할 때, 혹은 내가 마음이 쳐져있을 때, 펜을 들고 어린 시절 숙제를 하듯 무언가를 따라 그려보기도 하고 혹은 새로운 것들을 써보거나 그림으로써 마음의 평화를 느껴보셨으면 좋겠습니다.

책을 책으로 보기보다 직접 행함으로써, 아는 것보다 실천하는 것이 더 중요한 것은 다들 아시겠죠? 오늘따라 마음이 흐트러지고 불안하다면 펜을 잡고 아무거나 써 보세요. 저처럼 어린 시절의 행복감이 떠오를꺼에요!

• 장난감을 갖고 놀자 (레고조립, 직소퍼즐)

자, 펜으로 무언가를 끄적거려보았다면 이번에는 무언가를 만들어 볼까요? 손재주가 있고 없고는 중요하지 않습니다. 우리의 우울감에서 해방되기 위해 해봅시다.

요즘은 DIY 열풍으로 많은 분들이 직접 만들고 체험하는 경험을 해볼 수 있습니다. 이런 유행을 따라 해 보자는 것은 아니지만 우리가 펜으로 무언가를 써보면서 느꼈던 것처럼 이번에는 손을 이용해서 시끄러운 우리의 생각과 감정을 잔잔하게 만들어 보는 것이죠.

혹시 레고를 아시나요? 블록 장난감 브랜드로, 이제는 전 세계인이 아는 대명사가 되어있죠. 제가 처음 레고를 접한 것은 3~4살 정도로 기억합니다. 한창 장난감 좋아하던 어린 날에 출장갔다 온 삼촌이 사다주셨어요.

저는 그 레고 박스만 있으면 뭐든지 할 수 있었습니다. 비행기를 타고 날아다니기도 하고, 로봇을 만들어 악당을 처치하기도 하고, 성을 짓거나 집을 짓고 개인적인 만족감을 얻기도 했습니다.

저에게는 이런 기억이 성인이 되어서도 참 순수하고 안정되었던 기억으로 남아있었어요. 우울증에 걸려 처음 병원을 가고 약을 받았던 그때, 어머님께 부탁드려 레고를 사다달라고 했었죠. 20살이 훨씬 넘은 아들이 하는 부탁치고는 참 철없는 부탁이 아니었나 생각을 해봅니다.

하지만 그렇게라도 무언가 하지 않으면 저는 안 될 것 같았어요. (요즘 레고는 어떻게 변했나 궁금하기도 하고..) 그렇게 어머님을 통해 얻은 레고 제품은 변신이 가능한 자동차였습니다. 어린이가 하기에는 어렵고 성인에게 맞춰서 나온 난이도의 제품이었어요.

어려움에도 불구하고 제가 레고를 다시 손에 잡는 순간 우울감은 어디로 갔는지 보이지 않고 설레임이 느껴졌습니다. 어린 날의 집중력과 신났던 기억이 떠올랐나봐요. 어린 시절의 기억을 살려 레고 조립설명서대로 하나하나 조립했습니다. 문을 만들고 창문을 달고 트렁크와 엔진룸, 그리고 바퀴까지 정신없이 몰입해 설명대로 조립하다보니 멋있는 빨간 스포츠카가 완성이 되었어요. 어렸을 때에는 몰랐던 성취감까지 느꼈습니다.

제가 10년만 더 어렸었다면 그 자동차에 영혼을 담아 변신시키며 갖고 놀았겠지만 20대 우울증 환자였던 저는 그 자동차 상태 본연의 모습 그대로를 보존하고 싶었어요. 왜 그렇게 안정된 상태로 보관하고 싶었는지는 모르겠습니다만 아마 불안정한 마음을 하나로 굳게 만들고 싶다는 어떤 욕구가 투영되지 않았나 싶어요.

그리고 눈에 잘 띠는 곳에 놓고 틈만 나면 들여다보며 기분좋아 했습니다. 만들 때의 그 신난 감정과는 다른 안정감을 저에게 선사해줬습니다. 이것 또한 우울증이 가져다준 새로운 추억과 선물이었습니다. 조립하는 재미와 바라보는 안정감이라는 것을 알게 된 경험이었죠.

여기서 멈추지 않았습니다. 또 새로운 제품을 구입하고 만들며 저는 레고에 빠지기 시작했습니다. 자동차를 만들 때처럼 새로운 제품에 집중했어요. 다양한 우울증 탈출방법이 있고 그 중 하나였었지만 제가 집중해보니 그 순간만큼은 우울증에서 벗어날 수 있는 확실한 방법이라고 느껴지더군요.

펜으로 무언가를 쓰는 것도 좋지만 손을 이용해 오밀조밀한 레고 부품 하나하나를 만들어 나가는 것도 너무 좋았습니다. 그 순간만큼은 우울하지도 않았고 제정신이었다고 할 수 있지 않았나 싶어요.

그렇게 레고에 빠져 이번에 직접 구입하러 마트에 갔습니다. 그런데 이번엔 장난감 코너 옆에 직소퍼즐이라는 퍼즐 맞추기가 보였어요. 순간! 호기심이 생겼습니다. 우울증에 걸리면 대부분 무기력하거나 관심도가 많이 줄어드는데 저는 점점 호전되는 상태가 되어가는지 퍼즐에 관심이 생겼습니다.

당시 저는 만화 원피스를 즐겨봤었는데, 마침 108피스로 나온 퍼즐이 있어서 바로 구입했습니다. 어린 시절에 맞춰본 퍼즐 이후로 성인이 되어 처음 하는, 레고와는 다른 새로운 경험이었습니다.

어린 시절의 그 즐거움이라는 것은 참 신기하게 생각이 들더군요. 무얼 해도 다 좋았고 그 추억덕분이 지금을 새롭게 느낄 수 있었으니까요.

아무튼 원피스 108피스 퍼즐을 집으로 사와 순식간에 맞췄습니다. 108피스는 저에게는 너무 쉬운 난이도였어요. 그래서 이번에는 중간 난이도인 500피스 퍼즐을 뛰어넘고 바로 어벤져스 그림의 1000피스 직소퍼즐 맞추기에 도전했습니다.

방에 들어와 퍼즐을 바닥에 펼친 순간! '이것을 내가 할수 있을까' 라는 의문과 두려움이 밀려들었습니다. 108피스를 너무 쉽게 했다면 중간난이도인 500피스 퍼즐을 했었어야했는데 바로 1000피스를 보니 적응을 못하겠더군요.

하지만 하고 싶다는 흥미와 책임감? 의무감? 아무튼 그런 생각이 1000피스에 대한 부담감보다 컸나봐요. 마치 108피스를 여러개 하듯 퍼즐 맞추기를 시작했습니다. 직소 퍼즐을 맞춰본 분이 있다면 아시겠지만 직소퍼즐은 레고와 달리 친절하지가 않아요. 그냥 박스에 그려진 그림하나 뿐이죠. 그 박스에 그려진 전체 그림만 보고 맞춰가야 합니다.

나름대로 노하우라면 퍼즐 맞추기의 순서는 테두리부터 맞추는 것부터 시작합니다. 테두리가 완성이 되면 그림의 특징이 강한 컬러와 그림체 순으로 맞춰가죠. 애매한 것은 마지막에 해줘야 합니다. 제품을 만들 때 디테일 보정을 해주는 것처럼요.

그렇게 나름대로 제 방식대로 퍼즐을 맞추다보니 완성에 가까워졌고 천리 길도 한 걸음부터라는 속담이 떠올랐어요. 그렇게 7시간쯤 퍼즐에 집중하다보니 어느덧 어벤져스의 모든 영웅들이 나타났습니다. 다 맞추고 바라보니 제 자신이 대단하다는 존경심(?) 비슷한 것을 느꼈습니다. 과연 우울증을 겪고 있는 사람이 맞나 싶을 정도로요.

사실 이것을 하는 동안은 7시간이 지났는지도 몰랐습니다. 점심 먹고 시작한 퍼즐맞추기를 완성하고 나니 저녁 먹을 시간인 오후 7시가 된 것이었죠. 그동안 엄청난 몰입을 한 것이었습니다.

성취감의 끝판 왕이라는 수식어가 어울리는 행위였습니다. 바닥에 완성한 1000피스 어벤져스 퍼즐을 보고 또 한참을 바라봤어요. 완성 된 레고처럼요. '이 퍼즐을 어떻게 할까?' 고민을 했습니다.

저는 그 퍼즐위로 광택과 퍼즐간 붙을 수 있는 풀을 넓게 펴바르고 액자를 사와서 액자에 끼운 후 조립한 레고 스포츠카 옆에 걸어뒀습니다. 우울증이 만든 성취감의 결과물이 함께 한눈에 보이기 시작했죠. 이 내용을 쓰면서도 제가 신나게 글을 쓰는 것을 보니 그때의 감정은 이미 우울증에서 벗어난 상태였습니다.

이렇게 손으로 하는 행위는 자신도 모르게 몰입의 과정을 선사해주며 몰입은 우울증에서 벗어날 수 있는 힘을 길러줍니다.

그 어떤 것을 할 수 없는 상태에 무기력하다 느껴지신다면 어린 시절에 즐겨했던 놀이들을 떠올리며 저처럼 무언가를 갖고 노는 것부터 해보세요. 추억과 함께 몰입의 과정으로 우울증에서 벗어날 수 있을 겁니다.

4. 깊은 우울증에 필요한 레시피

• 이사가기

태어 난지 30년이 지났습니다. 서른한 살이 되었고, 그 동안 이사한 횟수를 세어보니 서른 번이 넘더군요. 많을 때에는 1년에 두 번씩 이사한 적도 있다는 것이에요. 그래서 그런지 저는 이사에 대한 거부감이 없습니다. 한곳에서 30년을 산 사람도 있는데, 저는 30번이 넘는 이사 횟수만큼 여러 곳에서 살았어요.

지금은 반대로 한 곳에 오래 살아보지는 목표를 갖고 있죠. 이사라는 것은 늘 저에게 새로운 설레임 혹은 두려움과 기대를 가져다 주었습니다. 특히 부정과 불안이라는 감정이 제 자신에게 완전히 굳어졌을 때에는 다가오는 감정 효과가 더 컸습니다.

그래서 이사를 더 많이 했는지도 몰라요. 마음이 힘들 때마다 급하게 여행을 떠나듯 이사를 했었으니까요. 이사가 잦은 만큼 짐도 줄어들어 현재는 반 강제적인 미니멀리스트로 필요한 것만 갖고 살아갑니다. 이사 덕분에 사치나 과소비를 하지 않게 된 것 이죠. 이게 왜 우울감이랑 상관이 있나 생각을 해보았습니다.

매번 마음이 불편하다는 이유로 이사를 한 것은 아니지만, 이사를 하고 나면 마음이 편해졌던 경험이 있었습니다. 매번 강조 하는 뻔한 이야기일지도 모르겠습니다만 우리는 관성에 의해 늘 하던 대로, 살던 대로, 있는 그대로 유지하고 싶어 합니다.

이때 변화를 주면 엄청난 저항이 일어나죠. 이 저항의 불편함을 이겨내면 이후 새로운 안정감이 찾아옵니다. 물론 이런 이사의 변화는 함부로 결정하기는 쉽지 않은 일이죠. 현재 부모님과 살고 있다면 독립을 해야 할 것이고, 결혼하신 분이라면 자녀 교육이나 직장 등 많은 것을 고려해야만 합니다.

그럼에도 불구하고 새로운 곳에서 새로운 라이프 스타일로 살아보는 것은 참 매력적입니다. 저는 20살 제주도에서 올라온 이후 많은 곳을 거치며 살았습니다. 김포, 당진, 용인, 서울 충무로, 서울 신림동, 서울 종로, 서울 신도림, 서울 강남, 다시 제주도, 그리고 현재 있는 인천까지 주로 수도권에 혹은 부모님이 계신 곳에 거주를 했었죠. 저는 그저 역마살 때문에 '한곳에 정착하지 못하는 구나' 라고 받아들여서 이사라는 것에 대해 큰 거부감이 없이 살았습니다.

이중에 기억이 남는 이사가 바로 강남에서 살다가 제주도, 또 제주에서 서울로 올라왔던 경험입니다. 그 동안은 계약만료일이나 일적인 이유로 이사를 했는데 이때는 유독 마음이 아프고 힘들어 이사를 했습니다.

저에게 서울, 그중에서도 강남이라는 곳은 새로운 도전의 지역이자 두려움의 지역이었습니다. 밤에도 불이 꺼지지 않고 늘 사람들로 북적거렸고 멈춤이라는 것이 없이 그저 계속된 움직임이 있는 곳이었죠.

처음에는 그런 점이 좋았습니다. 낮과 밤의 경계는 고작 해가 뜨고 지는 것뿐 모든 것은 멈추지 않았죠. 길가의 자동차는 밤과 새벽이 되어도 움직였고 길거리에 사람들도 여전히 많이 있었습니다. '살아 있다는 것이 이런 것인가?' 하는 느낌이 들 정도였죠. 언제 일어나고 활동을 해도 분주한 환경이었으니까요.

그런데 그 분주함은 얼마 안가 저를 잡아먹기 시작했습니다.

분주한 사람들과 같은 환경에 있다 보니 저도 분주해져야 한다는 생각에 조바심이 생겼고 움직이지 않으면 도태될 수 있겠다는 공포감이 엄습했습니다.

제 눈에 보이는 것은 멋쟁이 신사숙녀들과 외제차와 거대한 빌딩 반짝거리는 조명들이었어요. 저도 그들처럼 행동해야만 했습니다. 즉, 능력은 안 되는데 어떻게 해서라도 그들처럼 보이고자 노력해야 했죠.

그런 노력만큼, 노력대로 그들과 같은 능력을 가지고 싶다는 것은 욕심이라는 것을 얼마안가 깨달았습니다. 제 정신은 피폐해져갔고 점차 밖이 아닌 5평정도의 작은 반지하방에 숨어 있는 것이 편안하게 느껴졌습니다.

이곳을 나가면 저를 잡아먹을 괴물들이 가득하가도 생각했어요. 그렇게 강남에서 생활은 엄청난 감정기복을 가져다 줬습니다. 미친 듯이 좋다가 끝없이 추락하는 우울증이었죠.

강남은 무엇이건 간에 다 비쌌습니다. 우울증이 의심되어 찾아갔던 병원에서는 각종 검사 및 처방을 하더니 20만원이 넘는 돈을 청구하더군요. 우울증이 무섭다기보다 결제를 못할 것 같은 두려움이 더 커졌습니다. 겸사겸사 이런저런 공포감이 저를 불안하게 만든 것이죠.

그렇게 우울증으로 판정받고 저는 이대로 이렇게 살수는 없겠다 싶어 강남을 떠나기로 했습니다. 운이 좋게도 그 시점에 제주도에 있던 친구가 제 상황을 이해해주어 일자리와 살 곳을 마련해주었습니다. 즉시 저는 가벼운 옷가지와 간단한 생활용품을 택배로 붙이고 고향인 제주도로 내려갔죠.

의사의 처방대로 약 먹고 지켜보는 것보다 친구의 처방이 오히려 마음이 편해져 확실한 처방이 되었던 것입니다. 마음이 편해질 때까지 저는 제주에서 생활하며 다시 일어설 힘을 찾기로 했습니다.

약 8년 만에 찾은 제주도에서의 삶은 그리 길지 않은 시간 안에 안정감을 가져다 줬습니다. 강남에서의 분주함 대신 느긋하지만 여유가 있었고, 으리으리한 건물 대신 3~4층의 낮은 건물은 '내가 고향에 왔구나' 하는 기분에 설레임이 되었습니다. 낮과 밤의 경계가 희미했던 강남과 달리 제주에서는 밤 10시면 모든 것이 멈췄습니다.

저는 그때 친구의 도움 덕에 호텔에서 일을 했는데, 교대근무였지만 재미도 있고 무엇보다 불안했던 마음이 편해졌습니다.

그곳에서 캘리그라피나 좋아하던 독서, 혹은 바닷가에 가서 사진을 찍으며 유유자적한 삶을 즐겼어요. 너무 좋았습니다. 이사가 준 선물이었죠.

고향이 주는 안정감일수도 있었겠지만 확실한 것은 제가 물리적으로 기존에 있었던 곳을 떠나 새로운 환경을 받아들였다는 것입니다. 의도한 것은 아니었지만 제 몸이 그렇게 반응했습니다. 덕분에 짧은 시간동안 회복 할 수 있었고 그때 제 음악이 나오게 되었죠.

저는 새로운 삶과 힘을 얻게 되었고 그 힘으로 다시 서울로 올라왔습니다. 마음가짐이 달라져서 그런지, 힘이 생겨서 그런지, 서울의 복잡함은 저를 잡아먹는 환경이기 보다 다시 한 번 해봐도 되는 기회의 손길로 느껴졌습니다. 부정적이었던 마음들이 말끔해졌고 할 수 있다는 마음으로 바뀌었죠.

그렇게 올라온 서울에서 저는 피쳐링 앨범을 포함해 10곡이 넘는 디지털 싱글 앨범과 그룹 활동을 하게 되었습니다. 뭔가 대박 터뜨리는 일을 하거나 돈을 많이 벌지는 않았지만 제가 하고 싶은 일을 할 수 하는 것에 대해 알 수 있는 경험이었습니다.

이처럼 이사라는 것은 고무적인 현재의 상태에 쇄신을 가져다줌으로써 새로운 것도 해낼 수 있는 힘과 도약점을 가져다줍니다. 그곳에서 새로 적응하고 낯선 것에 대한 거부감 때문에 힘이 들 수 있지만, 이것을 극복하거나 받아들이면 새로운 삶이 기다립니다.

이동수가 있다는 것은 공포감이나 두려움으로 다가 올 수 있지만 반대로 기회와 기대감이 있다고 생각하여 현재 있는 곳에서 떠나 우울증, 혹은 우울감, 불안 증세를 떨쳐보는 것은 어떨까 감히 권해봅니다. 마음의 불안함은 물리적인 이동에 의해 괜찮아지는 경우가 많습니다. 제가 느낀 것처럼요. 여러분들도 그러한 마음상태의 변화를 한번 느껴보시기 바랍니다.

• 이직하기

저는 여러 번 정신과에 갔었습니다. 약만 처방해준 의사 선생님도 있었고, 제 모든 이야기를 주의 깊게 들어준 분도, 다양한 의사 선생님이 있었습니다.

갈 때마다 매번 마음이 편해지지는 않았지만 그 선생님들 중 정확히 저의 상태를 알아보고 솔루션을 내려준 분도 있었습니다. 무언가에 쫓기듯 찾아간 병원에서 선생님이 한말이 생각나네요.

"용훈씨는 그 회사를 벗어나면 원래모습으로 돌아 올 꺼에요"

우울의 원인이 뭔지 몰랐던 저는 이 말을 듣고 회사에서의 관계적인 문제 때문이라는 것을 알게 되었습니다.

워낙 예민한 성격 탓에 회사에서는 열심히 하려만 했고 그렇지 않은 동료나 직장상사는 좋게 보지 않았습니다. 그때 저는 열심히 하는 나에게 피해만 주지 않았으면 좋겠다는 생각뿐이었습니다. 절대 적인 기준을 자신에게 세우고 융통성 없이 기준에서 벗어나지 않고자 노력한 것이죠.

그 노력덕분에 회사에서 주는 표창장도 받고 나름 일 잘 한다는 소리까지 들었습니다. 적당한 보상은 저에게 동기부여와 잘하고 있다는 자신감을 갖게 해주었죠.

하지만 보상에서 오는 심리 상태는 오래가지 못했습니다. 이러한 기준에서 벗어나는 제 모습과 동료들의 대충대충 일처리하는 모습들이 눈엣가시로 보였어요. 일 못하는 직장상사 때문에 매번 내가 혼나는 것 같았고 그것까지 처리하지 못하는 제 모습이 무능력해보였습니다.

점점 직장 내에서 소통이 어려워졌고 그 불통은 점점 애사심을 잃게 만들어 일보다 내 자신의 이익을 생각하는 이기적인 태도로 회사 일에 임하였습니다. 그런 나태한 제 모습은 제가 보기에도 싫었고, 자괴감과 자책의 날이 연속되었습니다. 어쩌면 문제라고 생각해서 그런지도 몰라요. 문제가 아닐 수도 있었을 거에요.

그러나 저는 그것을 문제라고 정의하여 제 자신을 괴롭혔어요. 그런 제 태도들로 인해 회사 안에서 트러블이 많이 생기게 되었고 얼마가지 않아 우수사원에서 관심사원이 되어 버렸습니다.

직장상사의 잔소리나 회사에서 만든 사칙들도 모두 귀찮아져 버렸습니다. 매너리즘이라기보다 제 심리상태가 만든 나태함이었어요. 너무 열심히 해서 열정의 불꽃이 다 타버린 것 같기도 했습니다.

이런 상태의 저는 회사에서 적응하지 못하는 사람이 되었습니다. 그중에는 저에게 손을 뻗어 도움을 주는 좋은 분도 계셨지만 저는 그 손을 모두 무시했죠. 계속된 회사에서의 반항은 결국 우울증을 만들어내었고, 저는 병원을 찾게 된 것입니다.

선생님 앞에서 가벼운 이야기를 시작해 그 끝에는 펑펑 우는 눈물로 감정의 잔해가 흘러내렸어요. 지금 생각하면 모든 것이 부정적이고 융통성 없었던 제 잘못이었지만 저는 회사 탓을 했고, 동료 탓을 했고, 직장상사 탓을 했습니다.

그래서 의사선생님이 회사를 떠나라는 처방을 내려준 것이었죠. 현재의 마음상태로 회사를 다니면 스트레스가 더 커져 더욱 심각한 문제가 생길 수 있다고 판단 하신거에요.

그런 환경에서 자신을 바꿀 수 있다면 제일 좋겠지만 그렇지 못하는 것이라면 환경에서 벗어나는 것이 우울에서 벗어날 수 있는 제일 좋은 방법이란 것을 알게 되었습니다.

어려운 환경 속에서 자신을 바꾸는 것은 엄청난 의지력과 자제력을 필요로 하는 일이기 때문에 그런 정신력을 갖지 못하는 상태라면 어려운 환경을 벗어나 자신의 마음을 다시 한 번 돌보고 제 상태, 원래 자신의 모습을 찾고 다시 회사에 적응 하는 것이 좋다는 것이죠.

작은 회사라 우울증으로 인한 병가를 낼 수 없었기에 결국 저는 퇴사를 선택했습니다. 퇴사를 하고 나니 선생님의 말대로 저는 얼마 안되어 다시 삶의 생기를 찾았습니다.

예민함 대신 여유가 찾아왔습니다. 병원에서 준 약도 더 이상 먹지 않아도 되었고, 병원에 가지 않아도 될 정도로 호전되었습니다. 저를 묶어뒀던 회사라는 쇠사슬에서 해방이 된 것이었습니다.

'정용훈', 저라는 사람에 대해 더 잘알게 된 경험이었어요. 열정만큼 보상이 따라주고 충분히 존경할 사람을 찾게 되면 알아서 순종한다는 것도 알게 되었고, 자신에게 너무 압박을 주는 기준대신 조금 널널하게 융통성을 발휘해야하는 법도 조금씩 알게 되었습니다.

아마 이러한 증상은 저에게만 일어나는 일은 아닐 거에요. 많은 분들이 우리나라의 수직적인 조직구조 때문에 회의감을 느끼거나 엄청난 스트레스에 시달리고 있을 겁니다.

실제로 제가 대리운전을 하며 만난 회사원 손님들도 그런 스트레스에서 자유롭지는 못하더군요. 그냥 버티거나 나름대로 스트레스를 푸는 법을 알고 있을 뿐이었어요.

이런 회사에서 제일 적당한 합의점은 회사라는 곳에서 자신만의 적응방법을 찾아내어 물과 기름이 아니라 그 물 안에서 자유롭게 섞일 수 있는 다른 색의 물감이 되는 것이라고 생각이 들었어요.

그러기 위해서는 앞서 말한 것처럼 자신의 시야와 감각들을 긍정적이고 설레임으로 만드는 연습을 해야 합니다. 물론 그것이 그렇게 쉬운 일은 아닙니다. 그 일이 얼마나 힘든지 저는 잘 알기 때문에 환경을 바꾸는 퇴사나 이직 하는 것을 추천합니다.

퇴사를 결심하기 위해서는 이 회사 아니면 안 된다는 생각을 버려야 합니다. 그것부터 시작이에요. 회사보다 혹은 돈벌이보다 더 중요한 것은 자기 자신입니다. 자신의 정서와 심리상태가 건강하면 인간관계의 문제나 돈 문제도 해결되는 법이니까요. 새로운 환경과 새로운 자신의 모습을 발견해나가셨으면 좋겠습니다.

다만, 그 선택에 대한 책임 역시 생각해야 합니다. 이직했다고 모든 것이 해결 된다 라기 보다 새로운 환경에서 새로운 방법으로 문제를 바라보고 방법을 생각해야 한다는 것입니다. 자신의 성향을 알고 일에 대한 새로운 패러다임을 찾는 것이죠.

제가 현재 단체생활보다 혼자 하는 일이 더 좋아 글을 쓰고 밤마다 대리운전을 하며 취객을 상대하는 것 처럼요.

여러분들도 과거의 저처럼 번아웃 증세로 인해 강한 정신력을 유지하실 수 없다면, 현재의 환경에서 벗어나 새로운 라이프스타일을 만드시거나, 다른 회사로 이직하여 새로운 사람들과 어울리며 정신의 건강을 되찾길 바랍니다.

• 병원가보기

제가 제 유튜브 채널에도 올린 내용입니다. 자신이 우울증인지 의심 될 때에는 병원에 가 보는 것이 제일 좋습니다. 우울증은 뇌의 신경전달 물질의 밸런스가 무너져 현재 자신의 기분을 망치고 있을 것 일 수 있으니까요.

그런 신경전달물질은 현재 나온 약으로 어느 정도 밸런스를 다시 맞춰 줄 수 있습니다. 그렇기에 우리는 우울증이 생기면 병원에 가야합니다.

병원에 가기 전에 약을 한번 먹기 시작하면 평생 먹어야 하는 건 아닌지, 약에 내성이 생겨 의존하면 어떨지에 대한 고민이 앞설겁니다. 저도 그랬으니까요.

하지만 제가 우울증으로 몇 번 병원을 다녀본 결과 제 주위에서 우울증을 겪고 있다면 주변사람보다 먼저 병원을 찾을 것을 추천합니다. 병원마다 다르긴 합니다만 병원에서는 그래도 나의 상태만큼은 정확히 진단해주니까요. 약을 처방받고 먹는 것도 중요하고 우울증에서 실제로 중요한 자신이 우울증에 대해서 자각하고 있느냐 없느냐를 알려주죠.

무엇이건 아는 만큼 길이 보이고 해결점을 찾을 수 있기에 현재 자신의 위치가 어디인지를 알아야 방향을 찾아갈 수가 있습니다. 우울증에도 각종 원인들이 있기에 이런 원인들을 찾고자 하는 목적으로 병원을 찾아야 합니다. 약을 먹고 안 먹고의 문제나 약에 의존하게 될지 말지는 그 다음문제입니다.

지금은 제가 처음 정신의학과를 다닐 때 보다 훨씬 잘되어 있습니다. 고작 몇 년 전이긴 하지만 그 이후로 많은 사회 문제들이 정신적인 문제에서 나타나고 있고 그 주범이 우울증에 의한 것들이 많기 때문에 정신의학과를 찾는 사람들이 많아졌고 덕분에 병원의 질이 많이 좋아 졌습니다.

그뿐 아니라 우울증은 우리 주변에서도 많이 볼 수 있는 흔한 질병이 되었기에 정신과에 다닌 다는 것은 생각만큼 다른 사람의 눈치를 볼 필요가 없게 된 것도 사실입니다.

우울증을 마음의 감기라는 표현을 많이 하죠. 그 표현처럼 우리가 우울증은 감기 치료하 듯 마음의 병을 치료 해야해요.

감기기운이 있거나 감기에 걸리기만 해도 우리는 병원이나 약국을 찾습니다. 그때 우리는 감기약에 내성이 생기며 어떡할지 감기약이 부작용을 주면 어떤지에 대해 고민하지 않죠. 그런 것처럼 우울증인 것 같다 싶으면 병원에 가서 상태를 확인하고 처방을 받는 것이 제일 좋습니다. 먼저 해야 할 일중 하나이기도 하구요.

정신과에 다닌다고 하면 다들 뭔가 머리를 풀어헤치고 쓰레기통을 뒤질 정도가 되야만 다니는 곳이라고 생각하지만 그런 증상이 나타날 때엔 입원을 해야 할 심각한 정도입니다.

그렇게까지 자신을 내버려두면 안돼요. 우울증이 지속되는 시간이 길어지면 길어질수록 정말로 그런 상태가 될 수도 있어요. 그런 모습이 되지 않기 위해서라도 미연에 방지하고자 우리는 병원에 제일 먼저 가는게 좋습니다.

실제로 정신의학과에 가보면 생각보다 그리 무서운 곳이 아니란 것을 알게 됩니다. 오히려 깔끔하고 세련된 인테리어는 더 편안하고 따뜻함을 느끼게끔 해 줍니다.

물론 병원에 간다고 모든 문제가 해결되는 것은 아닙니다. 제가 여러 군데의 병원을 다녀본 결과 병원마다 환자를 대하는 느낌이 다 다릅니다. 어느 정도 진단하는 것은 비슷하지만 마음을 치료받기에는 엿부족이라고 생각이드는 병원도 있었으니 까요.

제가 처음 정신의학과를 간 나이는 23살 겨울이었습니다. 당시 여자 친구와의 이별, 할아버지의 장례등 많은 아픔들이 한번에 들이닥치니 저는 너무 힘이 들었습니다. 그런 아픔이 한번에 몰려올 줄 몰라서 어떻게 대비해야하는지, 해결 방법이 무엇인지, 전혀 알 수가 없었죠.

저는 점점 우울증의 깊은 나락으로 떨어지기만 했습니다. 정신 차렸을 때에는 비대해진 몸과 게을러빠진 정신상태의 제 모습뿐이었죠. 저는 그때 제 정신으로 돌이키고 싶었습니다. 그래서 생각한 것이 정신의학과에 가서 제대로 된 처방을 받자는 것이었죠.

상담이 필요하기도 했지만 현재 이 모습보다 나은 상태가 되길 바라며 찾아갔습니다. 당시 병원을 처음 찾아갔을 때 기억이 생생합니다. 노란색의 따뜻한 느낌의 인테리어의 병원이었어요. 접수를 하고 진료실로 들어갔고 그 따뜻함은 진료실에서도 계속될 줄 알았습니다. 하지만 제게 몇 가지 사항만 무어보다니 의사는 "우울증입니다." 라며 진단을 내리고는 약 먹으라는 지시만 하고 저를 보냈습니다.

그렇게 진료가 끝났죠. '이게 뭐지?' 라는 생각이 들 정도로 허무했습니다. 너무 무성의한 진료에 화가 날 저도였죠. 그렇게 병원에 대한 첫 경험(?)은 실패로 돌아갔습니다.

그 후 또 돌아온 우울증에 저는 몇 년이 지나 정신과 상담을 또 받았어요. 병원에 간 느낌은 처음에 간 병원과 별반 다를 것이 없었습니다.

이번에는 각종 검사치료를 했어요. 머리와 손, 가슴에 뭔가를 붙이고 각종 설문지에 체크까지 제가 처음에 가서 진료받던 것에 비하면 최신 기술이 접목된 그런 진료였습니다. 상담과 검사를 받고 나오니 진료비 외에 검사비용으로 20만원을 저에게 청구하더군요.

순간적으로 우울증이 무섭다기보다 고작 검사 몇 번에 나오는 이 비용이 더 무서웠습니다. 마음을 치료하러 갔다가 지갑만 비우고 나온 것이었죠. 그렇게 몇 번 병원을 가다가 계속되는 비싼 비용에 저는 병원을 그만 가게 되었습니다. 별 효과가 없었습니다.

그리고 또 시간이 지나 이번이 마지막이라 생각하며 우울증으로 인해 병원을 찾았습니다. 그런데 운이 좋게도 이번에는 지난번에 다녔던 병원과는 달리 의사 선생님의 진심이 느껴지는 상담을 했습니다.

거창한 검사 대신 제 이야기와 상황을 처음부터 끝까지 들어주셨고, 다른 곳에서는 그저 우울증이라고만 했던 진단결과보다 더 구체적으로 불안장애라는 진단을 내려줬습니다. 진단과 제 이야기가 다 끝났을 때에는 뜨거운 눈물이 제 볼을 타고 흘러 내렸어요. 꾹꾹 막혀있던 감정의 응어리가 터졌고 상담의 끝에 그 응어리는 사라졌습니다. 누군가가 뭉쳐있던 응어리를 터뜨려준 기분이었어요.

이렇게 몇 번의 정신과 진료는 저에게 정신의학과 병원이 어떤 곳인지에 대한 감(?)을 길러줬습니다. 그래서 병원을 추천해달라고 하면 저는 어디에 어느 곳이라는 얘기보다 직접 여러군데를 다녀보라고 추천합니다. 허리나 뼈가 다치면 더 잘 하는 병원을 찾듯, 우울증도 자신에게 잘 맞는 병원이 있다고 말하죠.

물론 그렇게 까지 부지런하게 찾을 수 없고 의지도 생기지 않으며 무기력하다는 것을 잘 압니다. 그럼에도 불구하고 우리는 우울증에서 벗어나고자 열심히 찾고 움직여야합니다.

제 경험이 어느 정도 도움이 될지는 모르겠습니다만 병원을 다닌다는 것은 결코 창피한 일이 아니며 사람이 아프면 고쳐야 하기에 병원에 다니는 것을 당연하게 생각하는 것이 중요합니다.

그렇게 병원을 한번 다니고 두 번 다니고... 물론 병원에 다닌다고 이 우울증이라는 병이 한 번에 완쾌되지는 않습니다. 한 군데의 병원만 다녀서 해결이 안 될 수도 있고 운이 좋게 좋은 의사선생님을 만나 한곳에서 치료가 될 수도 있어요.

시간도 1년이 걸릴 수 있고 몇 번의 깨달음으로 3개월 안에 치료 될 수도 있습니다. 그럼에도 불구하고 우리는 우리가 갖고 있는 병에 대해 진단을 내려줄 병원을 찾아야 하며 병원을 다니며 자신의 마음을 관리하며 운동이나 식습관 개선 등 함께 병행해야 합니다.

그것이 치료를 위한 가장 빠른 방법이에요. 병원을 가면 도움이 되면 됐지 마이너스가 되지는 않습니다. 저처럼 잘 맞지 않는 곳에서의 실망감은 있을 수 있으나 그 또한 우울증 환자에게 도움이 되는 경험이오니 절대 병원 가는 것에 대해서 두려워하지 마세요.

모든 병들이 그러 하듯 정확한 진단과 처방만이 우울증 또한 정확한 진단과 처방을 받아야 치료하는데 도움이 됩니다. 감기에 걸려 병원에 간다고 생각하시고 자신이 우울증이라고 생각이 되거나 의심이 들거든 지금 당장 병원 먼저 찾아보시길 바랍니다.

• 감사 일기 쓰기

성인이 되어 '매일 해야지' 하면서도 습관으로 길들여지지 않았던 것이 일기쓰기였습니다. 꾸준히 하기 위해 한 줄만 쓰기도 하고 어떤 날에는 날짜와 날씨만 쓰기도 했었죠. 그럼에도 불구하고 일기쓰기는 습관으로 길들여지지 않았습니다. 써야지, 써야지 하면서 막상 하루의 마무리를 하고 나면 펜을 잡기보다 이불속으로 들어가 잠을 청하기 바빴으니까요.

아마 일기에 대해 거부감이나 부담감이 있었던 것 같습니다. 일기에 대해서 이렇게 거부감이 들게 된 것은 아마 제 성장환경에서 나타난 증상이 아닌가 생각이 들었습니다. 제가 글을 읽고 쓸 줄 알 때부터 저희 아버지께서는 공부보다 중요하게 여긴 것이 매일 일기쓰기였습니다.

왜 그렇게 일기를 강조했는지는 잘 모르겠습니다만 저는 어쨌든 해야 하는 일로만 생각했죠. 그래서 그런지 어린 시절에는 일기쓰기가 죽도록 싫었어요. 아버지께서 저희(여동생과 나)에게 일기를 쓰게끔 분위기 조성이나 환경적으로 자연스럽게 일기쓰기를 유도했다면 좋았겠지만 저와 동생은 일정기간을 두고 일기 검사를 받았습니다. 일기를 쓰지 않은 날에는 크게 혼이 났죠. 무릎 꿇고 두 손을 들고 벌을 받았습니다.

그런 아버지의 교육이 반복되다 보니 나름대로 저희는 잔머리를 굴려 3일에 한번, 혹은 일주일에 한번 모든 일기를 몰아 쓰게 되었죠. 아버지의 일기검사 패턴을 대충 파악하게 된 것입니다.

어린 시절에 꼬마들은 다 똑같잖아요? 일기내용이.. 오늘은 날씨가 어땠고 친구 누구랑 놀다가 집에 와서 참 행복했다는 그런 내용이죠.

그렇기에 저는 3일치일기나 일주일치 일기나 매일 매일이 비슷한 내용이었습니다. 그렇게 잔머리를 굴려 쓰다가 아버지의 기존 패턴이 아닌 게릴라성으로 일기검사를 한날에는 어쩔 수 없이 혼이 나고 벌을 서야 했죠.

초등학교 저학년 때까지 그 공포(?)는 계속되었었습니다. 그런 경험으로 인해 일기에 대한 거부감이 들게 되었고 성인이 되어서도 일기와 친하게 지내지 못하는 것 같았어요.

하지만 한편으로는 제가 이렇게 글을 쓰는 재미를 갖게 된 것은 억지지만 어릴 적 쓴 일기 덕이 아닌가 생각을 해봅니다.

이렇게 일기에 대한 거부감이 심했던 제가 다시 일기에 관심을 갖게 된 계기는 역시 우울증 때문이었습니다.

우울증에 걸렸을 때에 어떻게든 벗어나고자 몸부림을 쳤죠. 그중에서도 저는 책에서 큰 위로를 받았습니다. 주로 동기부여 해주는 자기계발 책이었죠. 순간이지만 도파민이 분비되어 뭐든 할 수 있는 상태가 된 것 같았고, 우울증에서 점점 멀어진다고 생각했었어요.

한창 자기계발 책에 심취해 있다가 어느 날 책에서 감사 일기를 써보라는 내용을 보게 되었습니다. 한 줄만 써도 좋으니 하루를 마무리하기 전에 감사의 내용을 써보라는 내용이었죠.

어떤 내용이던 상관없으니 감사를 해보라는 내용을 따라 저는 매일 이불속에서 책을 읽고 잠이 들 수 있는 것에 감사한다며 일기를 썼습니다.

'늘 따스한 방에서 책을 읽고 하루를 마무리 할 수 있어서 감사합니다.' 이렇게요.

매번 비슷한 내용이었지만 오늘 있었던 일에 대한 내용보다 감사에 대해서는 한 줄 정도 매일 쓸 수 있었습니다. 똑같은 내용인 것 같다 싶은 날에는 그저 '감사합니다. 감사합니다. 감사합니다.' 세 번 쓰기도 했었어요.

덕분에 자기 전마다 오늘 하루 중 감사할 수 있는 것이 뭐가 있는지 고민하는 제 모습을 보게 되었습니다. 나름대로 감사일기의 효과와 방법을 터득하게 된 것이죠.

그 방법은 다음과 같습니다.

~~ 해서 > 감사합니다.

~~ 할수 있어서 > 감사합니다.

~~ 함께 여서 > 감사합니다.

이런 식으로 처음에 한 줄이었던 감사 일기를 3~5줄로 늘렸습니다. 그러자 놀라운 일이 일어납니다. 하루하루를 사는 게 어쩌면 기적이고 이 조차도 감사하다는 생각이 들었습니다. 매일 일을 할 수 있었고, 몸은 건강 했고, 맛있는 음식을 먹을 수 있었고, 자유가 허락되는 삶을 살고 있는 것에 대해 감사하게 되었습니다.

억지로 시작한 감사 일기였지만 감사할 내용을 찾다보니 삶이라는 것에 관심이 생기기 시작했어요. 제 몸과 마음에 대해 관심이 생기고 주변사람들(주로 가족)에 대한 관심도 깊어졌습니다. 관심에 의해 따라온 행복감으로 자존감은 자연스럽게 상승했습니다.

돈을 엄청 많이 벌거나 유명해지거나 하는 삶이 확 바뀌는 그런 변화는 아니었지만 저는 더 이상 제 자신을 괴롭히지 않는 법을 알게 되었습니다. 그 조차도 감사 할 수 있었죠.

감사로 인해 일기에 대한 중요성과 하루 안에 있었던 다양한 일들에 대해 행복감이 느껴지기도 했습니다.

물론 감사일기와 하루를 써내려가는 기존 일기와는 다를 수 있지만 자신의 마음을 정화시키는 본질에 대해서는 어떤 일기든 다 똑같다고 생각합니다.

감사 일기는 심플할수록 좋습니다. 어떤 내용을 써도 상관이 없어요. 자신이 오늘 있었던 일에 대해 감사하면 됩니다.

제가 하는 일로 예를 들자면,

저는 대리운전을 하고 있기에 일을 마치고 집에 돌아온 날에

'오늘도 안전운전 할 수 있어서 감사합니다.' 라고 쓰고,

요가원에 가서 요가를 하고 나온 날에도

'오늘도 요가 수업을 받고 건강할 수 있어서 감사합니다.'

부모님 목소리를 들을 때도

'부모님께 전화 할 수 있어서 감사합니다.'

이 외에도 '따뜻한 커피를 마실 수 있어서 감사합니다.' 등등 저는 이제 이런 감사에 대해 자연스러워졌습니다. 펜만 손에 쥐면 끝도 없이 감사내용을 찾을 수가 있죠.

감사라는 표현은 참 신기한 힘이 있다는 것이 느껴진 경험이었습니다. 일기를 이미 쓰고 있다면 감사에 대한 일기를 써 보시고 일기를 써본 적이 없다면 저처럼 그냥 '감사합니다.' 라는 한 줄로 시작하여 하루 가득 감사를 표현해보시기 바랍니다.

제가 위에서 예를 든 방법대로 기술적으로 감사 일기를 써도 좋고 그게 아니라 자신만의 감사 일기를 새로 창조 해봐도 좋습니다.

모든 것에 대해 감사하며 현재 자신의 개성을 깨닫고 자신감과 자존감이 충만해지는 그런 경험을 함께 해봤으면 좋겠어요. 더 이상 우리는 우리 자신을 괴롭히기보다 자신을 존중하는 방법을 감사를 통해 배워 남은 삶에 대해서도 감사하며 살아보아요!

"이 책을 선택해 주셔서 감사합니다."

• 부정적인 친구 멀리하기

여러분은 어떤 친구가 좋은 친구라고 생각하시나요? 초중고 대학 동기동창? 사회에서 만난 친구? 온라인 친구? 다양한 답변이 있을 것 같네요. 저는 오래된 친구가 좋은 친구라고 생각했었습니다.

햇수로 10~20년, 유치원 때부터 친구, 초등학교 때부터 친구 이런 식으로 자랑하면서 다녔죠. 저뿐 아니라 많은 분들이 그렇게 생각하실 것입니다. 진짜 친구라는 것에 대해 생각할 여유가 없을 수도 있구요. 그렇게 오랜 친구가 오랜 친구라고 생각했던 제가 바뀌게 된 것은 얼마 되지 않았습니다.

다들 친구 한 명, 두 명 혹은 모임을 형성하며 교류를 하고 있을 거에요. 저도 그중 한 명이었구요. 고민을 털어놓고 생각과 경험을 공유하며 친구들과 지내고 있을 겁니다. 저도 여러분처럼 지내던 중 친한 친구라고 생각했던 한 친구가 하는 제 뒷담화를 듣고 충격을 받았습니다.

그 친구와는 주로 우리 말고 다른 친구와의 뒷담화를 나누던 사이였습니다. 저는 당하지 않겠지 라고 생각했는데, 이번에는 제가 타겟이 된 것이었죠. 소문은 돌고 돌아 제 귀에 직접 들려왔고, 저는 무척 화가 났습니다.

믿었던 친구 였던 만큼 서로 이해하고 있다고 생각했으니까요. 그런데, 그건 저만의 착각이었습니다. 그 친구는 저와 다른 친구의 뒷담화를 하듯 제가 없는 자리에서 제 뒷담화를 하고 다녔던 것이었죠. 저는 상황이 애매해져 그 친구에게 사실

여부를 물었습니다.

'내 뒷담화를 했냐? 안했냐?' 하는 질문이었죠. 이렇게 물어보는 제 입장도 유치했지만 저는 사과를 받고 싶었습니다. 그런데 사과는커녕 그 소식을 말한 다른 친구가 누구냐며 거꾸로 저에게 그 얘기를 듣고 걔를 믿냐며 오히려 저에게 화를 내더군요. 당황스러웠던 저는 뒷담화를 했냐 안했냐에 대해서 말하라고 했고, 그 친구는 그냥 농담으로 던진건데 그게 와전된 것이라고 했습니다.

그렇다면 보통은 홧김에 혹은 '니가 미워서 그랬다 미안하다' 하면 저도 이해했을 텐데, 끝까지 사과는커녕 고작 그 정도에 화를 내는 제가 이상한 것이라며 소심한 놈으로 만들었습니다.

그 친구의 비겁함에 한 번 더 충격을 받았고 지금까지 저와 그 친구가 했던 뒷담화를 한 것이 당사자에게는 이런 기분을 안겨다 줄 수 있겠구나 하는 깨달음을 얻었습니다.

끝까지 사과를 요구했으나 친구는 사과하지 않았고 오래된 사이라고 좋은 친구라고 생각했던 그 친구와 그렇게 틀어졌습니다.

막상 그 친구와 멀어지니 한동안 이야기를 털어낼 친구가 없다는 생각에 허전하고 외롭더군요. 마치 금연을 한 사람처럼 그 친구와의 뒷담화가 그립기까지 했습니다. 저도 모르게 그 친구의 뒷담화 습관에 길들여져 버린 것이었죠.

그 친구의 그런 행동이 무서운 것이 아니라 그 뒷담화에 익숙해져 누군가의 뒷담화를 하고 싶어 하는 제 모습이 가증스럽고 혐오감이 느껴졌습니다.

그제서야 제 모습을 한 발짝 물러서 객관적으로 보게 된 것이었죠. 사람은 주변사람을 닮아간다고 합니다. 친구를 잃어가면서 알게 된 이 교훈이 이후로도 관계로 인한 습관들이 하나

둘 보이기 시작했습니다.

20살즈음 사회에서 만난 친구가 있었습니다. 그 친구와도 이런저런 이야기(회사, 사랑, 가족 고민, 일상 등) 나누었죠. 그 친구는 대화에 있어서 주로 들어주는 입장이었는데, 항상 반응은 주로 냉소적이거나 부정적이었습니다.

"그거 안 돼, 해 봤자야, 돈 많은 놈들이나 하는 거야"

이런 식으로요. '하면 된다.', '할 수 있다'는 응원의 메세지보다는 가망이 없고, 시도해봤자 안될 것이다 라고 말하는 친구였습니다. 이 친구와도 점점 관계가 소원해진 이유가 이 친구를 찾는 제 모습을 보고 난 후였습니다.

저는 20대 내내 우울했고 늘 다운된 기분을 숨기며 사는 사람이었습니다. 뭘 하든 간에 충동적이었고 기분대로 움직이는 기분파였죠. 당시 기댈 사람은 아무도 없었습니다. 의지할 사람이 없었던 거죠. 그래서 가까웠던 이 친구에게 의지했습니다.

제가 하고 싶은 일인데, 그것마저도 이 친구에게 '하면 어떨까?' 하고 물어봤습니다. 항상 들려오는 대답은 "그거 어려울 걸?, 이미 다 하고 있을 걸?" 이었죠. 그건 어려운거니까 너는 안 될 것이라고 얘기하였죠.

그렇게 그 친구와 그런 대화를 나누다 보니 저는 어느새 그 친구에게 '안 된다고 말해줘' 라는 생각으로 그 친구를 찾았습니다. '내가 생각하고 있는 것이 얼마나 어렵고 힘든일에 대해 네가 판단해줘' 라는 식으로요.

그렇게 냉소적인 답을 받고나면 제 마음은 편해졌습니다. 마치 여우가 포도나무에 달린 포도를 보며 '저건 신맛일 거야' 라고 지레짐작하여 포기한 것 처럼요.

제 삶을 잠깐 돌이켜보니 포기의 연속이었습니다. 시간이 흐르고 이 친구와도 물리적으로 멀어지고 바쁘다보니 연락이 뜸해졌고 어느 날 오랜만에 전화를 했습니다. 습관적으로 저는 이 친구에게 부정적인 답을 원하고 있었습니다.

저에게 '잘 하라고 말해줘' 라기 보다 '그건 힘든 일이야' 라고 저에게 말해주길 바라고 있었습니다. 그런 친구의 답변을 이미 생각하고 전화한 것입니다. 그 친구의 답변이 어떨지 알고 있었고, 그 답에 대해 저는 이미 물들여져있었던 것이죠. 그 입에서 나오는 부정적인 이야기가 저에게 있어서 합리화하는데 굉장히 도움이 됐으니까요.

그런 자기 혐오감에 저는 당분간 인간관계를 다시 형성해야겠다는 생각이 들었고 누군가에게도 물들여지지 않는 강인한 정신력을 갖기로 마음먹었습니다. 매일 매일이 수행이었죠. 간혹 연락 오는 친구들은 '무슨 수도승이냐' 며 놀리기도 했지만 앞으로 살아갈 날들에 대해서 책임을 지고 싶어 이러한 시간이 필요함을 얘기했습니다.

우울증을 유발하는 많은 원인 중 대부분의 이유는 인간관계에서 생겨납니다. 여러분께서 누구와 어떻게 어울리냐 에 따라 당신을 기분 나쁘게 하기도 하고 기분을 좋게 만들어 주기도 하죠.

즉 주변사람이 누구냐에 따라 당신이 결정된다는 것과 같은 말입니다. 옛 말에 친구를 잘 만나야 한다는 어른들 말씀이 괜한 얘기가 아니었습니다. 좋건 싫건 자신을 함께 다니는 무리들과 닮아가게 마련입니다. 어느 정도 통제할수 있기도 합니다만 자신도 모르게 닮아가고 물 들어버리는 것이 우리 인간입니다.

그렇기에 친구나 주변 인간관계 형성에 있어서 우리는 조금 더 주의를 집중하고 관심을 가져야만 합니다. 편안하고 기분이 좋은 사람들을 곁에 두면 자기 자신도 밝아지고 기분이 좋게 됩니다.

여러분이나 저나 자기 자신이 주위를 밝혀주는 사람이 되는 것이 제일 좋지만 이것은 의지가 많이 필요한 일입니다. 지금 당신이 우울하고 부정적인 것에 물들여졌다고 생각이 들면 자신도 모르게 주변사람에 의해 물든 것이 아닌지 한번 파악해보시고 해결을 위해 새로운 인간관계를 형성하거나 잠깐 그 친구와의 교류를 멈춰보시기 바랍니다.

잠깐 멈춘다고 떠나가는 친구라면 그 친구는 진짜 친구가 아닐 가능성이 큽니다. 이번 기회로 진짜 친구를 사귀는 방법에 대해서도 고민하는 계기가 되었으면 좋겠네요.

• 삭제하기

기분이 쳐지고 힘이 들 때 우리는 주로 채우려고 합니다. 쇼핑몰에 가서 예쁜 옷을 사고 음식점에 가서 맛있는 것을 먹고 재미있는 예능프로그램을 보며 즐거움으로 채웁니다. 사람의 본능이죠. 스트레스를 무언가를 채우고 풍성해짐을 느낍니다.

저도 그런 20대를 보냈습니다. 무언가가 늘 부족했고 결핍 때문에 우울과 불안이 온다고 생각했습니다. 우울해서 새 친구를 사귀고 우울해서 술 한잔과 맛있는 음식에 취하고 우울해서 사치와 낭비를 즐기게 되었습니다.

그런데, 이러한 채우기로 과연 우울증을 벗어날 수 있을까요? 답은 당연히 NO입니다. 사람의 욕심은 끝이 없어 채우면 채울수록 채우고 싶어지고 조금 부족한 것보다 가득 넘치고 남는 것을 버리는데 익숙해져있습니다. 이런 마음의 상태는 곧장 황폐해지고 아무것도 없는 더 큰 공허함만 남게 되죠.

저는 제 모습을 통해 인간의 욕심은 끝이 없다는 것을 알게 되었습니다. 늘 채우기 급급했고 다 채우고 나면 무얼 채울까 고민했습니다. 마치 지금 밥 먹는데 다음 디저트는 무얼 먹을지 고민하는 것 처럼요.

이런 채우기의 무한 반복의 늪에서 벗어날 수 있었던 것은 공허하고 피폐해져 거울에 비친 제 모습이 슬픔만이 가득했을 때를 봤을 때였습니다. 그래서 저는 더 이상 채우기보다 버리기에 집중했고, 버리기 시작한 후로 거꾸로 공허함이 사라짐을 느꼈습니다.

정리정돈 하는 것과 일맥상통하는 이야기 일수도 있습니다만 저는 조금 다른 시선으로 이야기를 하고자 합니다. 정리정돈, 그 전의 상태라고 할까요? 마음이 복잡하고 우울하고 어지러울 때는 하나씩 버리면서 채울 수 있는 공간을 다시 만들어야 합니다.

저는 버리기 시작했고, 처음 버린 것은 옷이었죠. 옷에 대한 개념도 바뀐 시점이기도 합니다. 옷이란 저에게 남들에게 보여주기 위함이었고, 유행에 벗어나지 않음을 표현하는 도구였습니다. 그렇다보니 제 옷장에는 유행이 지나 지금은 촌스러워지고 체형의 변화 때문에 작아지거나 큰 옷이 가득했습니다.

저는 이것들부터 버리기 시작했습니다. 기억을 더듬어 최근 1년간 입거나 꺼내지 않은 옷은 과감하게 헌옷수거함에 내던졌습니다. 자주 입고 상황별(결혼식, 장례식 등) 입어야하는 옷 몇 벌만 남긴 채 다 버렸습니다.

옷장가득 정리되지 않았던 공간이 휑한 느낌이 들었습니다. 처음에는 무척 어색했어요. 그런데 그 어색함도 잠시, 저는 점차 적응했고 옷장 정리 후 모든 서랍 속에 있는 것들도 버리기 시작했습니다.

5년 전 쓰던 휴대폰, 사서 몇 번 쓰지 않았던 수첩, 기간지난 다이어리, 전여자친구와의 소품 등 서랍에는 근 1년이 아니라 최근 몇 년동안 꺼내보지도 않은 것들이 가득했습니다. 전부 꺼내 분리수거를 하고 바깥으로 버렸습니다.

그렇게 우울증과 함께 제 버리기 습관은 시작되었죠. 모든 것(?)을 버리고 난 후 제 공간에서 드디어 숨을 쉬게 되었습니다. 조금 더 안락함이 느껴졌고 정이 드는 방이 되었죠.

그 첫 느낌이 아주 생생합니다. 단지 버렸을 뿐인데, 마음은 무언가를 채우는 것보다 현재 있는 것에 만족하고 받아들이게 되었고 금세 적응했죠. 채우기에 급급했던 과거와 달랐습니다.

채우기는 일시적으로는 기분이 좋아지고 여유로워지지만 금세 관심이 떨어지고 후회하면서 그 후회는 다시 공허함이 되어 반복되는 악순환을 만들었습니다. 그러나 버리기는 내가 갖고 있는 것들에 대한 소중함과 과거들을 감싸줄 수 있는 계기가 되었어요.

즉, 가지고 싶은 것보다 갖고 있는 것들에 대한 감사가 시작되었습니다. 단기성으로 좋아지는 채우기를 그간 반복했다면 지금은 장기적인 행복을 알게 된 것이었죠.

저의 버리기 습관은 여기서 그치지 않았습니다. 물건을 버리는데 그치지 않고 사람을 버리기(?) 시작했습니다. 사람을 버린다는 표현이 조금 자극적이군요. 어쨌든 우리는 인생을 살면서 실제로 자신과 교류를 하며 도움을 주고받는 사람은 손꼽을 정도로 적습니다.

저는 예전에 휴대폰에 저장된 사람이 많으면 인간관계를 잘하고 있다고 생각했던 사람인만큼 번호를 저장하고 사람을 많이 알아가는 것에 집착했습니다. TV에서나 각종 미디어에서 사람 많다는 것을 자랑하는 것이 부럽기만 했죠.

점점 사회 생활하는 시간이 늘어나고 명함도 많이 받고 전화번호부에 저장된 사람이 500명이 넘었습니다. 500명이 되었을 때 1000명으로 늘려야겠다는 목표가 생겼습니다.

그러나 이 또한 위에 말한 것처럼 채우기와 같은 영향을 끼쳤습니다. 사람과의 깊은 관계보다는 그저 머릿수 채우기에 급급해 진짜감정을 나눌 사람이 한명도 없었습니다. 공허함이 밀려왔죠.

이런 경험과 제 버리기 습관이 맞물려 저는 전화번호부의 번호를 지우기 시작했습니다. 그 기준 역시 최근 1년간 연락 안 한사람이라는 기준을 두고서요.

조금 위험한 판단 일 수도 있겠습니다만, 1년에 한 번도 안

부 연락 할 정도의 사이가 아니라면 과감히 정리할 필요가 있구나 하는 생각이 들었습니다. 그렇다고 무작정 삭제해서는 안됩니다. 모든 일들은 사람으로 시작해 사람으로 해결되니까요.

제가 말한 기준과 자신만의 기준점을 가지는 것이 더 좋습니다. 예를 들어 가족과 친척은 남겨둔다. 덕을 본 사람이기에 갚아야하는 사람이다. 등등으로요 반대로 결혼식 축의금을 받아내야 하니 남겨둬야 해 라는 식의 기준은 두지 않길 바랍니다. 그것은 채우기 습관과 같은 영향을 끼치는 것이니까요.

그렇게 정리한 제 전화번호부에는 대략 60여명의 연락처만 남게 되었고 이들과는 수시로 연락하며 깊은 유대관계를 유지하고 있습니다.

연락처로 인해 그 사람의 카카오톡 프로필을 보는 것만으로도 굉장히 피로감을 크게 느꼈었는데 자연스럽게 그런 습관은 사라졌습니다. 가끔 어떻게 사나 궁금한 지인도 있긴 하지만, 그 궁금증이 해소되지 않으면 안 될정도의 깊이는 아니기에 그저 잘 살길 바라며 순간의 마음을 스쳐가게 내버려둡니다.

이렇게 버리기 습관을 들인 저의 삶은 '심플' 그 자체입니다. 사람이기에 사람다운 행동을 하게 되고 가끔 실수하더라도 배우고 고쳐 가면 된다는 생각으로 제 자신에게 집중하게 되었습니다. 예전에 채우기에 급급했던 제 모습과는 180도 달라졌습니다. 머리스타일과 옷 입는 스타일도 바뀌었습니다.

마치 덕지덕지 붙은 악세사리 때문에 요상했던 패션이 드디어 사람답게 보이는 패션으로 바뀌었다고 할까요?

무엇을 버리고, 무엇을 간직하느냐, 채우느냐를 선택하는 것은 여러분이 할 일이라 크게 관여하지 않겠습니다만 지금 마음이 어지럽고 복잡해 자신이 가야할 방향성을 잃었다면 무엇인가로 가득찬 자신의 것들을 놓아주는 버리기 습관을 들여 보시길 감히 추천 드립니다.

처음에는 모든 것이 아깝게 느껴 질꺼에요. 사람도, 사물도요. 언젠가 쓰이지 않을까하는 마음이 들 것이구요.

그러나 그 언젠가는 영원히 오지 않을 가능성이 큽니다. 지금 당장 필요해도 이상하지 않을 것만 남겨두세요. 진정 자신이 갖고 있는 것들에 대한 감사와 사랑을 느낄 수 있을 겁니다.

명심하세요. 인생은 채우는 것보다 비우는 것에서 더 많은 것을 얻고 배울 수 있다는 것을요. 버리기 습관으로 당신의 우울증도 저기 쓰레기통에 멀리 버려지길 바랍니다.

• 작은 것부터 하기

우리 인간은 거대한 것에 대해 존경심을 느끼기도 하지만 두려움을 먼저 느낍니다. 세상이라는 거대한 울타리 안에서 그 존경심과 두려움은 반복되죠. 때론 놀라기도 하고 무서워하기도 하면서 방어기제를 만들기도 하고 적극적인 호기심으로 가까이 하기도 합니다.

그런 일련의 행동의 반복으로 사람은 성장하거나 도태됩니다. 특히 우리 우울증을 갖고 있는 사람들은 성장보다는 도태에 가까울 수 있죠. 우리가 게을러서 남들과 달라서 도태 되는 것은 아닙니다. 도태라는 표현이 과격하게 느낄 수도 있겠습니다만 이를 벗어나기 위해서는 우리는 우리의 상태를 자각해야 합니다.

사람이라고 늘 성장해야하는 것은 아니지만 삶의 즐거움을 위해서는 도태보다는 성장이나 성취감을 느끼는 것이 훨씬 유익합니다. 그렇기에 우리의 우울증은 우리가 살아가는데 있어서 그렇게 반가운 증상은 아닙니다.

그렇다고 아예 도움이 안 되는 것은 아니에요. 누군가는 이 우울증을 발판삼아 새로운 변화를 기대하기도 하죠. 예를 들어 저처럼 이랄까요?! (죄송합니다. 지나친 자기애가...)

아무튼 우리는 변해야합니다. 우울이라는 반복된 감정, 습관화된 느낌에서 새로운 기분을 받아 들일 수 있도록 말이죠. 제가 이 책을 쓰고 유튜브 채널에 마음과 감정에 대해 얘기를 하는 것 역시 제 나름대로의 변화가 필요하다는 인식에서 시작했습니다.

현재는 2018년을 4일 정도 앞둔 12월 27일이에요. 올해를 돌아보면 제 자신에게 더 잘 알게 된 해였고 꾸준히 변화를 모색했던 해였습니다. 지난 30년 중 제일 생기 넘치는 해라고 할까요? 버라이어티한 변화가 일어나거나 제 자신이 한 번에 바뀐 그런 일이 일어난 것은 아닙니다.

다만 최고라고 자부 할 수 있는 것은 제 자신이 '변할 수 있다.' 라는 가능성과 성취감을 맛 보았기 때문이죠. 찰리채플린의 '인생은 가까이서 보면 비극이고 멀리서보면 희극이다' 라는 말처럼 제 하루는 습관이라는 거대한 녀석과 싸워 이겨내려는 투쟁의 연속으로 비극이지만 그 비극이 반복된 현재의 제 모습은 괜히 뿌듯해져 웃음 먼저 나오는 희극처럼 느껴집니다.

과정에 있어서는 인내와 의지력이 필요했지만 그 또한 지나고 보니 다 성장의 원동력이 되었던 것이죠. 그렇게 제 정신은 굳건해졌고 신체적 능력도 어느 해보다 건강할 수가 있다고 자부하게 되었습니다.

그렇다면 저에게 뭐가 어떻게 무슨 일이 있었길래 제가 이러는지에 대해 궁금해 하실 꺼에요. 글을 쓰는 제 자신도 궁금하군요.

비결이라 하면 바로 작게 쪼개기였습니다. 감정의 지배를 받고 습관의 지배를 받아 무의식으로 인한 선택 때문에 그동안 저는 우울증이 생겼고 이 우울증은 저에게 두려움을 안겨다 줬습니다.

첫줄에 쓴 거대함에 느끼는 그런 두려움과 같은 것이었죠. 이 두려움을 바라보니 거대한 감정의 뿌리로 우울증이 있음을 알게 되었고 우울증에 대한 감정을 쪼개기 시작했습니다. 정확히는 우울을 일으키는 감정의 습관을 작게 만들었습니다.

많은 분들께서 습관을 바꿀 때 제일 먼저 하는 것처럼 저도 To Do 리스트를 만들었습니다. 대부분이 XX하지 않기, XX가 가지 않기 등 금욕과 절제를 필요로 하는 내용으로 리스트를 채워나갔었습니다. 하지만 이 리스트는 무의식의 습관에서 벗어나는데 실패했습니다.

'XX를 하지 않기' 라고 쓰다 보니 우울증이 있는 제 의지는 오히려 반감을 사게 되었고 그 반감으로 스트레스를 받아 결국 To Do리스트를 실행하지 못했습니다. 그렇게 고민하다 저는 'XX 하지 않기' 에서 'YY 하기' 로 바꿨습니다. 문체를 긍정적인 것으로 바꾼 것이죠.

예를 들자면 '콜라사이다(설탕이든 탄산음료) 먹지 않기' 에서 '(설탕이 없는)과일향 나는 탄산수 마시기' 이런 식으로 바꾼 것이죠. 역시 효과가 있었습니다. 제 몸에 거절 대신 허락의 명령어를 입력하여 서서히 받아들이게 했습니다.

제 궁극적인 목표는 체지방을 컷트 하고 근육질의 몸매를 갖는 것이기에 식습관에 맞는 운동도 필요했습니다. 이때도 '누워있지 않기' , '앉아있지 않기' , 대신 '걸어 다니기' , '버스에서 서서가기' 로 바꿨습니다. 거기에 '턱걸이 하기' , '푸시업 하기' , '컬 운동하기' 등 '~~하기' 로 바꿔 서 리스트를 새로 작성했죠.

이 방법도 처음 며칠은 제대로 했지만 작심삼일이라는 말이 딱 맞아 떨어져 3일후 포기했습니다. 원인이 뭔가 또 고민했고 저는 습관을 바꾸기 싫어하는 제 무의식의 반응을 보게 되었습니다. 그 무의식속에 뭐가 있어서 그런지 생각해보니 운동자체는 땀이 나야하고 근육통이 있어야하고 의지가 있어 한다는 압박감이 있었습니다.

이러한 자각은 저에게 바로 해결책을 가져다줬습니다. '~~하기' 라는 리스트에서 하지 않은 날에 대한 죄책감까지 없애

준 해결책이었죠. 이번에는 개수나 행위에 있어서 최소한의 목표를 두었습니다. 운동종류도 세 가지, 네 가지에서 팔굽혀펴기 하나로 줄였죠. 딱 하나 만요.

이 작은 목표는 컨디션에 따라 큰 결과를 가져다 줬습니다. 한 가지가 부족하다 싶으면 저는 다음 운동으로 이어갔고 그렇지 않은 컨디션이 저조한날엔 팔굽혀펴기만 했습니다. (운동에 대한 이야기는 뒷 챕터에 더욱 자세히 말씀드리겠습니다.) 이 습관은 운이 좋게도 지금까지 계속되고 있습니다.

이 방법을 이용해 저는 우울감을 쫓아내기 위한 습관리스트를 작성했습니다. 독서하기(한 페이지 읽기), 요가하기(요가원에 가기), 일기쓰기(펜을 들고 날짜만 쓰기), 명상하기(눈을 감고 호흡하기) 이런 식으로 습관의 거대함에서 느낀 두려움을 변화를 위해 잘게 쪼갰습니다.

이렇게 작게 쪼갠 제 행동은 긍정적인 마음과 깊은 집중력을 가져다 줬으며 앞서 말씀드린 성장과 성취감을 느낄 수 있었습니다.

돈으로 따지자면 어마어마한 액수의 행동이 아닐까 생각이 듭니다. 결국 우울감으로 인해 제 자신을 바꾸고 싶다는 변화의 목적이 실제로 제 자신을 바꾸는데 도움을 줬습니다.

그제서야 우울증에 대한 진짜 존경심이 들었습니다. 단순히 마음이 힘들고 부정적이기만 한 그런 느낌이 아니라 어쩌면 변화를 위한 스위치를 켜야 할 신호 일수도 있다는 것으로요.

우리는 무엇보다도 세상에서 그 어떤 큰 것보다 더 큰 자신의 모습을 갖고 있습니다. 이 거대한 것을 이겨내기 위해서는 천리 길도 한 걸음부터 라는 말처럼 쪼개고 쪼개 더 작게 만든 후 자기 자신을 이겨내야만 합니다.

우울증으로 인해 무기력해지셨을 겁니다. 어쩌면 그 또한 자신이 느낀 거대함에 의해 몸이 굳어버린 것 일 수 있으니, 아주 조금씩 쪼개어 한 걸음 한 걸음 새로운 방향으로 나아가시길 바랍니다. 새로운 방향에서 더 좋은 일이 생길 꺼에요!!

• 할 수 있는 일 집중하기

걱정과 불안, 고민은 어디서 오는지에 대해 생각해보셨나요? 자신의 감정이 왜 그렇게 일어나는지, 무엇이 그렇게 우울하고 불안하게 만드는 지에 대해서요. 우울증을 갖고 있던 20대를 지나 인생이라는 것을 30년 살아보고 생각해본 결과, 주로 과거에 대한 후회나 미래에 대한 불안 때문이었습니다. 주로 제 자신이 통제 할 수 없는 것들이었죠.

그래서 저는 통제 해 나갈 수 있는 것이 무엇인지 생각했어요. 그것은 바로 자기 자신밖에 없다고 생각이 들었죠. 그 외에 자신이 누군가 혹은 무언가 통제할 수 있다고 생각하는 것은 어쩌면 커다란 착각입니다.

인생이라는 것은 변수의 연속이며 이 변수에 어떻게 반응하느냐는 온전히 자기 자신의 문제입니다. 그러나 우리는 상황을, 환경을 통제하고자합니다.

남자친구 혹은 여자 친구가 내 뜻대로 따라 와 줬으면 하고, 아들딸이 부모님 말을 들었으면 좋겠고, 선생님은 제자가 말하는 대로 움직여주길 바랍니다. 이 것뿐일까요? 기도를 하거나 원하는 것을 바랄 때도 '그렇게 되야 한다'는 생각으로 모든 것을 통제하고자 합니다.

그러한 통제에 대한 기대감은 그대로 되지 않았을 때 실망감으로 다가오고 그 실망이 반복되면 내 뜻대로 되는 게 없다며 재도전의 의지마저 꺾어버립니다.

저는 이렇게 통제하지 못하는 것들로 늘 스트레스를 받았습니다. 대학교 입시에 원하는 4년제 대학에 떨어졌을 때, 나름 성적관리도 잘하고 교장추천까지 받았는데 왜 안 되는지 실망했으며 그동안 내 노력이 부족 했나 자책하기도 하고 그 학교가 사람볼 줄 모른다며 비난을 했습니다.

호감이 있는 이성 친구에게도 그 친구가 나를 좋아하면 좋겠다는 통제할 수 없는 그 친구의 마음에 대해 기대했다가 실망을 맛봤으며 디지털 싱글 앨범이 많은 사람들에게 사랑을 받아 인기를 얻기를 원했습니다.

또 각종 오디션 프로그램이나 새로운 곳에 지원했을 때 도 그 상황을 통제할 수 있다 생각했습니다. 그 기대감은 결국 상처와 자존감하락, 우울증으로 다가왔죠.

떨어진 것에 대해서는 이유가 있을 수도, 없을 수도 있습니다. 하지만 저는 그 이유에 집착했고 집착은 불안과 후회만을 가져다줬습니다.

즉, 통제할 수 없는 과거와 미래에 대한 생각으로 시간을 허비한 것이었죠. 지금의 생각과 깨달음으로 그 시절로 돌아간다면 저는 지나간 일과 오지 않을 일에 대한 생각보다 지금 해야 할 일을 묵묵히 해 나갔을 겁니다. 결과가 어떻든 간에요!

노래가 좋고 작사, 작곡 그자체가 좋았어야 했는데 저는 그것들이 가져다주는 달콤한 결과와 미래의 헛된 바람만을 생각하고 불나방처럼 뛰어들었으니 불타버리지 않을 수 없었던 것입니다. 그런 세상의 이치를 깨닫고 나서 저는 다시 느꼈습니다.

내가 할 일을 열심히 하고 결과는 하늘에 맡기기로요. 이 책을 쓰는 이유도 그렇습니다. 에세이 작가가 되고 싶었고, 우울증 극복에 대해 사람들에게 의미를 전달하려면 어떻게 해야할까하는 생각에 그 결론은 매일 글을 쓰고 내 경험과 지식을 녹여나야겠다고 다짐했습니다.

이 책으로 인해 인기 작가가 되거나 책이 팔리는 것을 원하기보다 제가 매일 글을 쓰고 사람에 대해 생각하는 것에 집중하고 있습니다. 매일매일 똑같은 일상이 반복되고 있죠.

이렇게 쓰기에 집착하다보니 전에는 느끼지 못했던 영감이 여기저기 마구 솟아납니다. 드디어 제가 통제할 수 있는 것에 집중하게 된 것이죠. 아마 과거의 저였다면 이 책을 쓰면 베스트셀러가 되길 바라거나 책으로 출간되지 않을 것과 돈을 벌지 못하는 것을 고민하다가 펜을 잡고 글을 쓰기보다 걱정과 불안에 미쳐갔을지도 모릅니다.

그렇기에 우리는 늘 생각해야 합니다. 모든 것을 통제 할 수는 없지만 모든 것을 대하는 내 자신은 통제할 수 있다는 것을요.

할 수 있는 것, 해야 하는 것에 집중해봅시다. 저처럼 작가가 되기 위해 매일 글을 쓰는 것도 좋고 집안이 어지럽다면 청소를 하고 정리정돈을 해 봅시다.

내가 하는 이 운동이 누군가에게 동경의 대상이 될 것이라는 생각대신 지금 당장 팔굽혀펴기를 하고 바깥으로 나가 조깅을 해보아요.

이런 행위에 대한 결과는 일단 미뤄두고 지금 할 수 있는 일과 해야 하는 일을 함으로써 괜한 기대로 실망하기보다 정말 자신이 매일매일 해나 갈수 있는 힘을 갖고 있음을 느끼며 불안과 걱정에서 벗어나길 바랍니다.

결과가 어떻든 간에 지금 여기 현재를 느끼며 목표와 결과주의가 아닌 과정주의로 보다 인생을 즐기다 보면 걱정과 불안에서 탈출 할 수 있으며 부가적으로 부와 명예가 따라 올 수도 있을 꺼에요.

더 이상 통제할 수 없는 것에 대해 초조해 하거나 자책하지 마시고 오롯이 자신이 해야 할 일, 자신이 가야할 길만 생각하며 앞으로 나아가시길 바랍니다. 자신을 통제 할수록 통제 할 수 없는 것들은 알아서 정리 될 꺼에요!

• 영상일기 남기기

공상과학 영화, 특히 우주로 떠난 우주인들의 이야기를 그려낸 영화에는 유독 혼자 카메라를 보며 기록을 남기는 장면이 나옵니다. 새로운 행성에서는 무얼 했으며 어떤 효과가 있었는지, 현재 자신의 감정 상태는 어땠는지에 대해 영상으로 기록합니다.

그들은 왜 그런 영상을 남겼을까요? 아마도 그 기록으로 인해 지구인들에게 전달되고 그 영상은 역사의 한 획을 긋는 무엇인가가 되었겠죠. 기록이라는 것이 대부분 그러니까요. 우리가 일기를 쓰는 이유도 지나간 것에 대한 기록을 남기기 위함이죠.

영화에서 남기는 영상은 우리가 제 3자로 주인공을 관찰 할 수가 있습니다. 제 3자로 관찰한다는 것은 오롯이 그 영상 속 주인공을 객관적으로 바라볼 수 가 있는 것이죠. 이번 장은 이를 이용해 우리 자신을 제 3자의 입장으로 자신을 바라보는 것입니다.

우주인이 미지의 땅을 탐사하며 기존의 것과 다른 것을 느끼고 관찰하듯 우리는 그간 우리가 가지지 못했던 우울이라는 미지의 감정에 대해 새로 느끼고 파악 해 보자는 것이죠.

지금으로부터 약 5년 전 저는 처음으로 영상일기를 남겨봤습니다. 감정에 쌓인 배설물 때문에 뭔가를 털어내듯 영상일기에 채워 넣었죠. 우리가 지금 시대에 살고 있음에 너무 감사했습니다. 영상촬영을 할 수 있는 카메라의 휴대와 보편성으로 언제 어디서든 우리의 생각과 표정을 남길 수가 있으니까요.

저는 카메라 시점을 셀카 시점으로 바꾸고 삼각대에 휴대폰을 설치해 제안의 슬픔에 대해 친구에게 얘기하듯 털어놨습니다. 성격상 저는 제 자신에게 조차 제 심정을 털어놓을 수 없어서 너무 힘들었습니다. 무슨 이야기를 먼저 해야 할 지 생각이 나지 않았거든요.

그냥 제가 왜 힘든지, 왜 슬픈지 앞에 친구가 있다고 가정하고 이야기를 했습니다. 안녕이라는 쑥스러운 인사부터 증오하는 마음과 걱정에서 오는 혼돈스러움, 때론 욕설까지 촬영했습니다.

한창을 쏟아냈어요. 처음에 어색한 그 느낌은 어디로 갔는지 점점 카메라와 친구가 된 듯 제 이야기를 털어놨죠. 한 10분정도 촬영을 한 것 같았습니다. 촬영을 마치고 녹화된 시간을 보니 30분이 훌쩍 넘었더군요. 제 이야기에 저도 모르게 제 감정을 휴대폰에 맡겨, 시간가는 줄 몰랐었어요.

그리고 녹화한 영상을 바로 보려 했으나 다시 보기가 힘들었습니다. 일단 저장된 채로 두고 휴대폰을 방치해뒀습니다. 자고 일어나서 이 영상을 다시 봤습니다. 감성적이었던 그 시점과 일어난 오전, 이성과 감성을 앞선 시점에 그 영상을 보니 온 몸이 오그라드는 창피함과 부끄러움이 밀려왔습니다.

'내가 왜 그랬지?' 하면서요. 그래도 끝까지 시청해보자는 마음으로 촬영한 영상을 모두 봤습니다. 보는 내내 가슴 먹먹함과 새로운 해결책이 떠올랐습니다. 실제로는 문제가 아닌 일에 대한 제 감정과 사람에 대한 배신감과 의심이 이야기의 주를 이뤘죠.

영상을 보며 느낀 우울증에서의 문제는 사람에 의한 것들이었습니다. 사람에 의해 상처받았고 사람들로 인해 늘 예민해져 있었습니다. 신경과민이었죠. 물론 이런 식으로의 자기 처방은 위험하기도 합니다만 온전히 제 문제에 직면할 수 있는 것에 대해 저는 효과가 있었다고 생각합니다.

이 우울과 슬픔에 대한 영상을 촬영하고자 마음먹은 것은 당시 유튜브가 유행하기 시작할 때쯤 미국의 한 우울증 여성이 자신의 상황과 처지에 대해 솔직하게 털어놓으면서 많은 사람들의 응원을 받고 치유됐다는 이야기를 보고나서 저도 해보기로 한 것이었죠.

저는 그 영상을 누군가에게 보여주고 싶지는 않았어요. 그냥 그 우울증 여성처럼 내 감정을 솔직하게 털어보고 싶다는 생각이 휴대폰 카메라를 켰고 삼각대에 올려 제 모습을 촬영한 것이었죠.

이런 영상촬영은 여러 효과가 있었습니다. 첫 번째, 제 감정을 솔직하게 털어놓음으로써 감정의 배설이 가능했습니다. 앞에 공감해주는 사람이 없어 사람에게 말하는 것만큼 효과적이라고 할 수는 없지만 혼자 사는 사람들이 많은 현재 시대에는 앞에 공감해주는 사람 없이도 뱉어낼 수 있는 좋은 장점이 있었습니다.

두 번째는 제 문제에 대한 해결책과 원인을 파악 할 수가 있었습니다. 우리는 우리의 모습을 생각할 때 주관적일 수밖에 없습니다. 자신을 판단할 때 오류가 심할 수밖에 없다는 것이죠.

그러나 촬영으로 자신의 이야기를 털어놓으면 제 3자의 시선으로 조금 더 객관적인 평가가 가능해집니다. 마치 TV프로그램의 연예인을 보고 손가락질을 하는 것처럼 자신의 문제가 보이게 되죠.

우리가 가십거리로 다루는 연예인에 대한 평가는 직접보고 내린 결론보다 TV로 보이는 그들의 행동과 말투, 표정을 보며 파악합니다.

그렇게 우리 자신을 연예인처럼 파악하는 것입니다. 처음은 저처럼 부끄러움과 창피함이 느껴집니다. 하지만 그 영상이 누군가와 함께 보거나 공유하는 것이 아니라 혼자 보고 간직하는 것이기에 잠깐의 부끄러움대신 자신의 문제를 해결하고자 하는 적극적인 자세로 받아들여야 합니다.

세 번째는 자존감과 공감능력을 높혀 줍니다. 영상을 보면 생각보다 별거 아닌 것에 슬퍼해하는 경우가 보일 거예요. 즉 주관적일 때에는 정말 크게 느껴졌던 일이 객관적으로 제 3자의 입장으로 보다보면 별거 아닌 일에 슬퍼 하는게 보이거든요.

덕분에 의외로 해결하는 방법이 쉽게 나오기도 합니다. 자신의 우울증에서 벗어날 수 있는 용기와 자신감이 생길 수 있죠. 누군가에게 조언을 듣는 것처럼 자신의 문제를 해결할 힘이 생겨 우울증에 관한 원인보다 해결점에 집중함으로써 우리가 겪고 있는 우울한 감정에서 시선을 돌릴 수 있습니다.

이렇게 문제를 해결하고 나면 자신을 사랑하는 자기애와 자존감이 올라가는 효과가 생깁니다, 잠깐의 오그라드는 현상만 받아들이고 나면 오히려 이 영상 촬영이 재미있어질 수도 있습니다.

아니면 제가 영감을 받았던 미국의 우울증 여성처럼 당당하게 상처 입은 마음에 대해 공개해도 좋습니다. 공개를 하는 것도 엄청난 용기가 필요한 일이니까요. 단, 악플을 받을 수도 있으니 공개하는 것에 대해서는 신중하시기 바랍니다.

이 행위가 취미가 되어 굳이 펜을 들어 쓰는 일기처럼 감정을 남기지 않고, 꾸준히 영상으로 남겨보는 것도 좋다고 생각합니다. 매체의 발달로 인해 우리는 우리의 일들을 남길 수 있는 것들이 많이 생겼으니까요.

처음 말씀드린 바와 같이 우리는 우리 각자의 역사를 쓰고 있는 중이며, 지금은 그 역사 중에 슬픔 역사 속에 들어와 있는 것입니다. 역사라는 것은 경이롭고 행복한 것들만 있는 것이 아닙니다.

때론 아프고 슬픈 역사가 존재하며 그 슬픈 역사조차도 자신의 역사입니다. 그렇기에 자기 자신의 모습을 촬영하여 온전히 받아들이는 것을 해보시기 바랍니다.

어떠한 행위건 간에 우리는 우리의 마음을 돌보고 때로는 고쳐나갈 힘을 가져야합니다. 그런 점에서 자가진단과 치료를 할 수 있는 자신의 감정을 담은 촬영을 해보는 것은 어떨까요? 새로운 경험이 되어 우울에서 벗어 날 수도 있을 꺼에요!

5. 이상하지만 효과 있는 레시피

• 왼손으로 글씨쓰기

저는 사람이란 원래 태어났을 때부터 오른손잡이로 태어나는 줄 알았습니다. 초등학교를 다니면서 왼손을 쓰는 친구를 보고 깜짝 놀랐었어요. 아니, 오히려 이해 안 된다며 그 친구를 이상한 놈으로 바라봤던 기억이 나네요.

그 후로 몇몇 왼손을 쓰는 친구들과 만나다보니 왼손잡이에 대한 수용성이 생겼고 시간이 지나자 그들을 이해 할 수 있었습니다. 그렇게 성인이 되었고 이후에는 왼손, 오른손 어떤 손잡이건 크게 신경 쓰지 않게 되었습니다. 오른손이 편한 저는 그냥 오른손에 익숙해하며 별 불편함을 느끼지 못했죠.

그러던 제가 우울증상이 살짝 나타났던 날, 갑자기 감자요리가 먹고 싶어 채칼에 감자를 눌러 썰었습니다. 한 장, 또 한 장 채칼에 감자를 썰다가 오른손 엄지손가락 끝에서 차가운 느낌이 나더니 피가 뚝뚝 떨어졌습니다. 채칼에 쓰는 보호구를 무시한 채 감자를 쥐고 있던 오른 손 엄지손가락까지 채칼에 넣어 버렸던 것이었죠.

살점이 뜯겨나간다는 표현의 경험을 그날 하게 되었습니다. 피가 멈추지 않았고 쓰라림이 길어졌습니다. 저는 흐르는 피를 멎게 하고자 오른 엄지손가락에 수건을 싸매고 병원으로 갔죠.

진료실에 도착했을 때에는 오른손에 싸맨 수건이 빨갛게 물들었고 병원에서는 응급환자라며 바로 마취를 하고 상처부위를 봉합했습니다. 피를 많이 흘리긴 했지만 손가락의 베인 상처 외에는 다른 증상이 없었죠. 다행이었어요.

그러나 봉합한 상처부위가 붙으려면 최소 2주간은 손가락을 쓰면 안 된다고 하더군요. 저는 잊고 있었던 왼손을 써야하는 시간이 된 것입니다. 고작 손가락이 깊게 베인 것 뿐 이었는데 저는 정신이 쇠약한 상태라 마치 손을 잃은 사람처럼 느껴졌습니다.

실제 손을 잃는다면 이런 절망이 오겠구나 하면서요. 뜻하지 않게 손가락에 붕대를 감아보니 모든 것이 어색했습니다.

전형적인 오른손잡이인 제가 밥을 먹을 때 젓가락질을 못하게 되었고, 사인을 할 때 펜을 잡지 못했습니다. 어색함의 연속이었어요. 하는 수 없이 오른손이 하는 일을 왼손으로 처리하기 시작했습니다.

너무나도 익숙했던 일들이 낯섦으로 다가왔던 순간이었습니다. 왼손생활에 익숙해져야 했습니다. 왼손으로 밥을 먹고 왼손으로 펜을 들고 대변을 보고 엉덩이를 닦는 일까지 왼손으로 처리했죠.

어쩔 수 없이 시작한 왼손잡이의 생활은 그간 제가 얼마나 오른손에 의지하고 있었는지를 알게 되었습니다. 오른손에 너무 익숙해져있었던 탓에 제가 손을 어떻게 써야하는지 까먹고 있었던 것이었죠.

예전에 왼손을 쓰면 뇌가 똑똑해진다는 기사를 본 기억이 있어 이참에 "좀 똑똑해지지 뭐" 라고 생각하며 왼손을 길들이기 시작했습니다.

당시 저는 우울증이 그리 심한 상태는 아니었지만 우울감과 조증이 반복되는 시점이었습니다. 오묘한 감정 상태에서 애매함만이 제 마음속을 지배하고 있었죠.

이런 마음상태에 저는 왼손사용이라는 낯설음을 입력시켜야 했고 이 낯선 느낌은 제 마음이 우울해질 시간 없이 바빠지게 되었습니다.

마치 어린아이가 도구 사용을 배우는 단계 처럼요. 생각 없이 일어난 일들에 대해 다시 배워야 했고 집중력과 사고력이 필요했습니다. 그동안 오른손으로 해왔던 일들이 이런 낯선 연습을 수 천번 해왔던 결과물(?)임을 다시 한 번 깨닫게 되었습니다.

숟가락을 잡는 것도 어색했습니다. 나름 라면을 먹을 때 왼손에 손가락을 쥐고 오른손으로 라면을 먹었던 기억에 숟가락을 쉬울 줄 알았거든요. 숟가락으로 고작 씨리얼을 먹는데도 먹고 싶은 양을 조절하기가 어려웠습니다.

조금 먹다가 열 받아서 (손가락은 왜 다쳐가지고 이런 고생하는지 억울함에) 숟가락을 던져버리고 싶었습니다. 그런다고 문제가 해결되는 것이 아님을 알기에 평소보다 오랜 시간에 걸쳐 식사를 겨우 해냈습니다. 젓가락질 없이 우유에 말아먹는 시리얼이었지만 저에게는 낯설고 신선한 경험이었습니다.

젓가락질도 시도해봤지만 검지와 엄지에 쥐가 날 듯 힘이 들어가 몇 번 하다가 포크로 바꿔먹었습니다. 식사 외에도 사인을 하고 컴퓨터 마우스를 쓰는 등 일상 속에서 오른손이 했던 일들을 왼손이 처리해야했습니다.

왼손이 하는 일을 다시 배우고자 집중하다보니 이상하게도 불안하고 우울했던 마음이 잠시 떠난 듯 느껴졌습니다. 정확히는 왼손에 정신이 팔려있어 '내가 우울했었나?' 하는 생각이 들었던 것이죠.

오른손을 쓸 수 없는 상황 덕에 왼손잡이 생활의 경험을 하게 되었고 왼손잡이 생활로 느낀 그동안 무의식이 처리한 일에 대해 많은 생각이 들었습니다.

익숙함에 속아 소중한 것들을 잃지 말자는 말처럼 익숙한 것들에 대해 다시 경험하고 돌아보는 것이야 말로 지금 내가 갖고 있는 상황과 생각에서 벗어날 수 있는 또 하나의 방법이라 생각이 들었습니다.

이 경험이후 우울감이 느껴지면 저는 왼손에 펜을 들고 현재의 감정을 써내려가 보았습니다. 왼손으로 하는 것이 아직도 어색하고 부자연스러운 덕에 이 방법은 우울감에서 도망치는데 꽤나 효과가 있었습니다.

과학적으로 뇌가 어떻게 처리하는 것인지는 모르겠지만 우울증 극복에 있어서 이상하지만 나름 효과가 있는 방법이었습니다. 이사를 가고 이직을 하는 것은 새로운 환경으로의 이동이었다면 이 방법은 생소한 환경으로 원래의 것을 재설정 하는 방법이라고 정의했습니다.

저의 낯설지만 익숙했던 것에서 잠시 멀어져 했던 이러한 경험처럼 여러분들의 우울도 익숙한 것들에 대한 매너리즘일 가능성이 큽니다. 이럴 때 에는 낯설다고 생각하는 것을 고의적으로 설정해 보시고 그 어색함속으로 직접 들어가 보세요. 분명 어렵겠지만 이러한 경험과 계기는 우울이라는 감정을 가진 여러분에게 새로운 경험이 될 것입니다.

• 눈감고 지내기

이번 5번째 장은 주로 익숙한 것들에 대한 감사로부터 현재 우울감에서 벗어나고자 함을 이야기 하고자 합니다. 어떻게든 현재의 감정에 휩쓸리지 않고 벗어나려 했던 우울증 투쟁의 처절한 노력입니다. 시기는 우울증이 심해져 부모님 댁으로 내려가 살던 때의 이야기입니다.

한 겨울 여러 가지 일들로 인해 깊은 우울증이 왔던 저는 책을 읽으며 생활을 해나갔습니다. 책을 읽으면 순간적으로 우울증에서 벗어난 느낌이 들었어요. 그렇게 읽던 책 한권에서 하루의 시간동안 눈을 감고 생활을 했던 경험담을 보았습니다. 정확히는 시각장애인의 불편함에 대해 이야기 하고자 했던 작가의 경험담이었죠.

저자는 눈을 가리고 요리도 하고 지하철도 타보면서 시각장애인의 불편함에 대한 경험을 생생하게 전달해줬어요. 제가 왜 그 부분이 유독 인상 깊었는지 모르겠지만 우울한 마음에(충동적인 마음일지도..) 저도 한번 해보기로 했습니다.

저자처럼 24시간을 해보기에는 겁이 나서 집안에서만 6시간을 지내보기로 했습니다. 어머니 아버지께서 출근하시고 혼자 있는 시간에 저는 바로 시행했어요. 아무래도 집에 누군가 있으면 창피하기도 하고 불편함에 도움을 요청할 것만 같아서 비어있는 시간에 은밀히 미션(?)을 수행했습니다.

규칙은 간단했습니다. 집에 있는 6시간동안 밥을 먹고 돌아다니며 어떻게든 시간을 보내기로 한 것이었죠. 차마 밖에 나갈 용기까지는 나지 않아 저는 집에서만 움직였습니다. 단, 눈을 가린다고 해서 낮잠을 청하지는 말자 했습니다.

눈을 감고 그 위로 수면안대로 눈을 가렸습니다. 혹시 모를 불상사를 대비해 안대까지만 꼈어요. 눈을 감고 뜨는 것은 양심에 맡기기로 했죠.

눈을 감고 안대를 쓴 순간 모든 감각들이 예민해짐을 느꼈습니다. 눈에서 느껴지는 시신경 뒤로 집안구조가 머릿속에 떠올랐고 이제 무얼해야 할까 고민 했습니다. 눈을 감기 전 휴대폰 알람으로 6시간 후에 울리도록 설정을 해놨기에 휴대폰이 울리기전에는 절대 안대를 벗지 않기로 다짐했습니다.

시작 후 제 바보 같은 생각은 바로 현실이 되었습니다. 눈을 감고 인대를 꼈다라는 생각을 하지 못한 채 처음에 머리를 감은 것이죠.

물을 트는 순간 젖어버릴 안대에 대한 고민이 떠올랐습니다. 지금 안대가 젖어버리면 미션을 수행하는 6시간 내내 축축 해질 텐데 어떻게 감아야할지 난감했어요. 바로 포기 하고 싶어졌습니다. 그러나 저는 이상하게도 이런 도전에는 괜한 오기를 부리는 고집이 있기에 그럼에도 불구하고 꼭 해내야겠다고 다짐했습니다.

욕실에 쪼그려 앉아 엉덩이를 최대한 들고 머리만 감기 신공을 시전 했습니다. 더듬더듬 손가락의 느낌으로 샤워기로 물이 나오게 하였습니다. 그런데, 당시 저희 집 보일러는 온수 버튼을 눌러야만 온수가 나왔기에 온수가 나오지 않았습니다.

눈을 가린 채 쪼그려 앉아 또 고민에 빠졌습니다. '정신이 확 들게 찬물로 머리를 감을까? 아니야 나름 내가 정한 룰이니 가서 온수를 켜고 와야 할까?'

저는 룰을 지키기로 했습니다. 더듬더듬 이동했습니다. 혹시 욕실에서 미끄러질 수도 있으니 아주 살살 움직였어요. 생각으론 바로 갈수 있을 줄 알았어요. 이미 집 구조는 제 머릿속에 익숙해져있었으니까요.

그런데 내가 생각했던 구조와는 다른 집으로 느껴졌습니다. 분명 이정도 발을 내딛고 손을 뻗으면 문지방을 넘어야 하는데 문지방이나 문틀은커녕 휘젓는 팔의 레이더에는 아무것도 잡히지 않았습니다.

카메라를 달아놨으면 배꼽 빠지는 진풍경을 볼 수가 있었을 겁니다. 과감히 움직이고 싶었지만 혹시나 정강이가 부딪힐까 바닥에 있는 무언가를 밟을까봐 소극적인 움직임으로 안방까지 겨우 들어가 더듬더듬 온수버튼을 눌렀습니다.

그런데 또 문제가 생겼습니다. 보일러 버튼이 몇 개 있는데 제가 과연 그 기억대로 온수버튼을 잘 눌렀는지 확인할 방법이 없었던 것이죠. 확인하기 위해서는 온수버튼위에 불이 들어왔는지를 봐야하는데 저는 그러지 못하는 상황이었으니까요.

결국 다시 욕실로 돌아가 물을 틀어보는 수밖에 없었습니다. 물에 안대가 젖지 않을 방법만 생각했지 온수의 유무에 대해서는 상상도 못했기에 왜 사서 고생하나 싶은 원망이 밀려들어왔습니다.

그래도 다시 심호흡을 하고 욕실에 쭈그려 앉아 샤워기를 틀었어요. 제발 온수가 나오길 빌면서요. 온수가 나오는데 시간이 걸리기에 한참을 샤워기 물을 틀고 기다렸습니다. 다행히 얼마 되지 않아 온수가 나왔고 그 온수의 느낌을 손가락 끝으로 느꼈을 때 '예스' 라며 소리를 질렀습니다.

고작(?) 눈을 가렸을 뿐인데 온수 나오는 것에 큰 기쁨을 느끼게 된 것이었죠. 일상의 모든 것들이 이와 같이 미션의 연속이 되었습니다. 게임이라고 하면 검은 화면에 캐릭터 하나뿐이고 그 어둠속에서 무언가를 찾고 수행해나가는 퀘스트의 연속이라 할까요?

그 이후 계속되는 미션에 대해서 눈의 중요성을 느낄 수밖에 없었습니다. '고작(?) 눈이 안 보인다' 라는 표현은 시건방진 표현임을 알게 되었죠. 시각으로 느끼는 것들은 일상에서 대부분을 차지하는 것을 알게 되었습니다.

앞서 말한 온수 등을 보는 것부터 TV시청, 스마트폰, 관리, 머리 손질, 장애물을 인식하는 것 등 시각이라는 감각이 마비되었을 때에는 오른 손을 쓰지 못하는 어색함과는 차원이 달랐습니다. 조금 오버해서 말하면 삶이 끝났다고 느낄 만큼의 좌절감이 들었습니다.

그만큼 시각에 의존성이 강했던 것인지 시각이 차단된 순간 촉감, 후각, 청각이 섬세해지고 예민해졌습니다.

머리감기를 시작으로 엄마가 해놓은 밥을 차려먹고(설거지는 차마 하지 못했습니다.) TV를 틀고(TV는 소리만 들었어요. 공영방송 채널 고정) 소파에 앉았습니다.

일련의 과정을 역시 머리감기 하듯 더듬더듬 하나씩 어렵게 수행해나갔습니다. 조금 시간이 더 걸릴 뿐 차츰 어둠에 익숙해졌죠. 무엇보다도 답답한 것은 지금 시간이 어떻게 되었는지 확인할 길이 없다는 것 이었습니다

대략적인 시간과 남은 시간이라도 알면 기다리는데 도움이 되었을 텐데 시간을 알지 못하니 굉장히 답답했어요. 저는 시간에 집착할수록 안대를 벗고 싶은 충동이 강해짐을 느꼈습니다.

가만히 있으면 더 심심하니 거실 안을 더듬거리며 뱅글뱅글 돌았어요. 이조차 운동이라 생각하면서요. 그리고 다시 소파에 앉아 생각에 빠졌습니다.

'시각을 차단하니 할 것이 없구나.. 시간이 안가네..' 정확히는 보이지 않는 것들에 대한 위험과 두려움 때문에 움직이지 못한 것입니다.

제가 읽었던 책의 저자처럼 밖으로 나가 사람들의 도움을 받으며 이동하거나 시원한 바깥바람을 느끼며 산책을 할 수도 있었어요. 하지만 익숙하지 않은 경험에 저는 겁을 먹어 차마 그렇게까지는 못하고 베란다에서 창문을 열어 환기시키는 것까지만 했습니다.

그렇게 지루함과 시간에 대한 궁금증으로 처음 설정했던 6시간을 다 버티지 못하고 안대를 벗어 눈을 떴습니다. 제일 궁금한 것은 역시 시간이었죠. 나름 밥도 먹었고 머리도 감았으며 TV를 봤는데도 고작 3시간 40분정도 밖에 지나지 않았습니다. 하지만 이 3시간 40분은 제 인생에 있어서 아주 큰 교훈을 알게 해줬습니다.

일상에서 당연하다고 생각되는 것들, 예를 들어 움직이고 먹고 배설하고 보고 듣고 맛보며 냄새를 맡는 모든 것들에 대해 감사 할 수 있었습니다. 특히 사람이 살아가면서 시각에 의존하는 것들이 정말 많음을 알 수가 있었죠. 정신이 확 들었습니다.

이러한 경험과 지금의 제 건강에 대한 관심이 더해져 무엇보다 내가 갖고 있는 것에 대한 감사함과 경외감을 느끼게 되었습니다.

또한 결핍은 채움에 있어서 소중한 스승이 되어 가르침을 받을 수 있겠구나 하는 생각이 들었습니다. 사리분별 못했던 우울증이 가져온 충동적인 행동이었지만 이 철없어 보일수도 있는 행동 덕에 저는 행복감과 감사를 느낄 수가 있었던 것이었죠.

우리는 지금 우리가 무엇을 갖고 있는지, 어떤 것 덕분에 현재를 누리고 있는 것인지 수 알수 없을 수 있습니다. 우울증에 걸리는 이유도 갖고 있는 무엇에 대한 감사 보다 부족하다고만 생각하여 끊임없이 채우려는 욕심에 생기는 경우가 많습니다.

이럴 때는 저처럼 눈을 가려보기도 하고 귀를 막아보시기도 하고 현재 자신의 건강한 신체에 제한을 걸어 건강한 몸을 갖고 있다는 것에 다시 한 번 감사를 느껴보시며 우울증에서 벗어나 기 바랍니다.

• 옆으로 걷기

직립 보행을 하는 우리 인간은 앞을 보며 걷습니다. 앞에 특별한 장애물이 있지 않는 이상 앞으로만 갑니다. 이번에는 제가 겪었던 걸음에 대하여 한번 이야기 해보고자 해요.

앞서 말씀드린 산책하기와 걷기, 등산하기와 비슷한 맥락입니다. 하지만 이상하지만 효과 있는 방법인 만큼 앞을 보며 걷는 것이 아니라 옆으로 걷기에 대한 이야기를 하겠습니다.

처음 제가 옆으로 걸었던 것은 앞에 썼던 등산을 할 때였습니다. 우연히 얇게 나눠진 두 갈래 길에서 저는 옆으로 등산로를 걸어야 했죠. 정확히는 사선으로 이동했어요. 등산을 하다보면 자주 있는 경험일 것입니다. 바위나 나무 같은 장애물이 많이 있으니까요. 등산에서의 이 우연한 경험은 제가 우울증에서 벗어나고자 했던 이상한 경험으로 연결했습니다.

우울증이 거의 극복 될 때 즈음 저는 기존 사람들과는 다르게 하자는 이상한 생활신조가 있었습니다. 꼭 지키지 않아도 되는 그런 신조였죠. 이 신조에 따라 저는 앞이 아닌 옆으로 걷기를 시도 했습니다. 마치 갯벌 위를 쏘다니는 게처럼요.

물론 손까지 집게 모양으로 걸어 다니지는 않았습니다. 다리를 옆으로 교체하며 걸어 보면서 한 걸음 한 걸음 내딛어 봤습니다. 옆으로 걷는 것은 그리 집중력이 많이 필요하거나 어려운 일은 아니었습니다. 다만 앞으로 걷는 것보다는 약간 이상하다고나 할까요?

저는 이런 실험에 있어서 누군가에게 말하거나 양해를 구하지 않습니다. 그럴 필요가 없는 혼자 있는 시간에 시도를 하죠. 하루는 우리 집 강아지 다롱이와 산책을 나갔습니다. 운이 좋게도 당시 집 앞에는 적당한 동산이 있었고 오르는 동안 누구의 눈치를 보지 않고도 옆으로 걸을 수 있었죠. 이 기간에 저는 참 우울증에서 벗어나려고 많은 노력을 기울였던 것 같습니다. 이런 이상한 것을 하면서요.

아무튼 한 손에는 다롱이 산책 끈을 손목에 매고 집 현관부터 옆으로 걷기를 시작했습니다. 현관문을 열고 나가는 건 별 의식 없이 시도 했는데 계단을 내려가니 상당한 어색함과 마주했습니다. 보통 앞으로 걷는다면 무릎의 접힘에 따라 계단을 오르거나 내려갈 수 있는데 옆으로 걸을 때는 벽을 짚거나 계단에 있는 봉을 잡지 않으면 이동하기가 쉽지 않았어요.

그래도 꾸역꾸역 2층에서 1층으로 내려갔습니다. 우리집이 2층인 것이 참 다행이라 생각했죠. 1층에 내려 와보니 다롱이가 신나서 얼른 산책하자며 저를 당기기 시작했습니다. 옆으로 걷기를 시작하자마자 생각외의 복병이 나를 방해한 것이죠. 저는 손에 힘을 잔뜩 쥐고 한 걸음 한 걸음 옆으로 걸었습니다. 누가 보면 저사람 왜 저러나 할 정도로 철저하게 옆으로 걸었어요.

작은 2차선 왕복도로를 지나 동산 입구에 도착했습니다. 올라가려 하니 또 계단의 불편함이 눈앞에 그려졌습니다. '여기까지면 됐지 뭐' 하고 서둘러 실험을 포기하려했습니다만, 막상 그리 높은 동산도 아니고 가파르지 않아 부담되지 않은 곳이었기에 저는 그냥 계획대로 옆으로 동산 오르기를 시작했습니다.

그런데, 의외로 아파트에서의 계단 오르기 보다는 쉬웠습니다. 발을 어디에 내딛어도 상관 없고 정확히는 계단의 경사보다 낮기 때문에 그런 것 같았습니다. 다롱이의 영역표시를 위해 산길 중앙이 아닌 갓길로 올랐어요. 한 걸음, 한 걸음.. 앞으로 다닐 때에는 앞,뒷꿈치가 움직였는데 이번은 양옆의 발날과 안쪽 발 꿈에 힘이 들어감을 느꼈습니다.

중심을 잡기 어려워 뒤뚱거리면서요. 동산의 정상에 거의 올라갔을 때에 서서히 재미가 붙었습니다. 이번에도 게임 속 캐릭터가 된 기분이었습니다. 악마, 혹은 마녀의 저주에 걸린 주인공이 어쩔 수 없이 옆으로 걸어 퀘스트를 수행하는 것 같았습니다.

동산의 정상에는 작은 풋살장과 그 둘레에 산책길이 있었습니다. 저는 그곳에 다롱이를 풀어주고 산책로에서 본격적으로 옆으로 걸었습니다. 옆으로 걷는다고 고개를 고정시킨 것은 아니었기에 시야는 위험을 감지하고자 열심히 눈을 굴렸고 제 발걸음은 몸의 감각을 살려 한 걸음 씩 내딛었죠.

지금 그 작용을 설명하자면 다리의 내외전근의 작용에 의한 걸음으로 보통 쓰는 다리 근육 대신 안 쓰는 근육의 기능 향상에 도움이 된다. 라고 말할 수 있겠지만(요가를 배우면서 얻은 해부학적 지식) 당시는 그냥 의미 없이 우울증에서 벗어나고자 했던 의지 때문에 어떤 작용이 일어나는지 신경 쓰지 않고 무작정 옆으로 걸었습니다.

그렇게 산책로를 한 바퀴 정도 돌고 벤치에 앉으니 시원한 바람이 느껴졌어요. 콧구멍으로 마시면 온몸이 정화되는 듯한, 차갑지만 맑은 공기의 맛이 느껴졌죠.

맑은 공기를 마시고 나니 기분도 일시적으로 의욕이 생겼습니다. 산책의 중요성은 알고 있었지만 막상 실행하지 못했고 움직이는 것보다 가만히만 있고 싶었던 저에게 옆으로 걷기라는 새로운 방법으로 밖을 나가 신선한공기와 재미를 느낄 수 있던 것이었습니다.

이 방법은 매너리즘처럼 매일 같은 일로 인해 흥미를 잃어버렸을 때 새로운 영감을 얻는데도 도움이 되었습니다. 지금도 종종 대리운전을 하며 대기를 해야 할 때에는 변화가 주변을 옆으로 걸어보기도 합니다. 다른 사람들에게 피해 주지 않는 선에서요.

뇌는 이럴 때마다 새로운 경험으로 받아들여 자동화되어 있던 시스템에서 벗어나 '긴장해야 해' 라고 신호를 주며, 순간적이지만 의욕적으로 움직이게끔 도와줍니다. 우울함에서 벗어 날 수 있는 상승나선을 탈수 있는 자극제가 되는 것이죠.

우리가 앞으로 걷기까지, 쓰러짐과 일어남의 반복으로 참 많은 시간이 걸렸을 것입니다. 그렇게 자동화 된 앞으로 걷기는 이제 무의식적으로도 가능하게 되었고, 무의식의 반복이 만든 지루함과 우울함은 이렇게 옆으로 걷는 것을 해 봄으로써 새로운 자극과 느낌을 받을 수 있습니다.

대부분의 우울이 자극에 익숙해지거나 할 수 없다는 생각 때문에 일어나는 일인 만큼 우리는 익숙한 것과 반대되는 것을 해보면서 할 수 있다는 생각과 '해보니 재미있네' 라는 생각을 가져야 합니다.

꼭 저처럼 이상한 옆으로 걷기가 아니더라도 걷기라는 것에 새로운 변화를 주어 누가 보면 이상하다고 할만한 짓을 해보며 우울에서 벗어나시기 바랍니다. 그 어떤 것이라도 좋습니다. 행하는 것과 아는 것은 천지 차이인 만큼 행하는 대로 여러분의 기분이 좋아지실 겁니다.

• 악몽엔 복권사기

여러분은 꿈을 자주 꾸시나요? 우리 우울증 환자들은 꿈을 자주 꾸며 꿈이 정말 생생해져 다음날 컨디션과 연결되는 경우가 많습니다. 그만큼 수면의 질이 떨어졌다는 것이죠.

깊은 잠에 들면 보통 꿈은 꾸지만 기억하지 못하는 상태로 숙면을 취합니다. 그러나 신경이 예민하거나 우울한 사람은 얕은 잠을 여러 번 반복하기 때문에 항상 꿈을 꾼다고 생각하게 됩니다. 생각이 정리되고 뇌가 휴식기에 들어가는 수면 단계에는 이제 잠이 들 것이라는 신호 이후 얕은 잠을 지나 깊은 잠에 빠진다고 합니다.

그 주기가 보통 90분이라고 하죠. 수면 과학자들은 90분주기로 잠을 자면 다음날 컨디션이 좋아질 수 있다고 합니다. 하지만 우리 우울증을 겪고 있는 사람들은 얕은 잠에서 깊은 잠으로 넘어가지 못해 중간에 깨는 경우가 많아요.

저는 특히 잠을 자면 아토피 때문에 긁다가 깨기도 하고 워낙 잠자리에 예민한 탓에 중간에 자주 깨었습니다. 그때 기억에 남은 것은 주로 악몽이나 처리되지 않은 꿈의 잔여물이었습니다.

특히 제가 매번 악몽이라고 꿨던 꿈은 남자라면 다 아실만한 재 입대 꿈이거나 헤어졌던 여자 친구와의 재회에서 한 번 더 상처를 받는 꿈을 꾸곤 했습니다. 당시 우울증이 심할 때라 그러한 꿈은 늘 잔상으로 남아 깨어있을 때도 저를 힘들게 만들었습니다. 그렇게 비슷한 악몽을 꾸다 지쳐버린 저는 한 가지 해결책을 떠올렸습니다.

당시 제가 살던 집 근처에는 로또복권 1등, 2등이 자주 나오는 복권 명당이 있었는데, 우연히 아버지 차를 타고 돌아오는 길에 그곳을 발견 하고는 '이거다' 싶어 악몽을 꾸는 날에는 복권을 사기로 했습니다.

저는 그때 무직이었고 수중에 돈도 없어서 부모님으로부터 받은 용돈을 이용해 복권을 샀습니다. 악몽을 이용해 한탕(?)해 보고 싶은 대박을 꿈꾸는 마음도 있었지만 무언가를 간절히 원할수록 목표에서 멀어지는 마음을 이용해보고 싶었습니다.

예를 들어 돼지꿈을 꾸면 복권 1등이 당첨된다는 말에 1등이 되기 위해서 매일 돼지 그림이나 사진을 보면서 돼지꿈을 꾸길 원하겠죠. 하지만 그럴수록 돼지꿈은커녕 꿈을 꿨는지 말았는지 기억조차 나지 않는 경우가 많습니다. 저는 그런 점을 역이용해 악몽을 쫓아내고자 했던 것입니다.

나름 룰을 정했습니다. 한번 살 때 최대5000원, 한주에 2만원이 넘지 않도록요. 첫 주에는 악몽이 자주 꿔져서 15000원어치를 샀습니다. 많은 숫자 중에 당첨된 것은 하나도 없었죠.

그래도 꿈에는 효과가 있었는지 당첨을 열망할수록 악몽과는 멀어졌습니다. 2주~3주차에도 똑같이 꿈을 꾸고 복권을 구입했어요. 3주차쯤 되었을 때 신기하게도 5만원이 당첨되었습니다. 그간 산 복권 값의 본전을 찾은 샘이었죠.

그렇게 당첨된 복권을 바꾸고 나니 이 이상한 방법이 효과가 있구나 싶었습니다. 그래서 거꾸로 저는 당첨을 위해 악몽을 꾸기로 선택했습니다. 자기 전에 전 여자 친구와의 이별을 기억하거나 안 좋은 군생활의 기억을 떠올렸죠.

신기하게도 그럴수록 악몽과는 멀어졌습니다. 이 실험이 한 달쯤 지났을까요? 룰대로 저는 악몽을 꿀 때마다 5천원씩 꾸준히 로또복권을 구입했습니다. 한 달쯤 지났을 때 또 신기하게 5만원이 당첨이 되었죠. 평소에는 5천원짜리 한 번도 당첨 되지 않더니 두 달이 채 되지 않은 사이에 5만원씩 두 번이나 당첨 된 것입니다.

저는 악몽 내쫓기 실험을 뛰어넘어 이 요상한 성취감을 맛본 것이죠. 이대로 라면 5만원이 몇 번 더 되고 나서 3등, 2등, 1등까지 가능할 것 같았습니다. 그런 욕심이 커지면 커질수록 이상하게도 제가 매번 쉽게 꿨던 악몽은 나타나지 않았습니다.

제가 만든 룰대로라면 꿈을 꿔야 복권을 살 명분이 생기는데 꿈이 안 꿔지는 거에요. 그렇게 두 번의 당첨을 맛본 후 저는 악몽과 멀어지게 되었습니다. 오히려 요즘은 그렇게 좋다는 길몽을 꾸는데도 숫자가1개만 맞는등 당첨과는 더더욱 멀어졌죠. 하지만 다행인 것은 우울증과 신경과민으로 인한 악몽에서 벗어날 수 있었던 것입니다.

실제의 결과와 비추어 꿈을 대입해보니 저에게는 그 꿈조차 어쩌면 좋은 경험과 느낌이었던 것이었죠. 많은 당첨자들의 인터뷰를 보면 좋은 꿈을 꾸고 나서 다음날 당첨이 되어있더라 라고 말한 것을 기억하며 저는 반대로 길몽이 아닌 흉몽에 의미를 부여하여 복권을 샀고 그 결과 흉몽에서 벗어나 우울증을 극복하는데 도움이 되었습니다.

물론 시간이 지나고 어느 정도 무뎌지다보니 자연스럽게 극복해졌거나 치료가 됐을 수 있습니다만 저는 그동안 우리 사람들이 만든 관습에서 벗어나 새로운 형태의 관습을 만들어 보았던 것입니다.

그런 노력 덕분에 결과적으로는 우울한 마음에서 벗어날 수 있었고 악몽을 꾸면 다음날 처지던 컨디션에서 오늘 복권을 살 수 있구나 하는 하나의 희망을 가진 컨디션으로 바뀐 경험을 하게 되었습니다.

이 경험은 악몽조차도 내가 나에게 어떻게 의미를 부여하느냐에 따라서 제 기분이 좋아지고 나빠지고가 결정될 수 있는 소중한 경험이었습니다.

요즘도 가끔 흉흉한 꿈을 꾸거나 재수 없다 싶을 때에는 복권을 사러 갑니다. 복권1등을 원하는 만큼 악몽에서 멀어지는 바람으로요.

여러분들이 매일 같이 악몽에 시달린다면 지금 당장 악몽은 복권당첨의 근거라고 생각하시고 악몽을 떨쳐 내기위해 복권 한 장 구입해보세요. 어쩌면 악몽덕에 1등이 당첨되어 인생이 바뀌는 경험이 될 수도 있잖아요!

• '한다.' '안한다.' 동전에 맡기기

인생은 늘 문제의 연속이며 문제에는 선택을 해야 하는 상황이 많습니다. 이건 기분이 좋건 나쁘건 우울하건 그렇지 않던 간에 삶을 사는 모든 사람들에게 해당되는 사항이죠. 이런 선택에 있어 우리는 최소한의 손해로 이득을 보려고 합니다. 그래서 늘 선택에 있어 신중하고 또 신중을 기하게 되죠.

일상 속에서는 늘 선택의 기로가 많이 생깁니다. 밥을 먹느냐 마느냐 부터 뭘 먹고 뭘 하느냐까지 하나의 선택이 완료되면 또 새로운 선택권이 생성되죠. 이렇게 선택의 연속을 사는 우리에게 우울증이 오면 선택조차 힘들어지는 상황이 옵니다.

이미 지쳐 버릴 대로 지쳐버린 정신력 때문에 어떤 것이 나에게 좋은 선택일지 조차 판단하기 어렵게 됩니다. 이럴 때 우리는 아무런 선택 없이 무기력하게 침대에 누워있고는 하죠. 흔히 말하는 무기력증과 선택장애가 같이 온 것이죠.

저도 그랬습니다. 우울하면 우울할수록 선택해야하는 문제조차 만들지 않았고(문제를 만들지 않았다는 것은 아무런 행위를 하지 않았음을 뜻합니다.) 최소한의 선택으로만 하루하루를 버팁니다.

그렇게 선택조차 회피하면 어떤 선택지도 남자 않아 죽느냐 사느냐 심각한 결과까지 초래되죠. 이런 우울증에서 발생되는 무기력과 선택장애에서 벗어나기 위해서는 우리의 선택을 도와주는 사람이나 무언가를 이용해야합니다.

물론 제일 좋은 것은 내 상황과 감정을 온전히 이해해주는 누군가가 있는 것이 좋지만 그런 사람 한 명두는 것은 인생에 있어서 어쩌면 가장 어려운 일 일수 있습니다.

그런 친구 한명 없던 저는 tv프로그램 무한도전에서 운이 좋다고 외치는 노홍철의 선택방법을 보고 따라 하기로 했습니다. 추격전을 하던 노홍철은 좌로 가느냐 우로 가느냐 갈림길에서 자신의 캐릭터를 던져 입이 나오는 방향으로 간다 하고 그 방향을 따릅니다.

저는 저를 닮은 캐릭터인형이 없는 대신 동전던지기로 선택에 맡기기 실험을 했습니다. 작은 동전은 의미가 없을 것 같아 동전중 제일 큰 오백원짜리 동전의 선택을 따르기로 했어요.

모든 습관들에 이런 선택을 동전에 맡겼습니다. 처음에는 침대에서 일어나 씻느냐 마느냐에 대한 선택이었죠. (일어나는 것조차 귀찮은 분들은 시간차이를 두고 동전을 통해 일어나느냐 마느냐를 결정해도 좋습니다) 침대에서 500원짜리 동전을 던진 순간!

데굴데굴 굴러 두루미가 나왔습니다. 앞면인 두루미가 나온다는 것은 씻으러 가라에 대한 선택이었습니다. 그렇게 씻고 나서 500원짜리 동전을 한번 더 던졌어요. 이번에는 데굴데굴 굴러 숫자 500이 나왔습니다. 이번 문제는 집에서 라면을 먹느냐 나가서 편의점 도시락을 사느냐에 선택이었죠. 500이 나와서 후자인 편의점으로 갔습니다.

편의점 안에서도 제 동전은 저의 선택에 도움을 줬습니다. '1.불고기가 들어간 도시락이냐 2. 찜닭이 들어간 도시락이냐' 이번에는 두루미가 나와 불고기 도시락을 구입하고 후식으로 디저트를 살지 말지도 동전에 맡겼더니 두루미가 또 나와 저에게 아이스크림을 허락해줬습니다.

무기력했던 제게 신선한 재미가 되었습니다. 이런 재미는 가만히 있고 싶기만 했던 제가 문제를 만들어내는 계기가 되었죠. 무기력에서 벗어나야지! 하는 마음보다 이번에도 동전에 맡겨봐야지! 하는 마음에서 재미있게 움직인 것이죠.

다양한 시도로 번졌습니다. 패딩을 입느냐 코트를 입느냐를 결정해서 코트가 나와 그에 맞게 옷 스타일링을 했고 머리에 왁스를 바르냐 마느냐에 500이 나와 그냥 자연스러운 머리로 나갔습니다.

나가기 전에 현관문에서 하나의 문제가 또 떠올랐습니다. 나가는 김에 세탁소에 들려 세탁물을 맡기느냐 마느냐였죠. 이번에도 500이 나와 그냥 나갔습니다. 딱히 누굴 만나거나 무얼 할 계획도 없었으나 그냥 500원 선택의 신이 이끄는 대로 결정했죠.

답은 둘 중 하나였기에 저는 두 개의 선택지를 만들어 동전에 맡겼습니다. 밖으로 나가 전철을 타느냐 버스를 타느냐 선택에서 전철을 선택 했고 전철에서는 서서 가느냐 앉아서 가느냐에 동전을 던졌습니다. 서서가라는 도전의 선택이 나왔지만 저는 굳이 앉을 수 있는 자리가 있는데 서서가는 것이 비효율적이라는 자기합리화에 그냥 앉았습니다.

룰에서 벗어난 것이죠. 그런 생존에 대한 본능의 선택은 그냥 내 의지대로 하기로 룰을 바꿨습니다. 전철을 순환하는 2호선 전철이어서 저는 그냥 한 바퀴를 타자 마음먹고 자리에 앉아 전철에 몸을 맡겼습니다. 누군가는 전철을 타고 또 누군가는 내리는 것을 보면서 저 사람들은 뭘 하는 사람들이기에 이 시간에 타고 내리는지 궁금해 하면서 사람구경을 했죠.

그렇게 전철은 이동해 한 바퀴를 돌아 다시 제가 사는 강남역으로 돌아왔습니다. 오는 길에 pc방이 보이더군요. 게임을 좋아했던 저는 pc방에 가느냐 마느냐를 동전에 맡겼습니다. 운이 좋았는지 제가 가고 싶었는지 모르겠지만 동전의 신은 저에게 게임도 허락 해줬습니다. 주머니 사정이 여의치 않았던 때라 2시간만 게임을 하가 나왔어요.

그렇게 밖으로 나와 보이는 것은 햄버거 가게였습니다. 먹고 싶다는 본능적 욕구가 들끓었죠. 또 동전을 던졌습니다. '햄버거냐? 집에 가서 라면이냐?' 이번에는 햄버거를 허락해주지 않았습니다. 집에 들어가서 라면으로 끼니를 때웠죠.

재미에 따라 하루를 맡긴 보낸 덕이랄까요? 뜻하지 않게 결정권을 동전에 맡긴 저는 하루를 알차게 보냈다는 뿌듯함이 느껴졌습니다. 비록 한 일이라고는 전철을 타고 오는 길에 pc방에 들린 것뿐이었지만 동전의 신에게 맡긴 선택들은 무기력했던 제가 움직이고 사회라는 숲속을 구경할 수 있게 해 줬습니다.

생각이 많으면 많을수록 몸이 무거워지는데 이렇게 동전을 이용해 빠르게 숙제를 만들고 빠르게 선택해 실행에 옮기다 보니 복잡한 생각과 우울한 감정이 사라지는 효과를 보게 되었습니다. 생각이라는 것은 많으면 좋기도 하지만 과한 부정적인 사고는 오히려 자신의 몸을 묶어 아무것도 할 수 없게 된다는 것을 알게 된 좋은 경험이었습니다

여러분들도 현재 고민한 것들이 정말 생사를 가르는 그런 선택에 의한 고민이 아니라면 문제와 선택지를 최소화시켜 동전의 신에게 자신을 맡겨보는 것은 어떨까 생각해봅니다.

우울증은 절대로 두뇌로만 고쳐지지 않습니다. 두 발과 두 손 인체의 몸 감각들이 움직여야하고 고쳐지기에 선택지를 최소화시켜 자신의 결정을 사물에 맡겨 일단 엉덩이를 때는 것부터 해보시기 바랍니다. 우연에 맡기는 선택은 삶에 있어서 새로운 흥미와 그동안 못 본 것을 보게 해 줄 거에요!!

• 안쓰는 물건 부숴보기

무언가 막혔을 때 속이 답답할 때 우리는 그곳을 뚫어줘야만 해소가 됩니다. 응어리 진 것을 그대로 방치하면 언젠가 터지기 마련이니까요.

그러나 그것을 풀어내는 것은 여간 쉬운 일이 아닙니다. 우리나라 교육 특성상 그런 교육을 받은 적도 없으며 감정이 소용돌이처럼 솟구칠 때 어떻게 대응해야하는지 모르는 분들이 많습니다.

저 역시 그랬구요. 이럴 때 우리는 의식적이건 무의식적이건 뭔가를 해소할 방법을 원합니다. 이것은 내재된 인간의 폭력성 일수도 있고 본능적으로 화가 났을 때 내뱉은 욕설 일 수도 있습니다.

제가 우울증에 사로잡힌 어느 날 우연히 tv를 봤는데 스트레스를 해소 시켜주는 부수는 카페가 유행이라고 나왔습니다. 막막하고 꽉 막힌 마음에 저는 당장 달려가고 싶었지만 거리가 멀어 그 카페를 이용할 수가 없었죠. 거기까지 갈 정도의 의지가 있지도 않았구요.

또, 비슷한 시점에 영화 데몰리션을 보고 영감을 받았습니다. 영화 데몰리션은 아내를 잃은 한남자의 심리상태를 그린 영화인데요. 이 영화에서 남자주인공은 솟구치는 감정을 어떻게 해야 할지 몰라 집을 부수는 공사현장으로 가서 돈을 주고 무언가를 부수겠다며 신나게 부숴댑니다.

그래서 저는 문득 무언가를 부숴보자 생각이 들었고 유튜브에서 관련영상을 찾아봤습니다. 괜히 마음 편안해지는 영상이라는 외국의 영상이었는데 분쇄기에 플라스틱과 철이 들어가며 부서지는 영상이었습니다.

그 영상을 보니 신기하게도 저 물건이 어떻게 부서지나 보게 되었어요. 요즘시대에 5분짜리 영상도 보기 힘든데 5분이 아니라 20분 동안 분쇄기에 들어가 분쇄돼는 영상에 집중하였습니다. 인간의 어떤 심리 때문에 그 영상을 보게 되는지는 모르겠습니다. 그냥 넋 놓고 집중해 봤죠.

영상을 다 보고 나서 저는 바로 실행에 들어갔습니다. 뭔가를 부수기로요. 근처 마트로 가서 부술 수 있는 도구(망치, 가위, 보호 안경, 장갑)를 구입하고 집에 있는 공구박스에서 팬치와 니퍼 그리고 칼을 꺼냈습니다. 막상 부수려 마음먹고 집안에 부서 볼 것을 찾아보니 죄다 부수기 아까운 것 밖에 없었습니다.

그래도 그중에 하나는 있겠지 싶어서 고른 것이 버리지는 못하고 쓰지 않는 오래된 키보드였습니다. 약 5년전에 pc를 사면서 부속품으로 받았던 키보드였어요. 저는 그것을 부수기로 하고 옥상 구석으로 갔습니다. 나름 파편이 튀지 않도록 박스를 깔고 소리가 날수도 있으니 도구를 살살 다루기로 했습니다.

자, 이제 눈앞에 있는 이 직사각형의 물체를 어떻게 부숴야할지 고민했습니다. 처음에 장갑을 끼고 자판을 다 때어냈습니다. 후두둑 후두둑 소리를 들으니 알 수 없는 쾌감이 느껴지더군요. 어짜피 버릴 물건이고 미련이 없는 물건이기에 저는 더욱 과감히 키보드를 부수기 시작했습니다.

자판을 다 때어내고 부터는 손으로 한계가 있었습니다. 가위를 이용해 키보드를 감싸고 있는 프레임에 틈을 만들고 두 손을 이용해 프레임을 벗겼습니다. 잘 벗겨지지 않는 프레임은 망치를 이용해 두들겼죠. 키보드가 하나하나 순서대로 부서지는 걸 보니 괜한 오기와 집중력이 솟아났습니다. 이것을 분쇄기 속 들어간 물건들처럼 가루를 만들어야겠다 생각했죠.

욕심을 부렸습니다. 물론 손이 다치지 않게 살살 아주 소극적으로 도구를 이용했지만 마음한구석에서는 헐크가 튀어나온 것 같았습니다.

그렇게 프레임을 벗겨내 초록색 회로판이 나왔고 저는 양손으로 회로판을 각목 부수듯 반으로 갈라 쪼개버렸습니다.

순간 어렸을 적 제 인격적 성장이 다 이뤄지지 않았을 때 레고를 입에 물고 부순 기억이 떠올랐습니다. 이 후 무언가를 이토록 신나게 부수는 것은 처음이었습니다. 이 말하지 못할 희열! 부순다는 것에 대해 의미를 떠올렸습니다. 부순 다는 것은 기존에 내가 갖고 있던 규칙이나 도덕적인 마음에서 해방되는 느낌을 받았어요.

세상은 주로 지켜야 할 것들에 대해서만 강조 하죠 '~~하면 안 된다.' '~~해서는 안 된다.' 당연히 이 강조는 사람과 사람, 그리고 사회를 위해서라면 꼭 필요한 강조이긴 합니다.

하지만 우리는 지켜야 할 것들에 대해 자신도 모르는 억압과 스트레스를 받았을 수도 있겠구나 하는 생각이 들었습니다.

제가 키보드를 부수는 과정은 그냥 스트레스 해소용 일수도 있지만 직접 부숴보고 과정의 의미를 생각해보니 우리에게는 이런 무언가를 부수거나 감정을 버릴 수 있는 해소 방법이 필요하지 않을까 생각이 들더군요.

물론 이러한 방법은 누군가에게 피해가 가지 않는 선에서 행해야 합니다. 영화 데몰리션의 주인공처럼 차라리 무언가 부숴야하는 공사현장으로 가서 무일푼으로 하던가 해서요. 본인의 스트레스와 우울감에서 벗어나기 위해 남에게 스트레스를 주면 안 되니까요.

그럼에도 불구하고 제가 이 방법을 해본 이유와 한번 해봤으면 하는 이유는 우리가 지켜야한다는 것 온전한 모습을 유지 해야한다는 것에서 벗어나 쓰지 않는 불필요 한 것을 부숴봄으로써 자신의 마음이 어떻게 정리가 되고 감정의 변화가 어떻게 일어나는지 관찰 할 수 있기 때문입니다.

무언가를 부수는 것은 순서에 맞춰 조립하는 과정과 달리 마음 가는 대로 할 수 있음이 큰 매력입니다. 지키지 않아도 된다는 것이죠. 이러한 부수기만의 매력을 이용해 우울증에서 벗어나는 상승나선으로 올라가는 계기가 되었으면 좋겠습니다.

하지만 늘 말씀드리듯 과유불급입니다. 이 부수기가 좋다고 계속 무언가를 부수고 남에게 피해를 준다면 우리는 우울증에 져버린 사람이 되 버릴 것입니다. 우울증을 극복하고 이겨내기 위해서는 이 방법을 통해 감정의 변화를 관찰하고 자신을 더 알아가는 목적으로 쓰여야 합니다. 해소 할 무언가가 생긴다면 분명 우울증 탈출에 효과가 있을 것입니다.

• 영어/수학 책 풀기

저는 이상하게도 우울증에 시달리면 무언가를 배우고 싶었어요. 그 또한 충동적이라 오래가지는 않았지만 미래에 대한 불안과 걱정에 의한 우울증이라 그런지 무언가 배움으로써 안도감을 느낀 것 같아 시작했어요. 그래서 책도 많이 읽고 자기계발에 관심을 가졌던 것이구요.

우리나라에서 자기계발 중심의 세 가지는 운동, 독서, 영어공부입니다. 새해가 되면 모든 사람들이 이 세 가지를 한 해동안 해야 할 리스트에 꼭 적어두죠.

저도 그랬어요. 날씬한 몸을 갖고 싶었고 누구보다 뛰어난 지성과 자유로운 언어구사력으로 외국인과 대화하고 싶었습니다. 당시 읽던 책들이 그렇게 건강과 독서, 그리고 영어에 관한 책이었어요. 우울증이 제가 뭐에 관심 있는지 알게 해준 계기였죠.

나중에 재미를 붙였던 것은 영어였습니다. 다행히도 저는 기본 문법이나 영어의 순서는 알고 있어서 유치원생이 보는 영어책을 볼 정도는 되었습니다. 유치원생이 보는 영어 동화책을 바로 구입했어요.

제 수준이 딱 유치원 수준의 영어 실력이었는지 모르는 사전을 검색해가며 곱씹어 읽었고, 해석이 되니 재미가 붙었습니다. 중,고등학교 때 영어를 배운 기억과는 차원이 다른 재미였습니다. 당시에는 어디에 쓰이는지도 모르는 영어단어를 매일 20개씩 외웠었는데 그때 외운 영어는 지금 하나도 기억이 나지 않았습니다.

하지만 이번 우울증으로 인해 영어동화책을 해석하며 배운 영어단어는 제 의지대로 능동적인 학습이 되어 제 머릿속에 차곡차곡 쌓였습니다.

그렇게 쌓여가는 지식이 만족스러웠어요. 아니, 쌓여가는 지식보다 적당한 난이도의 영어독해를 풀어가는 과정에 집중하는 것이 더 재미가 있었습니다.

시간가는 줄 모르는 경험이었어요. 영어로 되어있는 책 그 밑에 해석을 써놓고 뒤에 한글로 해석된 이야기가 맞아 떨어질 때마다 희열을 느꼈습니다.

비록 유치원생이나 초등학교 저 학생이 풀어나갈 난이도였지만 저에게 우울증에서 벗어나 집중력을 발휘할 수 있는 시간이 되었습니다. 드디어 저에게 맞는 난이도를 찾은 것이 아닌가 싶기도 하고 이렇게 하나하나 성장해 나가겠구나 하는 요령도 알게 되었습니다. 우울증을 이용하면 무언가를 배우는 계기가 될 수도 있겠구나 싶었죠.

영어를 해석하듯 자신에게 맞는 적당한 문제풀이는 지금 직면한 우울한 감정에서 벗어날 수 있음을 느꼈습니다. 부정의 사고를 떠올리며 생각 속으로 사로 잡혀 들어가는 감정에서 벗어날 수가 있었던 것이죠.

저는 이런 원리를 이용해 이번에는 수학적인 방법도 해봤습니다. 빈A4용지에 2~3자리 숫자에 곱셈을 했죠. 예를 들면 123 x 45 = 5535 이런 식으로 초등학교 때 배우던 곱셈 공식을 활용했습니다. 정답은 계산기를 이용했죠. 무작위 숫자로 문제를 만들고 풀어나가는 것은 단순하지만 풀어나가는 과정에 몰두할 수 있게 해줬습니다. 앞서 영어를 해석한 것처럼요.

구구단은 익숙하지만 자릿수가 많아질수록 응용력과 사고력을 필요로 하게 되고 그것을 풀기 위해서는 집중력이 필요했습니다. 오랜만에 많은 자릿수의 곱셈을 해보니 이게 맞았나? 생각도 들고 초등학교 때 수학시간이 생각나 또 재미가 있었습니다.

수학시간에 손을 번쩍 들고 자신 있게 칠판 앞으로 나가 문제를 풀었지만 답이 맞지 않아 창피를 맛봤던 기억이 떠올라 제 입에는 미소가 번지기도 했습니다. 추억을 들추기도 해보고 현재로 돌아와 문제풀이를 하다 보니 우울감으로 인한 부정과 비관은 사라졌습니다. 물론 순간적인 효과이지만 이 또한 우울에서 벗어날 수 있는 상승나선을 타는 시점이 아닐까 생각이 들었습니다.

또 우리가 우울이라는 감정에 사로잡혔을 때는 감정을 담당하는 뇌를 이용하기에 이때는 반대의 작용을 하는 논리적이고 이성적인 뇌사용을 하면 효과가 있음을 알게 되었죠.

맞는지 모르겠지만 좌뇌, 우뇌, 뇌의 사용법에 따라 감정을 컨트롤 할 수 있겠다 싶었습니다. 그 이후로 저는 감정의 문제 특히, 지금 통제할 수 없는 문제가 발생하면 이렇게 난이도에 맞는 문제를 찾아보거나 만들어 풀어봤습니다.

관심과 집중은 현재의 문제에서 벗어나게 해주며 새로운 문제에 대한 적당한 해석이나 답변으로 풀어감으로써 해결방법이 떠오르기도 하고 그 문제를 그냥 놔버릴 수 있는 용기가 생기게 됩니다.

문제라는 것은 갖고 있을수록 더 크게 보이는 성질도 알게 되었죠. 이러한 성질을 파악하고 감성으로 쏠려있는 의지력을 논리와 이성을 사용하는 수학/영어 문제풀이를 함으로써 어느 정도 감정의 중화가 가능하구나 싶었습니다.

온전히 이 방법은 제가 느낀 방법입니다. 과학적으로 밝혀진 연구결과가 있는지는 모르겠지만 저에게는 확실히 효과가 있었습니다.

지금 여러분이 가진 문제가 감정에 의해 통제되는 것 같다면 이성을 이용한 논리적은 풀이방법을 통해 현재에서 벗어나 기분을 좋게 만드는 상승나선의 출발점으로 삼아보시는 것을 감히 추천 드립니다. 효과가 있을꺼에요.

단, 자신이 할 수 없는 어려운 난이도를 택하면 거꾸로 스트레스를 받을 수 있으니 난이도 조절에 신경 쓰시기 바랍니다. 난이도를 찾아가는 과정 또한 재미가 있을 수도 있어요. 꼭 영어나 수학이 아니어도 좋습니다. 낱말 맞추기나 수도쿠 퀴즈도 좋아요. 무엇이든 풀어보시기 바랍니다. 건승을 빕니다!

• 예능 프로그램처럼 촬영 해 보기

이번 주제는 앞서 영상일기 남기기 심화버전이라고 할까요? 영상촬영을 이용한 이상한 우울증 극복방법에 대해 말씀드리고자 합니다.

우리는 우리 자신을 객관적으로 볼 수 없습니다. 그러나 현대 기술의 발달로 본인이 조금만 신경 쓰면 자신을 관찰할 방법이 있습니다. TV예능 프로그램도 이러한 기술 덕분에 리얼리티라는 소재로 인기를 끌고 있죠.

저는 한창 TV예능프로그램을 즐겨봤어요. 즐겨보면서 느낄 수 있었던 것은 TV속 연예인들이 관찰카메라로 인해 점점 호감이 느껴지고 또 그들의 행동이 변화하고 있음을 알게 되었습니다. 처음 한편, 두편에는 자기 자신의 원래 습관 그대로가 방송에 나가고 그다음부터 조금씩 나아지는 모습이 보이더군요.

제 생각인데, 이러한 촬영의 기회로 인해 연예인들은 자기 자신이 보지 못한 본인의 모습을 제 3자의 입장에서 볼 기회가 되었고 객관적인 시선으로 바라본 자신을 바꿀 수 있는 시도를 할 수 있었지 않았을까 하는 생각이 들었습니다.

인간이라는 우리는 자신을 느끼고 바라볼 때에는 주관적이 될 수밖에 없습니다. 누가 보면 비도덕적인 행위인데, 자신이 바라보면 도덕적으로 아무런 문제가 없다고 하기도 하죠. 이때 우리가 우리자신을 그나마 객관적으로 볼 수 있는 것은 앞서 얘기했던 자기감정에 대한 영상일기나 그냥 일기 쓰기가 있죠.

그러나 저는 한 가지 실험을 더 해보고 싶었어요. 지금 제가 우울한 것은 상황이나 환경적인 요소도 있었겠지만 상황을 받아들이는 자세 때문이라고 생각이 들었습니다. 그래서 저는 환경과 상황에서 무의식적인 제 행동을 관찰해보고 싶었습니다.

안 쓰는 휴대폰을 삼각대에 설치하고 방전되지 않게 충전 선을 끼워 거실 한구석에 놓아 제 자신을 촬영했습니다. 현재 쓰는 휴대폰으로는 셀카처럼 혹은 유튜버처럼 셀카봉에 매달아 촬영을 했습니다. 들고 있는 카메라는 주로 지금의 느낌이나 기분을 기록했습니다.

거실에 설치한 카메라는 계속 촬영모드로 두고 손에든 카메라는 그때그때 필요할 때만 촬영을 했죠. 아무래도 집에 없던 카메라를 제 손으로 설치를 해서 그런지 첫날에는 매우 의식이 되었습니다. 행동하나하나가 자연스럽지 못했죠.

제가 여기서 첫 날이라고 한 것은 원래 제 모습 촬영을 하루정도를 하려했으나 예전휴대폰이라 배터리가 충전하는 속도보다 더 빨리 닳아 실패 했습니다. 또 저장용량도 별로 안되다보니 저장에 한계가 있었어요. 그래서 다음날 하루가 아닌 4시간정도로 다시 설정하고 4시간 동안은 의식을 하든 안하든 최대한 자연스럽게 행동했습니다.

이런 것을 해본 적이 없어 상당히 어색했어요. 감정을 담긴 들고 있는 카메라에는 우울의 감정보다 어색하고 낯설다 흥미가 생긴다 등의 얘기를 풀어냈죠. 그렇게 3일정도 실험을 하고 다시 적당한 시간과 상황설정을 하여 제 모습을 관찰했습니다.

시간은 똑같이 4시간으로 하되 상황은 tv를 보거나 집에서 간단히 할 수 있는 운동을 했습니다. 한 끼의 식사도 포함해서요.

그렇게 제 인생 최초의 실험카메라 셋팅이 끝났고 촬영을 하였습니다. 며칠이 지났지만 카메라가 있다는 생각에 행동이 조심스러워짐을 느꼈습니다. 촬영하고 보는 사람은 저밖에 없을 텐데도 '카메라가 있다.' 라는 사실만으로도 신경이 쓰였습니다. 그러나 20~30분이 지나서부터 슬슬 자연스러워졌고 그 자연스러움을 위해 운동을 했습니다. 평소보다 조금 더 격하게 했습니다. 땀을 흘릴 정도로요

안하던 유산소 운동까지 결합했습니다. 그렇게 땀을 흘리고 체력을 소진한 후 샤워를 했습니다. 샤워실에는 카메라가 없어서 그런지 알몸이라 그런지 모르겠지만 뭔가 홀가분함을 느꼈습니다.

샤워를 말끔하게 하고 나서 식사를 준비했습니다. 식단은 원래 먹는 단백질 위주의 식단을 준비해 거실의 탁자에 올려놓고 tv를 켜 쇼파에 앉아 식사를 했습니다. 정신이 다른 곳으로 집중해서 그런지 점점 촬영에는 별 의식을 하지 않게 되었습니다.

맛있게 식사를 하고 TV시청을 이어갔습니다. 마음 같아서는 산책하고 바깥에서의 제 모습까지 촬영하고 싶었지만 귀찮기도 하고 '누가 보면 어떠나' 하는 생각에 창피함이 일어나 집안에서만, 그것도 거실 안에서의 생활을 했습니다.

여기까지가 제가 의식하고 자연스럽다고 생각했던 제 생활이었습니다. 4시간이 지났고 저는 셀카로 찍은 카메라와 전체를 촬영한 휴대폰 카메라를 방에 갖다놨어요. 역시 이번에도 바로 시청하기는 겁이 나고 부담스러워 다음날이 되어 촬영한 것을 재생했습니다.

드디어 제 자신을 3자의 입장에서 볼 수 있는 기회가 온 것이죠. 일단 처음 보인 것은 자세였습니다. 나름대로 허리도 펴고 곧게 자세를 취하고 있다고 생각했는데 허리와 어깨는 굽어져 있었고 전체적으로 상체가 앞으로 몰린 모습이었습니다.

그런 자세로 운동을 하고 쇼파에 앉아 식사를 했습니다. 촬영당시에 저는 분명 제일 곧은 자세이며 자연스러운 상태라고

생각했는데(주관적인생각), 휴대폰 속 제 모습은 그러지 못했습니다. 구부정한 자세가 정말 보기 싫더군요. 지금까지 타인들에게는 이렇게 보여졌겠구나 하는 생각에 창피함이 먼저 떠올랐어요.

제가 요가를 통해 배웠던 것이 자세와 감정은 밀접한 관계가 있다는 것이었어요. 이건 인간, 아니 동물로 태어났다면 어떤 방어기제이기도 한데, 자신이 불리할 때에는 몸을 웅크리고 위협으로 포효 할 때는 몸을 크게 만들거나 자세를 키우는 것처럼요.

그렇기에 자세가 굽어져있는 것도 실제 자신이 하는 일에 능동적이기 보다 소극적으로 받아들일 가능성이 크고 자세로 인해 기분이 다운되는 느낌과 연결 됩니다. 이 영상을 보고나서 자세에 대해 더 신경을 써야겠다는 생각이 들었어요. 사실 자세에 대해서는 친구들에게 종종 듣긴 했지만 이정도로 깊게 느껴지지 않았었죠.

두 번째로 눈에 보인 것은 투덜거리는 말투와 힘들 때 나오는 한숨과 비속어였습니다. 셀카로 지금의 느낌을 찍을 때에는 세상 어디에도 없는 착한 말투인데 전체를 찍는 카메라에는 운동으로 힘들거나 습관적으로 하는 말투가 보였습니다. 주로 입에서 나온 말은 '힘들어' 와, '아구구', '귀찮아', '후...(탄식 섞인 깊은 한숨)' 이렇게 말을 하더군요.

저도 모르게 이런 부정의 말이 제 무의식에 입력되어있음을 알게 되었어요. 말투도 위에 얘기한 자세처럼 우리 마음가짐에 큰 영향을 끼치는 요인인데 저는 주로 부정적인 말을 많이 했었던 것이었죠. TV를 볼 때도 TV속에 나오는 사람을 비난하기 바빴습니다.

그리고 세 번째에는 너무 서두른 다는 것이었어요. 마음속이 뭐가 그리 급한지 행동에는 조급함이 보였습니다. 운동을 할 때도 개수위주로 채우려다 보니 정확한 자세보다는 빨리 해치워 나가야겠다는게 눈으로 보였고 샤워로 들어간지 얼마 안 되서 다 씻었다고 나왔습니다. 무엇보다도 식사를 너무 급하게 하는 것이 눈에 들어왔습니다. TV를 보면서 하는 식사라 그런지 몇 번 씹지도 않고 입에 넣어 삼키더군요. 소화가 안 되고 위장에 문제가 생길 수밖에 없겠다 싶었어요. 그리고 남은 시간 동안도 조급 할 필요가 없는데 뭔가 해야 한다 느낀 것처럼 안절부절 하지 못함이 보였어요. 크게 세 가지가 보였고 그 외에는 시도 때도 없이 긁어대는 모습과 심각한 표정이 보였습니다.

이렇게 실험은 대 성공이었죠. 무엇보다 지금 제 자신에게 어떤 해결책을 줘야할지가 보였거든요. 순서대로 보면 1. 자신감을 위해 자세를 고칠 것 2. 말투에 행복함을 넣어 부드럽게 할 것 3.마음을 잠시 쉬어갈 수 있게 편안함을 유지할 것. 이 세 가지의 해결책이 나왔습니다.

제가 직접보고 느낀 것이 아니라 주변에서 누군가 지적하고 잔소리했다면 기분만 나쁘고 문제라고 생각하지 않았을 텐데 이 4시간의 촬영은 마치 시청자가 TV속 연예인을 비난하듯 제 모습에 대해 조금 더 정확한 처방전을 만들어줬습니다.

우연히 TV프로그램처럼 하면 어떨까하는 생각에서 바라본 제 모습에서 저는 우울한 감정을 만들어내는 문제와 해결방법을 파악한 것입니다. 객관적으로는 온전히 자기 자신을 판단하기가 힘든데 이렇게 카메라를 이용해 자신의 무의식 깊은 곳의 습관을 눈으로 보니 제 문제에 대해 조금 더 개방적으로 받아들였습니다. 이는 감정을 고치는 데에도 효과적이지만 자신의 습관을 알아채는 데도 큰 도움이 될 것이라 생각이 들었어요.

여러분들께서 지금 자신이 무언가의 이유로 인해 우울해 하고 있거나 습관의 변화가 필요하다면 저처럼 자신의 생활구역

안에 카메라를 설치해 제 3자의 눈으로 자신을 바라보시기 바랄께요.

자신의 문제는 자기 자신만이 해결할 수 있는 만큼 정확한 문제와 해결방법을 위해, 혹은 현재 자신이 처한 상황을 어떻게 받아들이는지 확인하기 위해서 관찰카메라를 이용해보세요. 분명 내가 아닌 나의 모습을 한 번 더 볼 수 있을 꺼에요. 낯선 경험일 테지만 여러분의 우울한 증상에서 벗어나게 해주고 습관을 고치는데 도움이 될 것입니다.

• 우울하다고 떠들고 다니기

지금은 조금 나아졌을지 모르겠지만 우리는 주변사람들에게 자신이 우울증에 걸린 것을 얘기하지 못합니다. 괜히 정신력이 나약한사람인 것 같고 그깟(?) 우울증 누구나 다 겪는 일이라고 치부하기도 하니까요. 아무래도 자신이 우울증이라는 것을 주변에 얘기하기에는 아직 우리나라 사회분위기상 어려운 것이 사실입니다.

그럼에도 불구하고 우리는 우리의 정신문제와 증상에 대해 주변인과 얘기를 나눠야 합니다. 숨기기만 해서 해결 될 일이 아니기 때문이죠. 무엇보다 묵인하는 사회전반적인 분위기에서 탈피하기 위해서라도 숨기는 것보다 오히려 우울증인 것을 밝히는 것이 좋습니다. 이 책을 쓰는 이유도 그중 하나라고 생각하구요.

우울증이라는 것은 유전적인 이유도 있고 환경적인 이유도 있습니다. 원인으로만 찾아도 참 많이 보이는게 우울증이죠. 그만큼 우울증은 누구나 겪을 수 있는 증상입니다. 심각한 전염병처럼 신체에 바이러스가 침투해 신체를 망가뜨리지는 않지만 자신의 마음을 어지럽히는 생각이나 서로 공유하는 감정에 의해서 누구에게나 우울증이 발생 하게 됩니다. 자신의 지나친 회의감이나 슬픈 영화나 슬픈 이야기를 듣고 기분이 다운되는 것도 비슷한 원리인 것이죠. 이렇게 어떤 원인으로 인해 우울증에 걸렸다면 애써 숨기는 것보다 자신이 우울증상이 있다는 것을 알리는 것이 좋습니다.

저 또한 우울증이라는 것을 자각하지 못 했을 때에는 그 어떤 액션을 취하지 못하다가 제 자신이 우울증이라는 것을 알게 된 후에는 주변사람들에게 우울증이라고 얘기하게 되었습니다. 제 복잡한 심리상태를 모르는 지인들에게 이런 얘기를 했더니 의아해 했습니다.

"네가?", "너처럼 밝은 애가?" 이런 반응, 혹은 "맞아 너 같은 애들이 고민이 많지" 이런 식의 얘기였죠. 저는 어떻게 그들에게 밝은 이미지를 줬는지는 모르겠습니다만 그들은 저를 대체적으로 어둡고 슬픈 애가 아닌 당돌하고 밝은 친구로 기억하고 있었습니다. 그들의 말마따나 제 유년시절의 장난기 가득하고 모험심 있었던 그때의 밝고 활력적인 제 모습이 진짜 제 모습일수도 있겠다는 생각이 들었습니다.

그런 밝음이 크게 보이는 저에게 그에 비례한 어둠이 자리 잡고 있었습니다. 주로 밝고 활력 있는 모습으로 연기를 한 것이었죠. 그렇게 밝고 활력적인 모습을 해야 사람들에게 사랑받을 수 있고 그렇게 해야 그들이 관심을 보인다는 것을 제가 알지 못하는 사이에 습득 한 듯 했습니다. 그래서 저의 어두운 이면을 이해해주는 사람이 있었던 반면 대체적으로 정신도 건강하다고 아는 사람이 있었던 것이죠.

그런 제가 주변인들에게 우울함을 얘기하기 시작했더니 예상대로 우울함을 보일수록 지인들과 멀어지게 되었습니다. 제가 생각해도 당연한 결과였어요. 제 주변에도 만약 저처럼 밝다고 생각했던 사람이 갑자기 자신이 우울증이라고 우울하고 슬픈 얘기만 한다면 그와 가까이 지내지 않을 것 같으니까요.

그렇게 떠나보낸 사람은 보내고 남아 준 사람들에게 우울증상을 밝혔습니다. 그러다가 그 지인 중 우울증을 겪었던 지인과 함께 우울한 증상에 대해 이야기를 하게 되었습니다. 친한 누나였는데 결혼 후 출산우울증 때문에 힘들어했다고 했습니다. 제 주변인이 저를 보며 생각한 것처럼 저도 그 누나는 우울과는 거리가 먼 사람이라고 생각했는데 제가 먼저 우울증에 대해 얘기하다보니 서로 우울에 대한 공감을 해줄 수가 있었어요. 우울감을 나눌 친구가 새로 생긴 느낌이었습니다.

워낙 저는 말하는 것을 좋아하고 그 누나도 오랜만에 얘기를 하다 보니 서로 해소 되는게 있었어요. 윈윈전략처럼 서로의 우울한 감정을 이해해주고 공감하면서 우울에 대한 기분을 더 이해하게 되었고 기분이 좋아졌습니다.

저는 우울증을 숨기지 않길 잘했다는 생각이 들었습니다. 덕분에 제 마음에 대해 나눌 수 있는 사람이 누군지 알게 되었고 자연스럽게 멀어진 사람들은 그저 허물뿐이었던 친구임을 판단하게 되었죠.

물론 이런 기준으로 사람을 평가하는 것은 좋지 않습니다. 하지만 우리, 사람이라는 존재에게는 서로가 가진 슬픔이나 약점까지도 나눌 수 있을 때 진정한 행복을 느낄 수 있기에 오히려 내가 신경써야할 인간관계가 줄어든 것에 대해 다행이라고 생각했습니다.

아마 이 글을 읽고 나서도 아마 주변인들이 떠나 갈까봐 우울증인 것을 얘기하지 못하겠다 싶은 분들이 계실 꺼에요. 그런데 진짜 친한 친구이고 마음을 나눌 수 있는 사람이라면 당신이 우울하건 기쁘건 늘 옆에 있어 줄 꺼에요. 그렇지 않은 사람은 떠나도 괜찮다고 생각해야합니다. 사람이 떠날 두려움 때문에 자신의 상처를 숨기기만 하지마세요.

처지가 같은 사람을 만나 공감하며 이해해주다보니 점점 우울증상이 완화됨을 느꼈습니다. 이렇게 우울하다고 말하다 보면 여러분 주변에 굳건하고 밝은 에너지가 넘치는 분이 당신의 우울증상을 이해해 주고 극복 할 수 있게 손을 뻗어줄 수도 있어요. 내 자신의 우울조차 전염되지 않을, 오히려 그의 기분

좋은 에너지가 거꾸로 여러분께 전이시켜 주는 사람이 있을 겁니다. 그런 사람이 아니어도 저의 경우처럼 같은 처지의 사람과 얘기를 나누는 것도 좋아요.

이렇게 저는 우울증이 있다는 것을 밝힌 후 사람들의 반응과 제 우울증상을 통해 저라는 사람이 타인에게 어떻게 비춰지고 있었고 내 자신의 내면에 어떤 문제가 있는지 알게 되었습니다. 우울증은 꺼내서 얘기를 하다 보면 치료의 도움을 받을 수도 있고 공감 받을 수도 있으며 자신의 문제로 자기가 파악하고 해결 할 수 있는 힘을 얻게 됩니다.

이런 과정을 알게 된 후 저는 우울에 대한 제 경험을 나누고 사람들과 공감과 위로의 에너지를 전하고 싶어졌습니다. 누군가에게 전염되는 것이 아니라 누군가를 밝고 활력적인 사람으로 전염 시켜줄 수 있는 긍정전도사가 되기로 한 것이죠. 아직 진행과정이지만 나름 마음먹은 대로 노력하고 있습니다.

이 책이 여러분에게 어떤 의미가 될지는 모르겠습니다만 이 책 역시 제가 우울증을 꺼내는 이야기이며 여러분과 소통할 수 있는 매개체가 될 것이라 믿습니다. 덕분에 저는 우울에 대한 증상에 대해 판단 할 수 있게 됐으며 숨기기 급급했던 사회 분위기를 바꾸는데 참여하는 방법을 알게 되었습니다. 우울은 숨긴다고 사라지는 것이 아니라 진정으로 꺼내 보여줬을 때야 말로 우리 곁에서 멀어질 수 있습니다. 그러니 너무 겁먹지 마시고 우울이라는 것을 꺼내 이야기 해보세요!!

• 스킨십 하기

누군가와 교감을 한다는 것. 그것만큼 우리 인간에게 커다란 안정감을 주는 행위가 있을까요? 교감이란 정의를 사전에서 찾아보면 '서로 접속하여 따라 움직이는 느낌' 이라고 되어있습니다. 즉 우리는 누군가 혹은 무언가와 접촉했을 때, 그것, 그와 같은 행동을 할 때 기분이 좋아집니다.

어린아이가 울다가 엄마의 포옹에 울던 눈물을 그치고 사랑하는 연인들의 반가움의 포옹은 세상 그 어떤 것보다 효과가 좋은 우울 안정제이죠. 이러한 교감을 스킨십이라고 합니다.

실제로 스킨십을 많이 주고받아 자란 아이가 정서적으로 안정된 성인이 되는 경우가 많다고 합니다. 스킨십은 한사람의 정서에 이렇게 크게 영향을 끼치는 만큼 우리는 정기적인 스킨십이 필요합니다.

우울증을 겪던 어느 날 저는 스킨십에 대해 커다랗게 느낀 일이 있었습니다. 제 촉감을 이용해 무얼, 혹은 누군가를 만지고 났더니 그 느낌이 너무 좋았던 것이죠. 표현하나를 인용하자면 '평소에 손발이 차고 혈액순환이 되지 않는데 스킨십만 하면 피가 확 돌아' 라고 하고 싶네요. 영화 타짜에서 한 말을 인용해 화투대신 스킨십을 했더니 피가 확 도는 느낌이었습니다.

정말 그 느낌이었어요. 당시 솔로였고 우울했던 제가 누구보다 스킨십을 했는지가 궁금하실꺼에요. 저는 누구가 아닌 우리집 막내 재롱둥이 '다롱이' 와의 교감을 통해서였습니다. 강아지는 끊임없이 자신을 만져달라고 하고 바라봐주길 원합니다. 관심을 받고 싶어 하죠. 개마다 다르긴 하지만요.

다롱이는 2018년 기준 11살이 된 말티즈입니다. 당시 저는 처음 우울증을 겪었을 때였고 다롱이는 4~5살쯤 되었을 때였겠네요. 평소대로 다롱이와 산책을 하고 샤워 후 쉬고 있었습니다. 저는 기운이 없었고 다롱이와의 산책으로 이미 지쳐버려 다시 무기력해졌습니다.

샤워한 후라 몸이 나른해서 이불속으로 들어갔습니다. 이불속에서 잠을 청하려는데 꼬물꼬물 이불속으로 다롱이가 들어왔고 저는 그런 다롱이가 귀여워서 얼굴 쪽으로 끌어올려 안았습니다. 평소와 같았다면 답답해서 뿌리 쳤을 텐데 다롱이는 얌전히 제 품에 앉아 제 얼굴을 핥았어요. 그렇게 다롱이를 껴안은 채 잠이 들었습니다.

시간이 얼마나 지났는지 모르겠지만 저는 잠에서 깼고, 일어나는게 두려워 늘 불안했던 마음이 사라졌습니다. 신기했어요. 마치 다롱이가 제 마음을 알아주는 것 같다는 생각에 안심이 들었어요. 또 며칠 후 다롱이와 같이 잤는데, 다롱이랑 자는 날에는 늘 불안했던 마음이 조금씩 가라앉음을 느꼈습니다.

그 이유를 알아보니 다롱이와의 접촉으로 인한 교감이 저를 안정시켜주는 것이었습니다. 어느덧 시간이 흘러 다시 혼자 살아야 했고 제 감정의 안정을 위해 다롱이를 혼자사는 집으로 데려가고 싶었습니다. 하지만 다롱이는 저희 부모님이 키우는 반려동물이라 제가 데리고 살수는 없었죠. 우울증에서 괜찮아져 다시 독립을 했을 때에는 다시 혼자가 되었습니다.

혼자 있게 되면서 우울증이 스멀스멀 리턴하기 시작했고 혼자 잠이 안 올때 다롱이와의 따뜻한 스킨십(?)이 생각났어요. 그렇다고 다롱이를 데려올 수 없었고 새로운 강아지를 입양할 수는 없었습니다. 책임감 없이 외로움만으로 생명을 다룰 수는 없었거든요. 그래서 생각난게 죽부인이었습니다. 다롱이를 껴안고 잔 것처럼 무언가를 껴안고 자면 괜찮아 질 것 같았거든요.

인터넷으로 죽부인을 검색하다보니 죽부인 외에 바디필로우라고 껴안을 수 있는 베개가 있었어요. 저는 그것이 어떤 촉감인지 모르니 근처 대형마트로 가서 직접 안아보고 촉감을 느꼈습니다. 보들보들한 느낌이 참 좋더군요.

그러나 이게 우울감을 낮춰 줄지는 써보지 않는 이상 알 수 없을 것 같다는 생각에 바로 구입하고 그날 저녁에 집으로가 집에서 껴안고 잤습니다. 불면증이 치료되듯 한 번에 잠에 들지는 않았지만 이것을 껴안음으로써 안정감이 느껴졌습니다.

덕분에 반복되는 혼자의 고독에서 오는 불안감은 재울수가 있었습니다. 이 느낌은 그동안 제가 불안과 우울에서 벗어나 얻고 싶었던 마음과 다른 안정감이었어요.

그제서야 어린아이가 왜 인형을 껴안고, 다 큰 성인이 왜 대형인형을 찾는지도 이해하게 되었죠. 다 이유가 있던 것이었습니다. 특히 감수성이 예민한 여성이 남성보다 인형을 더 많이 찾는 듯했습니다. 남자, 제 친구들 방에 곰돌이 인형이나 거대한 인형이 있는 사람은 한명도 없었으니까요. 주로 제 친척여동생의 방이나 전에 만났던 여자 친구의 집에 인형이 있었죠.

저는 무언가에 맞은 듯 '이거다' 싶었습니다. 인형을 침실에 두는 것은 성별을 떠나 누구에게나 필요하다는 것을요.

어느날 제가 강아지를 관찰하다보니 강아지도 인형을 좋아했습니다. 그게 장난감의 용도일수도 있겠지만 사람처럼 강아지에게도 안정감을 주지 않았나 싶었어요.

아무튼 우리 남성의 침실에도 인형은 필수 아이템이라고 생각이 바뀐 계기가 되었습니다. 또 바뀐 생각은 스킨십이라는 것은 꼭 좋아하는 이성친구와의 접촉에서만 느끼는 것이 아니라 그게 반려동물이나 인형, 아니면 부드러운 촉감을 가진 것들에서도 느낄 수 있겠다는 생각이 들었어요. 그렇다고 만지는 것마다 무언가 묘함을 느끼라는 말은 아닙니다. 혹시 오해하셔서 변태의 감성을 갖지 않길 바랍니다.

인터넷에 검색만 해도 스킨십의 효과는 쉽게 찾아 볼 수가 있습니다. 특히 우울감에 있을 때에는 그 효과가 더 크게 느껴지죠. 각종 감각이 조금 더 예민해지고 활성화 되었을 때니까요. 제가 다롱이를 껴안았을 때처럼요. 이 마음을 깨달을 수 있었던 것이 참 다행이라고 생각합니다. 만약 이런 감정을 느끼지 못했다면 스킨십은 그저 연인이나 부부만이 하는 것이라는 착각에 그로 인한 안정감이니 행복을 말 할 수 없었을테니까요.

그래서 감히 이 글을 읽는 분들이나 제 주변에 우울감을 호소하는 분들께는 인형이나 바디필로우를 침실에 구비하라고 추천하고 있습니다. 무조건적으로 불안하거나 우울한 마음이 사라지지는 않겠지만 분명 살갗이 무언가와 접촉을 하면 그곳에서 느껴지는 안정감이 있을 것입니다.

실제로 혼자가 된 여성이 혼자가 된 남성보다 오래 사는 이유는 할머니들이 할아버지보다 가족들과 훨씬 많은 교감을 하고 그 교감은 손자와 자식들과의 스킨십이라고 합니다. 스킨십은 장수를 위해서도 꼭 필요하며 무엇보다 제 의도대로 정서적인 안정을 위해서라도 무언가 (특히 살갗과 비슷한, 따뜻한, 부드러운 느낌)와 스킨십을 하면 좋습니다.

자기 자신을 위해서 오늘 밤은 무언가를 껴안고 자보는 것은 어떨까요? 예민했던 감각들이 차분해짐을 느낄 것입니다. 껴안아 보세요. 만져보세요. 교감해 보세요. 우리 마음의 안정을 위하여!!

• OO라면.. 빙의되기.

자신감을 갖고 싶거나 내성적인 성격을 외향적으로 바꾸고 싶을 때 가장 효과적인 것은 그렇게 하고 있는 사람을 따라하는 것입니다. 실제로 만나보지 않은 사람이라도 자신이 보는 그대로의 그 사람의 성향을 따라하다 보면 자신도 모르게 그 사람처럼 행동 할 수 있게 됩니다. 이는 사람이 모방이라는 기술을 사용함으로써 실력을 쌓을 수 있는 좋은 방법인 것이죠.

이런 인간이 할 수 있는 시스템을 이용하여 우리는 우울증 극복에 도전해야합니다. 저도 성격적인 면에서나 습관적인 면에서 지금의 모습을 벗어나고자 노력을 많이 했습니다. 그 노력의 결과가 이 책으로 쓰여졌고 지금도 계속 뭔가를 따라하고 있습니다.

저는 무한도전이라는 TV 예능 프로그램을 참 좋아했어요. 제가 20살이 되었을 때부터 끝난 2018년까지 모든 편을 다 보고 현재도 재방송으로 계속 보고 있습니다. 마음이 우울하거나 허전할 때면 저는 습관적으로 무한도전을 보면서 기분을 달래곤 했었어요.

그렇게 평소처럼 우울감에 무한도전을 보면서 깔깔 거리고 있는데, 문득 신나 보이는 그들이 부러워지기 시작했습니다. 연예인이라는 존재에 대해 다시 생각하게끔 했다고 할까요? 티비속 그들은 원하는 일을 하며 돈을 버는 사람들이었습니다. 그들의 그 뒷이야기는 모르겠지만 제가 보는 선에서는 늘 좋아하는 일을 하는 것처럼 보였습니다.

누군가를 웃겨주고 웃음을 준다는 일 자체가 힘든 일이고 어렵겠지만 저는 그들처럼 신나게, 활력 넘치는 삶을 살고 싶었어요. 특히 약간 조증이 있어 보이는 노홍철씨에 대한 동경이 생겼습니다. 누가 보면 정신없는 사람처럼 보이겠지만 저는 그런 정신없음조차도 자신의 기력이나 활력이 없으면 행하기 어렵다고 생각했습니다. 분명 그는 좋아하는 일에 미친사람으로 보였습니다.

그래서 저는 노홍철처럼 해보자, 내가 노홍철이라면? 이라는 전제로 우울증에 걸린 저에게 적용해보았습니다. 친구들과 있을 때 내가 노홍철이었으면 이런 모임에서 그는 어떻게 했을까? 라고 떠올리며 모임자리에서 분위기 메이커가 되었고 그를 따라 하기 위해서 괜히 실없는 말을 많이 해보기도 했습니다. 그냥 따라했던 것이죠. 그게 좋은 말이고 아니고는 다음 문제였습니다.

그는 전화를 할 때도 독특했어요. 전화를 하고나면 끊을 때 꼭 뿡! 이라는 의성어로 전화를 마무리 하더군요. 그게 조금씩 유행이 되고 사람들이 알정도가 되어, 저도 전화를 끊을 때 '뿡!' 하면서 끊고는 저와 전화한 사람이 기분 좋았으면 하는 마음이 들었습니다. 특이하게 기억되는 것도 좋을 것 같고, 제가 노홍철을 따라하는 것을 알아줬으면 하는 마음도 있었어요. 그게 먹혔는지는 모르겠지만요.

한참 그때 노홍철씨는 긍정에 대해 전파하는 캐릭터로 무한도전에 출연했습니다. 무슨 상황이 와도 슬픔은 잠깐이고 그 상황마저도 긍정적으로 받아들일 수 있는 모습을 보고 저는 더욱더 그를 닮아가야겠다는 생각이 들었어요.

방송에는 돌+아이 라는 말을 써가면서 다 른사람들과는 매우 다른 캐릭터로 보여졌죠. 방송 에서 그런 에너지가 저에게 굉장히 큰 힘이 되었습니다. 심지어 더이상 우울해 할 필요가 없다고 까지 생각했어요. 이 세상에 저는 놀러온 것이고 세상은 놀 것 투성이인데 제 마음이 삐뚤어지면서 언제부터인가 신나고 재미있다고 생각하기보다 세상은 힘들고 우울한 것이라고만 생각을 했으니까요.

어린 시절을 돌이켜보는 계기도 되었습니다. 무한도전의 노홍철정도는 아니었지만 저는 어렸을 적 사람들과 잘 어울리고 장난도 잘 치며 언제 어디서나 기운이 좋은 사람이었죠. 노홍철을 따라 하다 보니 저는 그 어린 시절로 돌아간 느낌이었습니다. 사람에 대한 거부반응이나 부정보다는 알아가고 사람과 대화 하는 것이 재미있어지기 시작했어요.

우물 안 개구리처럼 세상 밖 사람들은 나에게 사기만 치고 거짓말만 하는 존재라고 여기던것에서 생각이 바뀌기 시작한 것이었죠. 그렇게 사람에 대해 부정적으로 생각하다보니 제가 그런(사기꾼, 배신자) 사람들만 만났을지도 몰라요.

하지만 내가 노홍철이라면 이 상황에서 어떻게 헤쳐 나갔을까? 내가 노홍철이라면 지금 분위기에 무슨 말을 할까? 라는 생각으로 상황마다 대처하는 능력이 생겼습니다. 물론 노홍철을 실제로 만나 진지한 얘기를 해본적은 한 번도 없습니다. 그저 제가 상상하는 TV속 노홍철씨의 모습을 제 맘대로 그려서 그처럼 긍정적이고 밝은 에너지를 뿜는 사람이 되려고 노력했던 것이죠.

제가 노홍철의 성향을 닮아가고, 즐거움에 대한 공감능력이 생기니까 주변에 사람들이 다시 생기기 시작했습니다. 생겼다는 표현보다 그들과 저 사이에 호감이라는 마음이 생겼다 라고 하는 것이 정확한 표현이 아닐까 생각합니다.

마음을 열사람이 생기기 시작했고 마음을 나누기 시작했습니다. 저에 대해서 좋게 생각한 마음만큼 저도 더욱 밝은 에너지와 활력을 그들에게 전달하였고 그렇게 전달한 에너지에 대해서는 다들 좋은 반응을 보여줬습니다.

제가 누간가를 따라한 것처럼 제 사례 외에 다른 사례도 있더라구요. 유명가수를 따라 하다 보니 그 사람처럼 노래를 잘 부르게 되기도 하고, 소설책을 필사하다보니 그의 문법을 따라 하는 작가도 생기고, 운동선수들도 최고의 선수를 분석하며 따라 하다 보니 최고의 운동선수가 된 경우가 많이 있었습니다.

누군가에게는 롤모델 일 수도 있고, 누군가에게는 뛰어넘어야할 산이자 목표일수도 있죠. 하지만 그렇게 누군가를 정해놓고 내가 마치 그처럼 한다면? 이라는 상상은 변수가 많은 현대 세상에서 처세나 실력향상에 있어서 큰 도움이 될 수 있다는 것을 알게 되었습니다.

그 롤모델이 꼭 옆에있는 가족이나 친척 혹은 지인이 아니어도 됩니다. 책속에 있거나 영화속, 아니면 이미 현재 세상에 없는 위인을 따라 해도 좋습니다. 그저 내가 그라면 어떤 해결책을 생각 해 냈을지를 상상해보세요. 상상만으로도 기분이 좋아지고 상상에 의한 행동은 그와 같은 사람이 되기도 하니까요.

지금도 무한도전을 보면서 저는 상상하곤 합니다. 성실함의 표본인 무한도전의 유재석을 따라하며 이 사람이라면 지금 어떻게 대응했을까? 어떤 해결방법을 가졌을까? 라고 생각도 하고, 똑같이 노홍철이라면? 하는 상상도 하고 있습니다.

사람들은 늘 상황과 문제해결에 대해서 고민하고 생각합니다. 그게 우울증에 걸린 상태일수도 있고 아무런 감정이 없을 때 일수도 있어요. 어떤 상태이건 간에 우리는 끊임없이 문제를 해결해나가야 하고 상황을 극복해나가야만 합니다.

이런 극복방법에 대해서 고민해야하고 그 고민을 직접 실천해보아야만 더 나아질 수 있는 것이죠. 수많은 방법 중 감히 조언을 드리자면 자신이 정한 롤모델이나 자신의 구역에서 닮아가고 싶은 사람이 있다면 그와 친해지고 (친해진다는 것은 직접적인 교류를 안 해도 좋아요. 그를 연구하는 과정이라고 할께요.) 잠시 그의 영혼이 내 안에 들어왔다고 상상하며 현재의 상황에서 벗어나는 지혜를 발휘해보시기 바랍니다. 그로 인해서 생각지도 못한 일과 생각지도 못한 인간관계를 맺을 수도 있으니까요. 누군가가 내몸에 빙의된 것 같은 이 기술은 여러분의 우울증을 극복하는데 큰 도움을 줄 것이며 감정의 반복된 습관을 고치는데에도 효과가 있을 것입니다.

6. 정신건강 유지하기

• 정크푸드 멀리하기

우리 인간은 매시 매분 매초 유기적으로 반응하는 하나의 유기체입니다. 유기적으로 우리의 몸이 자연스럽게 움직이기 위해서는 적당한 수면과 적당한 섭취가 이뤄져야합니다. 밥이 보약이라 하고 잠이 보약이라 하듯 잘 먹고 잘 쉬는 것만큼 건강을 위한 일도 없습니다.

이 두 가지 중 특히나 중요한 먹는 것에 대해 이야기를 해볼까 합니다. 우리의 몸은 정말 신기하게 만들어졌어요. 무엇을 먹느냐에 따라 먹은 것 그대로의 결과가 나타나죠. 살이 빠지거나 찌기도 하며 병에 걸리거나 치유되기고 합니다. 사람마다 무엇이라는 음식물만 다를 뿐 우리는 무언가를 먹어야만 살 수 있으며 유기체로써의 역할을 할 수가 있습니다.

먹는다는 것은 우울증이 있는 우리의 기분을 바꿔 주기도 합니다. 무슨 맛을 느끼고 그것이 우리 몸에서 소화되고 어떤 화학작용을 일으키는지가 기분을 결정하죠.

우리는 정신적으로나 신체적으로 자신의 몸에 집중해야만 합니다. 지금까지 먹는 것이니까 먹었고 맛있다고 해서 먹었다면 그 먹는 것이 어떤 증상을 야기하는지에 대해 고민해야 한다는 것입니다.

우리는 지금 어떤 정보건 쉽게 접할 수 있는 세상에 살고 있습니다. 이 정보가 먹는 것과 무슨 관계가 있냐 싶겠지만 우리는 이 정보를 통해 우리가 먹는 것이 어떤 물질의 합성으로 이뤄는 지를 알 수가 있습니다. 현재 정보화 시대에 산다는 것은 정말 축복받은 일이죠.

자, 이런 정보화시대에서 우리가 정보를 통해 매일 먹는 것을 분석하는 방법을 알려드리겠습니다. 아니, 그전에 제가 먹는 것에 대해 다시 생각한 계기를 들려 드릴께요.

2018년 31살, 저는 서른까지 제 몸과 마음을 어떻게 관리하는 줄 몰랐습니다. 살빼기 위해서는 운동을 해야만 하고 아토피 피부염 역시 환경이나 스트레스 탓으로만 생각했죠. 그런데 다이어트를 고민하다가 우연히 다큐멘터리를 본 후 생각이 바뀌게 되었습니다.

지방의 누명이라는 MBC다큐멘터리였죠. 다이어트란 흔히 알고 있듯 자신의 소비 칼로리보다 섭취 칼로리를 줄이면 당연히 살이 빠진다는 것이 아니라 먹는 음식이 어떤 성분이며 그 성분이 우리 몸에 들어왔을 때 어떤 역할을 하느냐에 따라 살이 빠지거나 찐다는 내용이었습니다. 사람의 체중은 음식의 화학과정을 통해 혈액의 호르몬과 신경전달물질이 결정한다는 것이었죠.

그동안 인간을 내연기관처럼 연비로 생각했던 저에게는 충격적인 내용이었습니다. 즉시 저는 다큐멘터리에서 제안한대로 식단을 꾸렸고 관련 카페에 가입해 궁금한 것을 직접 물어보면서 제 몸의 메커니즘을 파악하기 시작했습니다.

저탄고지, 키토제닉, 당질 제한식등 다양하게 불리는 이 식단은 탄수화물은 줄이고 그 외의 단백질과 지방을 마음껏 섭취하는 식단이었죠. 탄수화물이 지방을 만들어내는 성분이며 탄수화물을 줄이면 자연스럽게 살이 빠진다는 것이었습니다.

탄수화물은 우리 몸에 들어가면 에너지원으로 쓸 수 있는 포도당으로 변환 되는데 포도당은 우리가 몸을 움직이고 집중을 하고 인간이 하는 일에 힘을 실어주는 에너지원이 됩니다.

췌장에 의해 포도당이 된 탄수화물은 힘을 쓸 연료가 되어 우리가 몸을 움직이길 기다리죠. 그래서 탄수화물을 먹으면 순간적으로 집중력이 올라가는 느낌이 드는 것입니다. 이렇게 먹는 만큼 몸을 움직여 포도당이 된 탄수화물을 소비해주면 상관이 없습니다.

하지만 연료가 될 탄수화물을 쓰지 않고 남겨두면 이 포도당은 우리가 먹지 못해 굶을 때를 위해 쓸 수 있도록 지방이라는 녀석으로 변환되어 축적됩니다.

축적된 지방을 보고 우리는 살이 쪘다고 표현하는 것이죠. 즉 요즘시대의 우리는 탄수화물을 우리가 움직이고 생활에 필요한 양보다 과하게 먹고 있다는 것입니다. 현대인의 고질병인 비만이죠. 비축해놓은 에너지가 있는데도 불구하고 계속 탄수화물을 먹으니 필요할 때 써야할 지방은 빠지지 않고 쌓이기만 하는 것입니다. 이러한 메커니즘에 의해 살이 찌는 것입니다.

자, 이제 살을 빼고 싶다면 이 메커니즘의 반대로 하면 됩니다. 살이 찐다는 것, 즉 지방이 쌓이는 것을 방지하기 위해서는 탄수화물을 줄여야 합니다. 저는 영상을 보고 탄수화물을 줄였습니다.

이때 궁금한 점이 생길꺼에요. 탄수화물이 에너지원으로 쓰인다던데 탄수화물을 섭취하지 않으면 에너지가 없어 집중하거나 행동하는데 문제가 있지 않는가에 대해서요.

우리의 몸은 정말 잘 설계된 유기체입니다. 매번 들어와 에너지원으로 쓰이던 탄수화물의 공급이 차단되면 쌓인 지방을 이용해 에너지원으로 사용되며 그때 쓰이는 호르몬은 포도당이 아닌 케톤체가 움직입니다. 이 케톤체는 주로 쌓인 지방을 통해 사용되며 포도당과 같은 에너지원이 됩니다. 기름이 부족하면 전기에너지로 움직이는 하이브리드 차량처럼 역할을 할 수가 있다는 것이죠.

이때 지방을 사용하는 케톤체가 활성화되면 지방이 줄어들고 살이 빠지는 것입니다. 이것이 다이어트의 핵심이며 쉬우면서도 어려운 다이어트 방법입니다.

더 자세히 얘기를 하고 싶지만 일단은 여기까지 하고 제 경험을 이야기 해드릴께요. 이 방법대로 저는 극단적으로 탄수화물을 줄였고 탄수화물이 제공되지 않다보니 제 몸은 점점 슬림해져 6개월이 채 지나지 않아 14kg이 빠졌습니다. 아무런 운동없이 식단으로만 가능했죠. 식단으로 이렇게 살이 빠지다보니, 흔히들 말하는 다이어트의 성공은 식단80% 운동 20%라는 말이 체감이 되었어요.

이렇게 체지방을 제거하기만 했더니 저의 몸은 윤곽이 살아났고 피부도 좋아졌습니다. 그동안 먹는 것보다 운동부족에 의한 살이라고 생각했던 관념이 깨졌습니다. 탄수화물이 줄어듦으로써 저는 예전보다 더 나은 정신력과 체력을 갖게 되었습니다.

이게 왜 우울증과 관련이 있는지 궁금하실 것입니다. 우리가 현재 시대에서 먹는 탄수화물과 정제된 당분은 마약처럼 순간적으로 기분을 좋게 하지만 장기적으로는 중독증상과 함께 탄수화물을 먹기 위한 몸이 되어 뇌가 보내는 신호가 변합니다. 뇌는 맛있는 당분을 자꾸만 요구하고 요구에 의해 몸은 무기력해지며 무기력에 의해 당분을 찾고 이 악순환의 반복으로 우리의 기분을 지배 하게 되는 것이죠.

갑자기 제가 탄수화물에서 당분이라는 말로 바꾼 이유는 탄수화물의 성분이 섬유질과 당분으로 이뤄졌고 섬유질을 제외한 당분이 우리의 몸을 망가뜨리고 있기에 당분과 탄수화물을 동일 시 했습니다. 거의 대부분의 현대인들이 이러한 악순환에 의한 탄수화물 중독 증상을 겪고 있으며 현대병인 당뇨나 비만 각종 성인병을 앓게 하고 있죠.

이만큼 우리는 우리가 먹는 것이 우리 자신을 어떻게 만드느냐를 결정한다는 것을 알 수가 있습니다. 이러한 몸의 작용을 이해하고 나서 저는 식품을 살 때 성분표기에 설탕이나 정제된 탄수화물이 있는지 없는지를 확인하고 펫시크릿이라는 앱을 이용해 오늘 먹은 음식이 어떤 성분이 되어있는지를 확인하며 섭취했습니다.

이 방법대로 생활하다보니 저는 살이 빠졌고 턱 선이 살아났고 몸의 윤곽이 잡혀 웨이트 운동을 조금만 해도 몸짱이 된 기분에 자신감을 얻었습니다. (매일 거울을 보며 제 몸에 감탄하고 있습니다.) 정신적으로는 매 순간 깨어있게 되었고 심한 감정기복이 사라졌으며 인생을 보이는 그대로 받아들여 분노 보다 세상의 아름다움이 보이게 되었습니다.

조급한 마음도 차분해졌죠. 이렇게 되기까지 저는 탄수화물을 관리했을 뿐이에요. 그렇다고 맛있는 음식을 아예 안 먹지도 않았습니다. 치킨이나 피자 혹은 탄수화물의 음식은 별미로 한 달에 두어번정도 먹고 있습니다. 자연스럽게 이러한 음식이 땡기지 않더라구요. 사람들을 만날 때나 가족과의 모임 때 이렇게 일반식을 먹습니다. 그러면서 음식에 대한 스트레스를 관리했습니다.

지금 우리가 우울한 이유는 외적인 압박(회사문제, 진로, 돈, 인간관계)일수 있지만 어쩌면 당신의 먹는 음식이 현재 몸에 맞지 않는 것일 가능성이 큽니다. 이 책을 읽고 있다면 지금 즉시 자신이 하루 동안 무얼 먹으며 그 성분은 어떻게 되어있고 이 성분은 자신의 몸과 마음을 어떻게 작용하게 하는지 관찰해보시기 바랍니다.

우리는 우리가 먹는 것들로 결정됩니다. 당신이 지금 먹는 것이 당신의 모습을 만듭니다. 먹는 것으로 인한 악순환으로 우울하다면 이 악순환에서 벗어나기 위해 먹는 음식을 바꿔보길 바랍니다. 음식은 잘 먹기만 하면 약보다 더 좋은 효능을 가지고 있으니까요.

• 매일 조금씩 운동하기

전 장에서 말씀드렸듯 우리의 몸은 80%의 식단과 20%의 운동으로 결정됩니다. 이번 장에서는 20%인 운동에 대해 이야기 해볼까 합니다.

저는 운동을 싫어했습니다. 아주 싫어했어요!!!! 세상 그 어떤 것보다 운동하는 것을 싫어했습니다. 운동이라는 것은 왠지 이를 악물고 무거운 것을 들고 땀으로 옷이 다 젖을 때까지 혹은 폐로 쉬는 숨이 넘어가기 직전까지 해야 한다고 생각했거든요.

유튜브에서 운동관련 동기부여 영상만 검색해도 영상 속 사람들은 미간을 찌푸리며 힘자랑을 하듯 무거운 것을 들며 그들의 몸매는 아주 탄탄하죠. 이런 영상은 순간적으로 나도 해야겠다 라는 동기가 유발되기도 하지만 실제 운동을 하면 자신의 한계치에 도달하기도 전에 지쳐버립니다. 지쳐버리면 운동에 대한 반감이 더 커지게 되죠. 이런 몇 번의 제 경험이 운동에 대한 거부감으로 남았던 것입니다.

그래서 운동을 아주 싫어 한 것이었죠. 식단에 의한 내용에서 말씀드렸듯 운동은 죽을 듯이 해야 살이 빠지고 체력이 강해진다고 생각했었으니까요. 그러나 식단으로 빠진 체지방과 약간의 운동으로 근육이 증가하는 것을 보니 저는 생각이 바뀌었습니다.

식단에 의해 결정되는 몸이 아닌 운동으로 결정된다고만 생각할 당시 저는 우람한 몸매의 사람들이 홍보하는 풀업머신을 집에 구입해 놓고 하루 2~4시간을 턱걸이에 투자했습니다. 이론대로 라면 살이 빠지고 홍보모델처럼 몸짱이 되어 아름답고 우람해져야 하는데 6개월을 해도 거울속의 저는 근육과 체지방이 섞인 근육돼지가 되어있었습니다.

운동으로 빼려던 살이 빠지지 않아 좌절했고 식단으로 뺀 다이어트가 성공했을 때 저는 다시 운동을 하게 되었어요. 체지방을 걷어 내어보니 2~4시간을 풀업했던 때보다 하루 20분만 해도 근육이 커지고 윤곽이 선명해지는 것이 보였습니다. 예전보다 근육통은 덜해졌고 하루 운동을 50~1시간 30분만해도 몸매가 예뻐졌어요. 그렇게 매일 변화하는 몸매를 보니 재미가 붙었습니다.

홈트레이닝 외에 잔 근육과 근육의 탄성을 위해 요가를 배웠고 현재는 홈트레이닝 30~50분, 요가 1시간 30분을 병행하고 있습니다. 그것도 매일요!!

운동을 그토록 싫어하는 제가 변한 것입니다. 그렇다고 매일 운동이 너무 하고 싶은 상태는 아니에요. 다만 운동을 한날과 하지 않은 날의 기분이 다른 것은 알 수 있었습니다. 운동을 한 날은 근육통이 있어도 상쾌했는데 하지 않은 날은 무기력하고 몸이 무거웠어요. 제 신체에서의 반응이 생긴 것이죠. 기분이 좋아지는 행위가 된 것입니다. 조금씩 변해가는 몸매라인과 잘생겨진 것 같은 자신감에 저는 더욱 운동을 했습니다.

하지만 앞서 말한 죽을 힘을 다한 오버트레이닝은 하지 않았습니다. 근육이 아프면 그때 멈추자는 생각으로 할 수 있는 만큼만 하죠. 그리고 예전 헬스의 정규 공식으로 알고 있던 웨이트 1시간 유산소 30분이라는 관념도 없앴습니다. 유산소 무산소 따질 것 없이 정해놓은 운동을 하게 되었습니다.

특히 집에서 하는 근육운동은 큰근육 위주의 운동을 합니다. 턱걸이, 팔굽혀펴기, 스쿼트, 데드리프트, 컬 운동, 사이드레 터널레이즈 정도랄까요? 이것을 매일 할 수 있는 방법은 그냥 저 목록을 눈에 보이는 곳에 써놓고 개수에 상관없이 목록에 있는 운동을 했습니다. 딱1개만 해도 그날은 운동을 한 것이죠. 이 방법대로 저는 매일 꾸준히 운동을 하는 사람이 된 것입니다.

이방법을 쓰게 된 계기는 개수를 정해놓고 운동하다보니 일단 부담스럽기도 하고 놀이가 아닌 의무적인 일을 하는 느낌이었습니다. 또한 그 날 그 날 다른 컨디션 때문에 기분이 다운되거나 하는 날에는 넘어가기 일수였어요.

몇 번의 시행착오 끝에 목록만 써놓고 놀이처럼 하는 방법을 터득했고 이 방법은 제 몸매를 탄탄하게 만들어줬습니다. 식단과 병행하니 눈에 더 도드라져 보인 것입니다. 예전에 제가 알던, 죽을만큼 하는 운동을 한게 아닌데도 조금씩 서서히 제 몸은 변화하고 있었습니다. 그저 힘들지 않을 만큼의 자극만 줬을 뿐이죠.

그래서 그런 죽을 만큼 하는 동기부여 영상물을 보지 않게 되었습니다. 그러한 영상은 저 같은 초보 일반인이 따라 하기엔 힘든 것이며 그런 정신력을 갖기도 어렵다는 판단이 섰죠. 그런 영상은 직접 대회에 나가는 전문선수들에게나 필요한 영상이었습니다.

물론 이대로 꾸준히 하다가 조금 더 강한 자극이 필요하면 저도 그런 영상을 찾아 동기를 부여받겠지만 저나, 이 글을 읽고 있는 운동을 하지 않았던 분들께는 운동에 대한 반감이 커질수 있으니 그런 영상 시청을 추천하지 않겠습니다.

이 이야기가 우리의 우울증과 어떤 관계가 있나 말씀드리자면 운동을 하면서 바뀌는 자신에 몸에 대해(체력적으로나 미적으로나) 느끼는 재미와 운동을 하고 안하고의 컨디션 차이를 느끼고 운동을 하고 땀을 흘리면 교감신경과 부교감 신경의 상호작용으로 자신의 마음이 조금 더 안정됨을 느낄 수 있습니다.

또한 운동을 하는 순간만큼은 자신의 운동하는 행위와 통증(혹은 자극)에 집중할 수 있기에 잡념을 떨칠 수가 있습니다. 저처럼 운동이 싫고 지금은 싫지만 변화하고 싶은 분들게 감히 말씀드리자면 해야 할 운동을 목록으로 만들고 그것을 몇 개 하건 상관없이 (물론 1개 이상) 매일 매일 해나가며 운동에 대한 부담을 덜어내는 연습부터 하길 바랄께요.

그렇게 운동에 대한 거부감이 떨쳐지면 저처럼 그다음의 과정(탄탄해지는 몸매, 좋아지는 기분, 성취감, 자신감)을 실천하고 느껴보시기 바랍니다. 이런 사다리를 타고 올라가는 듯한 과정은 현재 여러분의 기분을 상향시키고 조금 더 굳건한 마음을 갖는 계기가 될 것입니다. 엉덩이를 들고 앉았다 일어나기도 운동이 되니, 지금 당장 운동이 가져다주는 변화를 느껴보시기 바랍니다. 얼른요!

• 부정적인 자극 끊어내기

저희 외삼촌이 저에게 세상에서 제일 재미있는 구경은 불구경과 싸움구경이라고 했었습니다. 이 이야기를 듣고 사람과 사람이 싸우고 사물이 불타는 것을 보며 재미를 느끼는 뭐 때문인지 생각했습니다.(물론 일반화 된 시각이 아니라 저희 외삼촌의 주관적인 얘기입니다.)

곰곰이 생각해보면 학창시절에도 제가 누구와 싸우는 것보다 제 3자의 싸움을 보는게 재미있었고 지금은 안 되지만 제가 어린 시절 쓰레기를 소각하는 것을 볼 때도 재미있게 봤던 기억이 납니다.

이런 생각의 끝에 결론은 자신이 하지 못하는 부정적인 행위에 대해서 3자의 입장에서 봤을 때 희열(?) 비슷한 것을 느끼는 구나 싶었습니다. 인간은 어쩌면 험담을 즐기고 누가 잘되는 성공이야기보다 사촌이 땅 사면 배 아프단 말처럼 안 되는 실패이야기를 먼저 인식하고 이런 부정의 이야기에 쉽게 빠져드는 것을 알게 되었습니다.

사회적인 환경에 의해 그렇게 만들어졌을지도 모르겠지만 남이 힘들다는 이야기는 괜히 내가 더 우월하다는 의식을 갖게 해줍니다.(보편적인 인간이라기보다 저처럼 부정에 잘 휩쓸리는 사람의 부류라고 이해 해 주셨으면 합니다.)

저의 마음 작용과 경험, 외삼촌이나 주변인들의 말을 듣고 저는 이것 또한 우울이나 불안과 관계가 있을 것이라 생각했습니다. 부정적인 것을 즐겨 보고 들음으로써 본인도 모르게 사고 와 행동이 부정적이 된다는 것을요. 이건 마치 담배나 마약 혹은 설탕중독과 같다고 생각했습니다.

그렇다면 이 부정에 대해 긍정으로 바꿀 방법이 있을까 하고 고민했어요. 고민의 답은 담배나 마약, 알콜처럼 악순환의 고리를 끊어버려야 한다는 것이었죠. 그런데 문제는 담배, 마약, 알콜, 설탕은 눈에 보이는 것이지만 우리가 느끼는 부정적인 감각은 감각 그 자체라 보이지 않는 것을 고치기에는 힘이 들 것이라 생각했습니다.

저는 제 행동을 유심히 관찰했습니다. 저의 하루는 눈을 뜨자마자 스마트폰을 들어 SNS속 다른 사람의 삶을 보고, 사건사고를 알려주는 뉴스를 보며 욕하고 친구와 통화하며 누군가를 헐뜯었습니다. 이는 습관이 되었고 남 얘기하는 것에 집중하여 사람들과 얘기를 할 때면 저도 모르게 사건사고와 부정적인 주제를 만들어 대화가 아닌 논쟁을 펼쳤습니다. (예를 들자면 사회적인 이슈, 연예인, 종교, 정치 정도랄까요?)

반복된 제 행동은 사고를 부정적으로 만들었고 부정으로 고착된 사고는 행동에 있어서 많은 제약이 실려 이 제약으로 인해 무기력과 삶이 도태되는 느낌의 우울증이 생긴 것입니다.

이러한 원인으로 발생된 우울증에서 벗어나기 위해서는 부정적인 생각을 나게 하는 것을 끊어내야 했어요. 비록 부정적인 느낌은 눈에 보이는 것은 아니지만 부정적인 입력하는 것들은 눈으로 보거나 듣거나 감각들로 느끼는 것들이었습니다. 저는 담배를 끊듯 부정적인 입력이 일어나는 것들을 끊어내기 시작했습니다.

처음 끊어 낸 것은 인스타그램이었습니다. 작은 사각형으로 바라보는 남들의 모습은 처음에는 신기하고 재미있었지만 자주 마음이 흔들리고 약한 저에게는 비교의 대상이 되어, 늘 최상의 모습만 보이는 그들과 나라는 존재를 비교했습니다.

비교가 커질 때마다 저는 자존감이 낮아졌고 이 나이까지 뭐 하나 제대로 하지 못한 죄책감에 시달렸습니다. 그냥 '저 사람은 저런 삶을 사는 구나' 하고 넘어가야 하면 좋은데 인스타그램 속 사람들이 저에게는 기준이 되어 그들만큼 살지 못하고 있다는 것에 신경을 쓰고 있었어요.

이것을 자각했을 때 저는 인스타그램 계정을 비활성화 시켰습니다. 친구들은 머지않아 다시 인스타그램을 할 것이라 했죠. 하지만! 저는 1년이 넘도록 인스타그램이나 SNS활동을 하지 않고 있습니다.

SNS를 끊은 효과는 즉각적으로 나타났습니다. 삶자체를 '어떻게 인스타그램에 업로드 할까?' 하는 기준으로 돌아갔는데, 온라인으로 연결된 팔로워나 인플루언서들을 보지 않게 되니 제 삶을 업로드하고 싶지 않았습니다.

그러다보니 자연스럽게 비교하는 습관에서 멀어졌죠. 비교하지 않은 삶은 온전히 나를 인정하고 그들의 삶까지 존중하게 되었습니다. 부정적으로만 생각했던 사고도 조금씩 나아졌죠.(완전히 긍정적이라고는 할 수 없습니다만..)

SNS를 끊고 저는 뉴스와도 거리를 뒀습니다. 지금같이 마음이 굳건하지 않을 때 받아들이는 정보는 그것이 마치 진짜 인냥 입력이 되어버려 제 기분을 망친다는 것을 알게 되었습니다. 세상의 흐름을 알아야 하겠지만 지금은 세상이 돌아가는 동향보다 제 자신의 감정을 돌보는 것이 먼저라고 생각이 들어 뉴스 대신 다큐멘터리 채널을 보고 있습니다. 네셔널 지오그래픽이나 디스커버리같은 채널요. TV와 인터넷의 오염된 정보를 차단하고 난 후 저는 부정적인 친구들과도 거리를 뒀습니다. 자세한 내용은 앞서 얘기한 부정적인 친구와 멀어지기에 정리해뒀으니 여기까지 말씀드리겠습니다.

이렇게 저에게 들어오는 부정적인 자극들은 정리하다보니 자연스럽게 더 좋은 것을 보게 되었고 평소 휴대폰을 보느라 놓쳤던 주변 환경이 보이기 시작했습니다. SNS속 친구들 대신 동네 친구를 사귀게 되었고, 뉴스에서의 부정적인 사건사고 대신 다큐멘터리의 지식과 책을 읽게 되었으며, 부정적인 친구를 멀리하다보니 가족과의 우애가 더 깊어졌습니다.

단순한 효과일수도 있겠지만 세상의 모든 자극은 불구경이나 싸움구경처럼 처음에는 그저 신기하고 재미 있다고 보지만 자신도 모르게 점점 중독되어 더 자극적인 것을 찾게 됩니다. 자극은 더 큰 자극을 불러오죠.

현재 우울을 겪고 있는 우리는 이러한 관찰이 필요한 시점입니다. 자신도 모르게 유입되는 자극 적인 정보에 의해 편협적인 사고가 되 버린 것은 아닌지, 자신의 폭력적인 성향이 나타나는 것이 어느 정도 연관성이 있는 것은 아닌지에 대해서요.

개구리 요리를 할 때 살아있는 개구리를 물에 넣고 조금씩 불의세기를 높혀 뜨겁게 만들어 개구리가 익어가는지도 모르게 요리한다고 합니다. 어쩌면 우리도 현재 자신이 죽어가는 지도 모르고 불이라는 자극이 자극처럼 느껴지지 않을 수 있습니다. 여기서 벗어나기 위해서는 부정의 자극으로 높혀지는 불의 온도를 낮춰야합니다. 불이 커지는 가스의 유입을 차단하여 적당한 온도를 유지해야하는 시점이죠.

끊음에 있어서 금단현상이 나타날 수도 있습니다. 저항감이 커질 꺼에요. 그럴 때는 자신이 집중할 수 있는 것을 찾아 에너지를 쏟아보시기 바랍니다. 제가 집중한 동네친구, 가족, 책, 다큐멘터리 처럼요. 다른 긍정적이고 건설적인 자극은 여러분의 냉소적이고 부정적인 습관에서 벗어나게 도와줄 것입니다. 먼저 부정으로 들어오는 것들을 끊어보자구요!!

• 중독에서 멀어지기

제가 우울할 때, 아니 우울증인지 아닌지도 몰랐을 때 처음 한게 술이었습니다. 평소 술을 찾아먹지 않던 제가 우울의 아픔에서 벗어나기 위해 맥주와 소주를 집으로 사와 안주도 없이 벌컥벌컥 들이마셨어요. 주량이 약한 저는 먹은지 얼마 안 되 잠이 들었죠.

음주로 기분이 들뜨는 조증이 오는 정도는 아니었지만 알콜에 의해 잠이들 수 있는 것이 좋았습니다. 워낙 신경 쓰는게 많고 예민해져 있어 잠을 잘 못자고 있었거든요. 그 잠의 맛을 알고 난후 매일 자기 전에 술을 먹고 잠이 들었습니다. 잠을 자기 위해 알콜에 의존하게 된 것입니다. 이게 반복이 되니 술이 없으면 잠이 오지 않았습니다. 술을 먹고 자면 수면의 질은 떨어졌지만 바로 잠들 수 있어서 좋았어요. 아토피가 있는 저에게 술은 독약과 같았지만 온전한 정신이 아닌 저는 아토피의 상처보다 잠이 들어 잊어버리는 것이 중요했습니다.

그렇게 반복하다보니 살이 쪘고 피부는 수분이 없어 푸석푸석해졌습니다. 떨어진 수면의 질로 인해 매일 컨디션이 바닥을 기었어요. 저는 악순환의 늪으로 빠지기 시작했습니다.

또, 잠이 들 때는 그나마 이런 식으로 해결하면 됐지만 깨어있을 때가 문제였습니다. 아침과 낮 시간이었죠. 이때 우울을 잊기 위해 저는 게임을 했습니다. 캐릭터를 육성하고 몬스터를 잡는 온라인 속에 살기 시작했죠. 게임에 한창 집중할 때 부모님께서 심부름을 시키면 굉장히 신경질적으로 받아들였어요. 현실을 도피하기 위해 온라인속으로 들어갔는데 다시 현실로 돌아온 기분이었죠.

이렇게 깨어있는 아침과 낮에는 게임만하고 자기 전에는 술을 먹고 잠이 드는 이른바 폐인생활을 했습니다. 이때는 정신적으로 버틸 힘이 없어서 제 자신을 돌볼 여유나 그러고 싶은 마음도 없었습니다. 그저 쾌락에 집중하고 쾌락만을 바라본 것이죠. 쾌락주의의 삶은 저를 파괴시켰습니다. 제대로 사람사귈 줄 몰랐고 끈기도 없었으며 기분이 나쁘면 신경질적으로 화를 냈습니다. 더 큰일은 자신이 그러고 있는지 자각하지 못한다는 것이었죠. 아마 제가 그때 담배까지 입에 물었다면 지금까지 흡연하고 있었을 꺼에요. 담배를 시작하지 않은게 그나마 다행이라고 생각합니다.

이렇게 중독은 순식간에 자신을 덮칩니다. 그 시작이 호기심이든 우울증이든 마음이 약해진 사람에게는 강한 느낌이 되는 것이죠. 앞에 얘기한 부정적인 정보와 같아요. 지난 폐인생활의 경험을 굳이 써내려가는 이유는 아마도 많은 사람이 저처럼 우울할 때 찾는 것이 술, 담배, 게임일 것 같았고, 저 또한 이러한 경험을 거쳐 왔음을 이야기 하고 싶었습니다.

우울감을 쫓아내기 위한 쾌락주의적인 행위는 강한 중독성으로 인해 우울증에서 벗어나기는커녕 우울증이 더욱 심해집니다. 제가 이런 중독 상태에서 벗어 날 수 있었던 것은 부모님 덕이 컸습니다. 당시 부모님 곁에 살던 저는 어느 날 문득 아침저녁으로 일하고 돌아오는 부모님을 보고 죄책감을 느꼈습니다. 새벽6시면 기상하는 아버지(현재 기상시간은 새벽2시입니다.)는 밤늦게까지 일만하고 들어오셨고 어머님은 교대근무를 하며 생계를 책임지고 계셨습니다. 그런 부모님을 보고나니 저는 이렇게 살면 안되겠다는 생각이 들었어요.

또, 감사한 것은 당시 제가 마음이 힘들어 그런 중독에 빠진 것을 아셨는지 게임하고 술먹는 저에게 그만해라 하는 잔소리를 하지 않으셨습니다. 부모님께서는 그저 자신의 일을 하며 하루를 보내셨고 오히려 저에게 마음 편히 있으라며 밥을 챙겨주시고 격려해주셨습니다.

이 덕분에 저는 불효하는 제 모습을 보게 되었고, 이후 아르바이트를 구해서 게임하는 시간을 줄이고 피곤에 쩔어 잠이 들 수 있도록 술 대신 운동도 하며 더 많이 움직였습니다. 아마 그때 부모님께서 저를 이해하지 못하고 다른 부모님처럼 나무라셨다면 저는 더욱 삐뚤어 졌을지도 몰라요. 다른 부모님처럼 재정적으로 해준 것이 없음에 원망하고 우울이 와서 힘든 이유조차 부모님이 재정적으로 도와주지 않은 탓이라고 생각했던 제가 부모님에 대한 생각이 바뀌고 혼자 방안에서 통곡하며 울었던 기억이 납니다.

그때 부모님의 이해와 제가 편안하게 느낄 수 있도록 해준 배려, 격려덕에 저는 우울증으로 인한 중독의 늪에서 벗어났고 (이후 리턴 되긴 했습니다만..) 술과 게임에서 멀어져 목표지향적인 사람이 되었습니다.

이때 느낀 것이 우리가 중독되는 것들에 대해서는 다양한 이유가 있겠지만 벗어나기 위해서는 그저 묵묵히 하루를 살아가는 부모님 혹은 친구, 가족을 통해 자신이 자각하는 계기를 만들어야한다는 것을 알게 되었습니다. 무언가를 탓하기보다 나를 이해해주고 응원해주는 사람을 떠올리며 벗어나길 몇 번이고 각오하고 반복하는 것입니다.

이 책은 우울한 본인이 읽을 수도 있겠지만 혹여 우울증을 겪고 있는 가족이나 친구가 있다면 이런저런 어쭙잖은 조언이나 잔소리 대신 그저 본인이 열심히 사는 모습을 보여주고 그를 믿어주며 끊임없이 괜찮다고 격려해주시길 바라는 마음에 써봅니다. 저희 부모님이 제게 해주신 것처럼요.

마음이 힘들고 복잡한 사람에게 어쭙잖은 조언은 그들에게 날카로운 칼날이 되어 마음을 닫게 만들고 등을 돌리게 할 수도 있습니다. 이런 속성을 이해하시고 날카로운 칼날로 찌르는 것이 아니라 부드러운 보자기로 그저 따뜻하게 감싸주셨으면 좋겠어요.

또 자신이 무언가에 중독이라고 생각한다면 그로 인해 힘들어 할, 혹은 힘들어질 미래를 생각하면서 중독에서 벗어나고자 하는 의지를 상기시키길 바랍니다. 언젠가 여러분은 우울증에서 벗어나 이토록 즐거운 세상에서 행복을 느끼게 될 것입니다. 중독된 자신을 자책하지 마세요. 그렇게 중독될 수도 있고 모든 우울증 환자는 쉽게 중독되는 성향이 있으니 중독에 빠진 것에 대해 자책감을 갖지 말고 주변사람들을 보며 위로와 힘을 얻어나가시기 바랍니다. 저도 그 중독된 과정 덕분에 감사하는 법을 알게 되었고 이렇게 책까지 쓰게 되었습니다. 분명 우울이라는 감정을 통해 주변을 보게 될 것이고 예상외로 주변에 응원해주는 사람이 많다는 걸 알게 될 것입니다. 힘내세요!

• 변화에 적응하기

이 책의 전체적인 핵심대로 우울증이라는 것은 부정의 감정이 고착된 습관입니다. 우울증의 메커니즘은 가끔 받던 스트레스의 빈도가 많아져 스트레스로 인해 기분 나빠지는 것이 더 잦아지고 이 잦아진 현상이 우울감이며, 우울감이 지속될 경우 우울증이라고 하죠.

이 우울증은 관성의 법칙에 따라 웬만하면 떨어질 생각을 하지 않으며 인간의 모든 판단에 관여하며 한 사람이 인생을 망가뜨립니다.

그렇다면 이 우울증이라는 녀석이 떨어지게 하려면 어떻게 해야할까요? 방법은 우울증을 그대로 쳐다보는 겁니다.

우울증이라는 녀석은 자신을 쳐다보는 것을 싫어합니다. 이런 성질을 이용하여 우리는 우울증을 정면으로 바라보고 이 녀석이 싫어하는 것을 행동으로 실천해야하죠. 또, 우울증이 싫어하는 것은 명상, 운동, 정리정돈 등 제가 앞 챕터에 쓴 것들이 해당됩니다.

즉, 우울은 계속 부정을 발생시켜 무기력하게 만드는 속성이 있기에 부정과 무기력에서 멀어지도록 우리는 변화를 꾀해야합니다.

이 책에는 주로 자신이 하는일과 다른 일에 대해 쓰여져 있습니다. 하지 않은 일을 계속 반복해줌으로써 변화를 자신에게 적용시켜야 합니다. 처음에 큰 저항과 부담감이 올 것이고 너무 커다랗게 느껴지는 바람에 포기도 하게 될 겁니다. 포기해도 좋아요. 하지만 우울증에지지 않기 위해서는 쓰러져 K.O 되는 것보다 넘어져도 다시 일어날 수 있음을 자각해야 합니다. 변화를 받아들이는 정신력을 키워야 하는 것이죠.

기존 생각이 강하면 강할수록 편협한 사고와 선입견이 생겨 집착이 되어 여러분을 방해 할 것입니다. 이 집착은 자신과 타인을 괴롭히며, 그 무엇에도 자유롭지 못하게 되죠. 변화라는 것은 사고의 유연성을 기르는 과정이라고 할 수 있습니다. 사고가 유연한 사람일수록 우리가 처한 우울증과는 거리가 멀어 가끔 우울감을 느끼기는 하지만 금방 벗어납니다. 자신을 밀어붙이는 높은 목표설정보다는 실수에 관대하며 자신과 타인에게 용서를 할 수 있는 깊은 아량이 필요합니다. 물론 이렇게 쓰는 저 조차도 어려운 사항입니다.

또한 자기 자신을 잘 알아야 합니다. 사람의 행동은 주로 유전과 성장환경, 사회 문화적 배경에 의해 결정됩니다. 이 세가지중 사회문화적 행동은 다른 사람과 비슷한 성향을 띠게 합니다. 예를 들자면 한국인은 빠르고 두뇌가 명석하며 기분파라는 것이 있겠죠. 이 처럼 사회문화적 배경에 의한 성향이 모두가 같지는 않겠지만 그중 공통분모가 생깁니다. 이 공통분모를 통해 자신의 모습을 보면 타인, 특히 사회문화적 배경으로 만들어진 사람의 성향과 습관을 이해 할 수 있습니다.

앞서 말씀드린 것처럼 우울증을 바라본다는 것은 자신을 탐구하는 것이며 자기 자신을 정의하는 과정이라고 할 수 있습니다. 자기 자신을 얼마나 잘 보고 이해하느냐에 따라 타인에 대한 이해도가 넓어집니다. 타인에 대한 이해도가 커지면 자신이 갖고 있는 사고방식에서 유연해진다는 것이며, 고집을 버릴 수가 있습니다. 이 고집이 약해지면 원래 그런 줄 알았던 것들에 대해 다시 한 번 생각할 수 있어요. 다른 사람의 말도 '어느 정도 일리가 있겠구나', '그럴 수도 있겠구나' 하면서요.

이런 사고의 유연성과 수용은 제가 앞서 말씀드린 변화에 적응할 수 있도록 도와줍니다.

모든 것은 유기적으로 연결되어 있으며 단점과 장점이 함께 공존합니다. 여기에서 우리 우울증이 있는 사람은 독단적으로 생각하고 단점만을 바라보죠. 사회적으로든 신체적으로든 유기적인 활동을 하기엔 어렵죠. 즉 유기적이 되려면 변화에 적응해야 합니다. 변화에 적응을 위해서는 자신을 알아야 하며 자신을 탐구한 토대로 타인을 이해하는 것이죠. 이런 과정을 통해서 우리는 유기적인 관계를 형성 할 수 있으며 우울에서 벗어나는 데에도 큰 도움이 됩니다.

변화에 적응 한다는 것은 한 가지에 꽂혀서 흑백논리로 이것 아니면 저것이 아니라 흑백 외에도 다른 컬러가 있을 수도 있다고 인정하며 그 어떤 색이 오더라도 함께 융화되고 결합할 수 있어야 한다는 것입니다.

저는 이런 사실을 알기 전, 그저 '우리 정씨 고집은 쇠고집이다.' 라는 말을 믿으며 사람은 절대 바뀌지 않는 존재라고 생각했습니다. 그래서 우울증에 걸렸을 때도 평생 이런 감정기복을 안고 살아야 한다는 공포감이 엄습했어요.

그러나 벗어나고자 한번, 두 번 부딪혀보고 이것을 반복하다보니 부딪히는 것에 대한 거부감이 사라졌고 이 거부감이 사라지다보니 내가 하고 싶은 일에 대한 집착을 내려놓을 수 있었고, 제가 겪은 경험들과 극복기에 대한 글을 쓰기로 마음먹게 되었습니다.

덕분에 저는 그 어떤 제안이 들어와도 제 자신의 뜻대로 선택할 수 있는 태도를 갖추게 되었습니다. 바람이 어떻게 불던간에 그 방향에 휩쓸리지 않게 된 것이죠. 물론 아직 완성단계는 아니지만 그 과정에 있으며 이 과정을 필요에 따라 수정하고 보완하며 저만의 습관으로 만들고자 노력하고 있습니다.

지금 여러분(우울증을 겪고 있는 혹은 우울감이 있는)께서 필요한 것은 자기 자신의 행위에 대한 감정을 바라보고 단기적인 쾌락이나 재미를 쫓는 것이 아니라 새로 가야할 방향과 건설적인 형태의 길을 선택해야 합니다.

이런 점에서 우울증은 잠시 멈춰 쉬어가라는 휴게소라고 하면 좋겠네요. 이 휴게소에서 이것저것 해 보면서 변화를 수용하고 거를 것은 거르는 현명한 지혜를 얻어가는 기회가 되었으면 좋겠습니다. 변화를 받아들이면 변할 수 있습니다.

• 목표는 작게 행동은 크게 하기

어떤 일을 하기 전에는 미지의 영역에 대한 두려움 때문에 선뜻 움직이지 못하다가 막상 해보니 별거 아니었던 경험이 있을 겁니다. 혹은 별거 아니라고 생각했는데 막상 해보니 쩔쩔맸던 경험도 있을거구요.

저는 거의 매일이 이런 행동의 반복이었습니다. 대리운전을 할 때는 어디에 가도 쉽게 나올 수 있을 것 같았다가 막상 가보니 한창 걸어 나와야 했던 때도 있었고 반대로 걸어 나와야겠다 생각했다가 쉽게 콜을 받고 나왔던 적도 있었습니다.

매일 하는 요가수업도 고난이도라고 생각했던 수업이 막상 가보니 내게 딱 맞는 난이도이거나 쉽게 생각했다가 다음날 근육통으로 고생한 적도 있습니다.

이런 결과가 나오는 것은 아마 생각과 행동이 어느 정도 연결되어있다는 증거겠죠. 어렵게 생각한 만큼 몸은 미리 대비해 평소보다 강한 긴장으로 준비를 하다 보니 어려운 것에 쉽게 적응 했고 쉽게 생각한 것은 긴장을 풀고 그 일을 대한만큼 어렵게 느껴진 것입니다.

이토록 우리의 몸은 우리의 뇌가 명령하는데 말을 참 잘 듣습니다.(제가 경험한 바로는요) 이런 생각과 몸의 상호작용을 이해하는 것은 우리가 우울증에서 벗어나고 맑은 정신을 유지하는데 커다란 역할을 합니다. 우울감이나 부정이 떠오르는 원인중 하나는 너무 높은 기대치에 비해 작은 노력으로 그 결과가 원하는 대로 나오지 않았을 때 일어나곤 합니다. 그것을 보고 누군가는 운이 나빴다 좋았다 라고 말하기도 하죠.

그렇다면 이런 원인에 의한 우울감을 방지하기 위해서는 어떻게 해야 할까요? 바로 기대치를 낮추거나 행동을 더 크고 힘든 노력을 하는 것입니다. 높은 목표를 설정할수록 그에 맞는 높은 정신력과 거대한 노력이 필요하며 기대치나 목표치가 낮으면 또 그에 맞게 적당한 노력만 기울이면 됩니다. 이게 다에요. 운이 좋았다 나빴다는 그 다음에 따질 문제이지요.

한창 원하는 대로 이뤄진다는 내용의 책이 서점가를 강타하며 유행이 되어 누구나 생각하면 이뤄진다고 믿게 만들었습니다. 저도 그 중 한 사람이었구요. 하지만 이 말에 대해서 '정확히 적용하자면 생각한대로 될 수도 있고 안 될 수도 있다'가 맞는 표현이 아닐까 싶어요.

우리가 목표를 이루는 데에 있어 그 과정에는 수많은 변수와 장애물이 발생합니다. 그중 우연히 들어오는 선물처럼 목표가 달성되는 경우가 있을 것이고 아무리 해도 되지 않는 경우도 있을 겁니다.

우연에 의해 달성되거나 목표만큼의 노력으로 뭔가를 얻었다면 별 문제가 되지 않습니다. 모든 우울과 부정이 문제는 간절히 바랬고 그 목표를 위해 살았는데 원하는대로 되지 않았을 때 일어나기 때문에 문제가 되는 것입니다.

바라는 대로 된다는 마음에 진짜 되는 줄로만 믿었는데 되지 않았다는 실망감에 상처를 입습니다. 제가 여러 번 반복해보고 경험해본 결과 바라는 대로 이뤄지거나 목표를 달성하기 위해서는 앞서 말한 것처럼 그에 상응 하는 여러 개의 플랜과 다양한 카테고리, 정신력 그리고 실천력이 동반되어야 합니다. 무조건 된다고 믿기보다 안 됐을 때에 대한 대비책 (예를 들어 금전적으로나 감정적인 실망)을 세워야 하며 그 대비책 이후 실행할 수 있는 플랜 B,C를 정해야한다는 것이죠.

제가 이 책을 쓰기까지도 많은 시간이 흘렀습니다. 처음은 생각한대로 이뤄진다는 믿음에 2015년 글을 쓰기 시작했고 운이 좋게 공동저자로 책 한권이 나왔습니다. 그 기세를 몰아 대리운전에 대한경험을 쓰고 단독으로 출판하고 싶은 마음에 200곳이 넘는 곳에 출판투고를 했지만 되지 않았습니다. 바라는 대로 이뤄져야한다면 저는 이미 책 한권을 출간한 사람이 되어야 하는 것이었죠.

그렇게 실패한 첫 원고가 책으로 나오지 못한 이유에 대해 저는 다시 분석했고 이 분석에 의해 '나처럼 아픈 사람들이 공감하고 의미를 얻어갈 수 있는 주제의 책을 쓰자' 라는 목표로 다시 펜을 들어 이렇게 우울에 대해 쓰게 되었습니다.

글쓰는 습관이 잡혀있지 않아 처음에는 컴퓨터 앞에 앉아 머리를 쥐어짜며 키보드를 두드렸지만 컴퓨터 앞에서는 글이 잘 나오지 않았습니다. 저는 글을 쓸 수 있는 환경을 찾았고 카페에서 노트북대신 펜을들고 빈 노트에 써내려가는 방법을 통해 매일 조금씩 글을 쓰게 되었습니다.

솔직히 이 책도 출간될지 안 될지 모르겠습니다. 하지만 확실한 것은 제가 이 내용을 세상으로 보여주기 위해(책으로 출간되기 위한) 여러 가지의 플랜을 세워뒀습니다. 됐을 때 받아들이는 마음과 되지 않았을 때의 마음, 금전적으로 필요하다면 어느 정도가 필요하고 어떤, 누구를 타겟으로 이 책을 보여줘야 할지 홍보를 어떻게 해야 할지 등 책을 내야겠다는 한 가지 목표 때문에 다양한 변수에 대한 대비책을 만들어놨습니다.

이렇게 생각대로 이뤄진다는 것은 그 안에 많은 플랜이 내포되어있는 것입니다. 이런 플랜에 대한 대비책을 많이 만들어낼 수 없다면 목표를 낮추는 것이 좋겠지요. 목표가 클수록 과정은 복잡하고 변수와 장애물이 많으니까요. 제 예로 목표를 낮춘다면 책으로 출간한다는 목표대신 매일 주제를 잡고 칼럼처럼 블로그에 써내려가거나 일기처럼 개인만족을 위해 쓰면 됩니다.

그 또한 자신의 자산이 될테니까요. 제 생활을 예로 들었지만 이러한 삶의 핵심은 어느 누구에게나 통용되는 방법입니다. 그렇기에 우리의 정신건강을 온전히 유지하기 위해서는 어느 정도의 데미지를 미리 생각하고 막상 안됐을 때 그것을 감수할 수 있는 방어력이 필요합니다. 우울증에서 벗어나고자 하는 목표를 삼았다면 이 또한 같은 원리입니다.

운이 좋게 제 책 내용대로 실천하여 극복될 수도 있지만 아닐 수도 있기에 제 책도 보고 다양한 컨텐츠와 솔루션을 직접 찾아보며 반복해야합니다. (저는 부디 그 과정을 즐겼으면 좋겠네요.) 즐길 수 있다는 것은 어떤 결과가 나와도 받아들일 수 있다는 자신감이 생긴 것이며 이것은 목표보다 과정에 집중할 수 있다는 증거니까요.

사람들이 흔히 복잡할수록 단순하게 하라는 말처럼 우리의 건강한 정신을 유지하기 위해 다시 한 번 이 챕터의 주제를 더 단순하게 정리를 하자면 "기대치를 낮추거나 행동력을 키우세요" 라고 말하고 싶습니다.

여러분들은 어떤 목표든 달성할 수 있습니다. 하지만 그 목표는 반대로 당신을 괴롭힐 수도 있고 기쁘거나 혹은 성장시키거나 도태되게 만들 수도 있다는 것을 명심하시고 자신이 행복하게 목표를 향해 갈 수 있는 방법을 연구하시기 바랍니다. 그 끝에는 목표 달성의 달콤함이 기다리고 있을 거에요!

• 연애 먼저? 사람사귀는 법 먼저

누군가를 좋아한 적 있을 겁니다. 저의 우울증의 대부분은 사랑하는 여자 친구나 짝사랑했던 이성친구와의 관계 때문에 일어났습니다. 실연의 상처나 믿었던 사람의 변심은 꽤 큰 충격이 되더군요. 매번 하는 연애지만 이별 앞에서는 속수무책이었습니다. 그것도 당연한 것이 저는 주로 일방통행의 연애를 했기 때문에 상대방 입장에서는 부담이 될 수밖에 없었습니다.

제 성격이 워낙 사람에게 맞춰주는데 익숙했던 터라 여자 친구가 하자는 대로 받아주기만 했습니다. 어느 정도 연애를 해 보신 분들은 알겠지만 부부가 아닌 이상 일방적으로 한명에게만 기울어져 있는 연애는 재미가 없습니다. 그래서 제일 많이 들은 얘기가 저는 연애하기에는 재미없고 결혼하면 잘할 것 같다고 하더군요.

그런 말을 한 두번 듣고 나서야 결혼과 연애를 나눌 수 있었습니다. 연애할 때 그런 모습(여자 친구에게만 맞춰주는)을 보여주면 자연스럽게 결혼으로 연결되지 않을까 생각했던 제가 틀리다는 판단이 들었죠. 사람마다 다르겠지만 어쨌든 저는 먼저 잘해주고 더 잘해줘서 상처받는 스타일입니다. 지금도 딱 잘라 이런 연애성향을 완전히 극복했다고 할 수는 없어요.

지금까지 저는 연애를 할 때 늘 이 사람과 결혼해야지 하고 접근했습니다. 대놓고 "너랑 결혼할 거야" 라고 까지 말하지는 않았지만 몇 번의 연애를 돌이켜보면 늘 저는 에너지를 소진시키며 헌신했죠. 일 보다도 사랑이 먼저였으니까요.

이런 연애에 대한 잘못된 습관은 새로운 이성 친구를 사귀는데도 그녀에게 부담감만 주는 꼴이 되었습니다. 저는 친해지고 싶은 마음에 이런 저런 제안을 하는데 받아들이는 사람은 마치 연애하는 사이에 해야 하는 말처럼 느꼈던 것이죠. 물론 받아들이는 입장에서는 제가 본인과 연인으로써의 마음을 갖고 있다 느꼈을 수도 있어요.

서로 호감이 있는 상태라면 상관이 없는데 어느 정도의, 아니 최소한의 유대감을 형성하지도 않은 채 이런 저런 저의 제안은 친구로써도 이뤄질 수 없는 사이가 되는게 당연했습니다.

20대의 제 서툰 성향중 제일 잘 드러날 때가 바로 연애 할 때였습니다. 꾸준히 차분히 따뜻하게 사랑하기보다 순간의 설레임에 불타올라 '이 여자 아니면 안 돼!' 라는 식으로 불나방처럼 달려 들었으니까요.

그 끝은 늘 화염 속에 타들어갔습니다. 반복되는 이성과의 관계에서 몇 번을 반복하고 실패했습니다. 30대가 되어 내 연애관이 왜 이렇게 됐는지 생각하게 됐어요. 곰곰이 생각해본 결과 저는 한 번에 느껴지는 쾌락처럼 이성과 한 번에 불타오르는 것이 연애의 감정이라고 생각하고 습관적으로 그래왔던 것입니다. 그녀는 그렇게 생각하지도 않고 아무런 감정이 없는데 이미 저는 상상 속에서 연애했을 때, 결혼하면 어떻게 될지를 그리고 있었던 것이죠. 이런 상상은 이성을 만났을 때 받아들이는 사람의 입장에서 굉장한 부담으로 느껴지는 것이 당연한 것이었습니다. 호감이 드러나면 자신도 모르게 긴장하게 되고 그 긴장하는 모습은 상대방도 다 느낄 수 있죠.

그래서 전의 연애 습관을 바꾸자는 마음을 먹었습니다. 호감을 가지되 바로 연애와 연결시키기보다 이성을 알아가는 것부터 시작했습니다. 순간적으로 불타오르더라도 그것은 가짜라고 마인드컨트롤을 하면서요.

연애로의 발전에 있어 남자와 여자는 정말 다릅니다. 설레임에 의해, 한눈에 반하거나 강한 인상으로 사랑에 빠지는 남자에 비해 여자는 남자를 볼 때 여러 가지 방면으로 사람을 판단하죠. 이런 남녀 간의 차이를 이해하지 못하고 저처럼 밀어붙이기만 하면 일방적인 사랑으로 주고받지 못해 불통이 되어버립니다. 이것을 이겨내기 위해 제가 고안한 방법은 저도 여자처럼 그 사람을 오래 두고 보는 친구가 되는 것이었습니다.

즉, 연애를 위한 사람 사귐이 아니라 친구가 되는 것부터 시작해서 그 이상의 감정이 묻어났을 때 사랑임을 평가하자는 것이었죠. 이것은 제가 연애를 잘하기에 하는 말이 아니라 연애라는 것에서 오는 상처를 최소화시키고 싶은 하나의 제안과도 같습니다. 사랑이라는 것은 한사람을 바꾸는 힘이 있지만 반대로 사람을 완전히 파괴시키기도 하는 힘이 있으니까요.

이런 사랑의 속성을 이용하여 우리는 파괴보다 변화에 집중해 봅시다. 바보온달과 평강공주처럼 순수한 사랑으로 사람을 변화시키고 굳건한 사이가 되자는 것입니다. 이런 사랑의 관계가 성립하기 위해 우리는 연애를 먼저 생각하기보다 사람과 사람이라는 그 관계에 집중해야하 합니다.

이런 고민의 끝에 저의 경험 상 알게 된 여성의 공통점은 관심과 존중받는 것을 좋아한다는 것이었습니다. 이후 이런 성향을 이해했다면 예쁘고 못생기고 나이가 많고 적고를 떠나 많은 여성과 관계를 형성하고 유지해보는 것이 연애를 하고 사랑할 수 있는 근본이 됩니다. 반대로 여성의 입장에서 보자면 불같이 타오르는 남성의 성향을 이해한다면 자신에게 해주는 호감이 부담감으로 느껴지는 것이 조금 덜 할 수 있겠죠.

모든 여성이나 남성이 제가 말한 그런 성향이지는 않습니다. 제가 만나고 헤어졌던 혹은 주변 여사친이나 여동생, 누나, 엄마, 고모, 이모, 숙모와의 대화에서 느낀 것입니다.

남자는 여자를 친구로 두기 위해서는 경청과 공감이 필요하고 여자는 남자를 친구로 두기 위해서는 남자의 허세를 일으켜주는 리액션이 풍부하면 좋죠. (남녀의 역할을 가르자는 것이 아니라 남자와 여자의 다른 성향에 맞는 처세 방법이라는 것을 말씀드립니다.) 이렇게 서로 필요한 점을 이해 해주는 것부터 이성과의 친구로 성립이 됩니다. 모든 시작은 그 사람과의 소통이며 소통을 통해 서로 닮은 점과 관심사를 찾고 같은 느낌을 갖는다면 코드가 맞는 것이라고 생각을 하면 됩니다.

이런 단계적인 인간관계 형성이 연애에서 오는 실연의 아픔과 우울증을 방어할 수 있습니다. 무조건 연애해야지 이성적인 친구를 사귀어야지 하고 불을 켠다면 금방 지치고 서로가 지칠수밖에 없습니다.

남성분들이 빨리 누군가와의 사랑을 하고 싶다는 그 마음은 너무 잘 알겠습니다만 여성분들이 자신을 파악할 수 있는 시간적 물리적 거리를 두고 친구가 되는 것부터 시작해야합니다. 모든 인간관계도 연습과 변화의 반복이에요. 운이 좋게 자신과 잘 맞는 혹은 잘 맞출 수 있는 사람을 만나 결실을 맺는다면 좋겠지만 인생은 그렇게 쉽게 누군가와의 관계를 허락하지 않는다는 것도 아셔야 합니다.

습관을 길들이는 것처럼 조금씩 천천히 인간관계 맺는 것을 시작하여 너무 마음이 다치는 일이 없도록 자신과 상대에 대해 배려하는 마음을 먼저 가졌으면 좋겠어요. 마음이 굳건한 사람이야 말로 여기저기 휘둘리지 않는 건강한 연애를 할 수가 있으니까요.

• 귀찮은 것, 두려운 것 먼저 하기

우울증이 극복 될 때쯤 우리가 또 우울증으로 다시 리턴 되지 않기 위해서는 어느정도의 부지런함도 필요합니다. 잠깐 우울감이 사라졌다고 우울증이 극복되는 것은 아니기에 평상심을 유지하는 방법은 해야 할 일을 하는 것입니다. 작가는 글을 써야하고, 가수는 노래를 불러야하며, 직장인은 직장에서 일을 하고 CEO는 회사대표로써 현명한 결정을 해야만 합니다.

이렇게 자신의 일상에 해야 하는 일을 하기 위해서 저는 두 가지를 마음속에 세겼습니다. 하나는 '지금 귀찮다고 생각되는 일을 하자' 입니다. 제가 귀찮다고 느끼는 것들은 주로 해야 하는 일인데 지금 당장 할 필요가 없는 일이었죠. 저에게는 집안일이나 글쓰기 혹은 요가가 되기도 하죠.

사람의 열정은 전기배터리처럼 충전과 방전이 반복되기에 늘 설레는 상태로 일을 수행할 수가 없습니다. 그래서 사람은 미루기 기술을 시전하는 것이고 한 두번 미뤄도 괜찮다 생각하면 이 또한 습관이 되어버립니다. 습관이 된 줄도 모르고 습관이 되는 것이 정확한 표현이겠죠.

이러함을 벗어나기 위해 저는 '지금 내가 귀찮다고 생각 하는게 뭘까?' 라고 제 자신에게 물었고 바로 귀찮다 느껴지는 일이 떠올랐습니다. 설거지하기, 빨래하기 청소하기, 등이었죠.

이런 미루기가 잦아지면 집은 어지러워지고 해야 할 일을 못해 며칠이 지나서야 미뤘던 일을 한 번에 처리해야했습니다.

물론 습관과 성향에 따라 한 번에 하는 것을 좋아하거나 그때그때 일을 처리하는 것을 좋아하는 사람도 있겠지요.

무기력감을 이겨내기 위해서라도 지금 즉시 엉덩이를 때고 움직이는 것이 좋습니다. 해야 할일을 먼저 하는 습관을 들이는 것입니다.

TV를 보거나 PC를 하는 것은 주로 해야 하는 일이기보다 하고 싶은 일로 분류할 수가 있습니다. 이때는 무조건 해야 하는 일을 먼저하고 하고 싶은 일을 해야 합니다. 해야 하는 일을 우선시에 두지 않음을 반복하다보면 자신도 모르게 하고 싶은 일만 하고 싶어지고 해야 할 일을 외면하는 무책임한 사람이 될 가능성이 크니까요.

이런 책임감과 소소한 성취감을 위해 저는 지금 귀찮은 일을 떠올리고 해야 하는 일을 최우선으로 수행하게 되었습니다. 이 습관은 개인생활 외에도 단체 생활이나 조직, 회사생활을 하는데도 도움이 됩니다.

인간은 원래 편안한 것을 좋아하고 편안함에 익숙하다보니 일을 미루기 마련인데 계속 해야 할 귀찮은 것들에 대해 목록을 만들고 상기시키면 우울에서 벗어나 부지런한 습관을 길들일 수가 있습니다.

우울증에서 갓 벗어난 사람이나 우울증을 겪고 있는 사람, 혹은 습관을 고치고 싶은 사람들에게 이 귀찮은 것을 먼저 하는 방법은 꽤나 효과적입니다. 해야 할 일을 했을 때 타인으로부터 인정을 받기도 하고 자신의 문제에 대한 해결책이 떠오르거나 새로운 영감이 생겨 무언가 시작할 수 있는 추진력을 얻기도 하니까요. 어떤 이유에서건 이글을 읽는 여러분들께서 지금 귀찮다고 생각하는 것이 뭔지 리스트를 만들어보시고 해결하면 분명 우울증 극복에 도움이 될 것입니다.

이어서 두 번째는 두려움을 받아들이기입니다. 처음에는 ‘

두려움을 극복하기' 라고 정했는데 두려움은 극복하려 할수록 그 벽이 더 높아짐을 느꼈습니다. 높아진 벽을 보면 더 넘어야겠다는 생각이 들지 않더군요. 그래서 두려움은 극복하는 것이 아니라 받아들이는 것으로 재 정의했습니다.

제가 음악 하겠다고 겁없이 다짐했을 때 저는 두려움이 올 것이라는 생각을 하지 못했습니다. 음악을 하며 살겠다는 것은 안정을 떠나 불안정한 수익의 삶으로 뛰어 들어야하는 의미였으며 그중에도 실력 있는 사람만 살아남을 수 구조의 예를 들자면 야생이었습니다. 하지만 저는 그런 생각을 해보지도 않은 채 그저 음악하고 싶다며 시작했고 앨범을 발매 하는데에는 성공했지만 공연을 하거나 음악인으로써의 활동을 거의 하지 못했습니다.

그 이유는 두려움 때문이었습니다. 공연에서 인정받지 못하고 관객들의 호응을 이끌어내지 못 할 것 같았고 가사를 까먹어 노래를 하지 못할 것 같은 두려움에 휩싸였습니다. 준비가 부족했고 마음가짐, 즉 멘탈 관리에 허술했던 것이죠.

그렇게 호기롭게 시작한 제 20대의 꿈은 처참하게 짓밟혔고 저는 마이크를 내려놔야 했습니다. 시간이 지나고 제가 이렇게 펜을 들고 책을 집필하게 된 것은 두려움을 받아 들였을 때부터였습니다. 하고 싶은 것에 대한 실패는 도전에서 오는 두려움 때문이었다는 것을 알게 되었죠.

그 두려움을 파고 들었습니다. '나는 무엇이 두려운가?' '하고 싶은 일인 책을 쓰면 먹고살기 힘들다는 얘기 때문에 이것을 써야할지 모르겠다.' '먹고 살기 힘들면 나는 어떻게 될 것인가?' '지금처럼 대리운전이나 동네에서 일을 하며 먹고 살 것이다.' 이런 자문자답의 끝에는 이 책을 쓰는 행위가 돈이 되건 안 되건 먹고살기 위한 행위를 어떻게든 한다는 결론이 나왔습니다.

그렇습니다. 책으로 나오건 못나오건 팔리던 안 팔리던 제가 먹고 사는 데에는 지장이 없었고 저는 그저 지금 팬을 들고 글을 쓰면 된다라는 생각에 결과가 어쨌건 나는 글을 쓰고 의미와 공감을 전파하기로 했습니다.

이렇게 두 가지 "귀찮은 것 먼저 하기"와 "두려움을 받아들이기"를 계속 상기시키다보니 무엇이든 할 수 있겠다는 생각이 들었습니다. 귀찮음도 두려움도 다 내가 만든 환상이고 그 환상을 깨기 위해서는 직접 들어가는 수밖에 없었습니다.

여러분들이 어떤 생각을 하고 있건간에 정말 중요한 것은 그 생각에 실체가 없으며 막상 마주 했을 때야 말로 비로소 연기처럼 사라지게 하고 생각이 가벼워 질수 있습니다.

우울증이라는 녀석은 미루는 습관과 공포를 먹고 살며 환상을 만들어 냅니다. 여기서 극복하고 정신력을 유지하기 위해서 해야 할 일을 먼저하고 하고 싶은 일에 대한 두려움을 마주하고 도전할 수 있는 힘을 길러 나가시길 바랍니다.

에필로그

<쓰다 보니 저도 우울감이 사라졌습니다.>

'숨기고 있는 것보다 꺼냈을 때 마음이 편해진다' 라는 말이 이런 느낌일까요? 글을 다 쓰고 나니 이렇게 시원할 수가 없습니다. 저는 단지 제가 우울했던 경험과 그 방법들에 대해 하나하나 썼을 뿐인데, 오히려 제가 마음이 더 차분해지고 안정이 되었습니다.

누군가에게 의미가 되는 책을 만들자 하고 시작한 이 글쓰기는 누군가에게 나누는 봉사처럼 채우지 않아도 나눌 수 있는 기쁨을 알게 해주네요. 비록 어설프고 글 솜씨도 부족하지만 받는 기쁨보다 주는 기쁨이 더 크다는 것을 알게 되었습니다.

집필과정(?)이라고 하면 좀 쑥스럽지만 어쨌든 글을 썼던 과정동안 저 역시 배우는 것이 많았고 한권의 책을 쓸 수 있다는 성취감과 묘한 행복감을 얻었어요. 아직도 많이 부족하고 현재도 계속 배워가는 중이지만 목표를 향해 하루하루 꾸준히 가는 방법과 매일 조급해하며 서두르기만 했던 마음을 조금씩 천천히 느리게 만드는데도 성공하게 되었네요.

결국 우울이라는 것은 저를 파괴시키기도 했지만 새로운 영감이 되어 더욱 강해질 수 있는 계기가 되었습니다. 우울증의 장단점을 정확히 파악하게 되었습니다. 책 내용 안에도 있지만 모든 것에 장단점이 있다는 것이 더욱 와 닿게 된 경험이었어요. 우울의 단점으로는 20대동안 아프고 힘들게 제 자신을 괴롭히며 부정에 휩싸이게 했다면, 장점은 수많은 시행착오로 인해 저에게 다가올 우울에 대비를 하고 굳건한 정신력을 갖게 되었다는 것입니다.

또한 우울증 극복방법을 나누고 싶다는 생각에 누군가에게 이게 해결책이 되어 기나긴 터널에서 탈출해 현재의 저처럼 조금 더 맑고 건강한 정신력으로 세상을 살아가는데 힘이 되었으면 하는 희망도 생겼어요.

세상은 혼자 살아갈 수 없다는 말이 맞다고 인정할 수밖에 없게 되었네요. 혼자 살아가도 평생을 살수 있다고 생각했었는데 그게 아니었습니다. 이 내용을 들어줄 사람이 없고 제 책을 읽어 줄 사람이 없고 책을 출간해주는 분들과 서점을 운영하는 분들이 계시지 않으면 저는 책을 출간할 생각도 안 했을 것이고 그저 먹고 사는데만 더 집중했겠죠. 서로 얽히고 연결된 인간관계 덕분에 제 경험을 나눌 수 있다는 것이 그저 행복할 뿐입니다.

지금 우울하다는 것은 어쩌면 한 단계 더 성장할 계기 일수가 있어요. 무뎌지는 것이 아니라 강해지는 과정의 성장통 이라고 할 수 있죠. 근육이 아프고 찢어져 다시 회복되는 과정에서 탄탄하고 강해지는 것처럼 우울증은 마음의 근육이 찢어져 회복되는 과정에 있는 겁니다.

이 회복의 과정을 현명하게 극복해나가면 그 끝에는 평화롭고 행복한 마음이 기다리고 있으니 현재의 아픔을 나쁘게만 보지 마시고 이 또한 지나갈 것이라는 믿음으로 책이나 영상 등 치료약으로 쓸 수 있는 것들을 자신의 주변에 두시길 바랄께요.

그 책이나 좋은, 건강한 영상은 당신이 원하는 대로 강해진 심장과 부드러운 융통성을 가지게 해 줄 것입니다.

할 수 있습니다. 우리는 해내기 어렵지만 그래도 할 수 있음을 기억해야만 합니다. 이기고 지는 것보다 현재를 받아들이는 것부터 시작하여 남은 삶은 꼭 행복에 젖어들어 살아가셨으면 좋겠습니다. 부족한 글 읽어주셔서 너무 감사드립니다.

우울할 때 꺼내 먹어요.

발　행 | 2020년 2월 17일
저　자 | 정용훈
펴낸이 | 한건희
펴낸곳 | 주식회사 부크크
출판사등록 | 2014.07.15.(제2014-16호)
주 소 | 서울특별시 금천구 가산디지털1로119 SK트윈타워 A동 305호
전　화 | 1670-8316
이메일 | info@bookk.co.kr

ISBN | 979-11-272-9774-9

www.bookk.co.kr